Le pouvoir de l'intention

Dr Wayne W. DYER

Le pouvoir de l'intention

Apprendre à co-créer le monde à votre façon

*Traduit de l'américain
par Christian Hallé*

Collection dirigée
par Ahmed Djouder

Titre original
THE POWER OF INTENTION

« RIEN NE RESSEMBLE DAVANTAGE À LA SOURCE CÉLESTE DONT NOUS SOMMES ISSUS QUE LES BEAUTÉS QUI S'OFFRENT ICI-BAS AUX REGARDS DES GENS PERSPICACES... »

Michel-Ange

« SE RÉALISER SOI-MÊME SIGNIFIE QUE NOUS AVONS CONSCIEMMENT PRIS CONTACT AVEC LA SOURCE DE NOTRE ÊTRE. UNE FOIS QUE NOUS AVONS ÉTABLI CETTE CONNEXION, RIEN DE MAL NE PEUT ARRIVER... »

Swami Paramananda

À ma fille, Skye Dyer.
Ta douce voix reflète parfaitement
la vibration de ton âme angélique. Je t'aime !

PRÉFACE

Le livre que vous tenez entre vos mains, ainsi que toutes les informations qu'il contient n'étaient au départ qu'une idée informe dans le domaine invisible du champ de l'intention. Ce livre, *Le Pouvoir de l'intention*, a été voulu et introduit dans le monde physique en appliquant tous les principes exposés dans ces pages. J'ai su infléchir mon énergie vibrationnelle afin qu'elle s'aligne sur la Source omnicréatrice et permette à ces mots et à ces idées de s'acheminer à travers moi directement vers vous. Vous avez entre les mains la preuve que tout ce que nous concevons dans notre esprit – tout en demeurant en harmonie avec la Source créatrice universelle – peut et doit se réaliser.

Si vous désirez connaître l'impact que ce livre pourrait avoir sur votre vie, vos pensées, vos émotions et votre pouvoir créateur après l'avoir lu et avoir mis en pratique son message, je vous encourage à lire le dernier chapitre, *Portrait d'une personne connectée au champ de l'intention*, avant d'entreprendre ce voyage. Tous les êtres humains, comme tous les êtres vivants, émanent du champ d'intention créateur universel. Vivez selon cette perspective et vous apprendrez à connaître et à mettre en pratique le pouvoir de l'intention. Tous les feux de circulation sont verts, n'attendez plus !

Dr Wayne W. Dyer,
Maui, Hawaii, 2004

PREMIÈRE PARTIE

LES RUDIMENTS DE L'INTENTION

« PRÈS DE LA RIVIÈRE POUSSE LE SAINT ARBRE DE LA VIE. LÀ SE TROUVE MON PÈRE, ET MA DEMEURE EST EN LUI. LE PÈRE CÉLESTE ET MOI NE FAISONS QU'UN. »

L'Évangile essénien de la paix

CHAPITRE UN

UNE NOUVELLE PERSPECTIVE SUR L'INTENTION

> « IL EXISTE DANS L'UNIVERS UNE FORCE INCOM-
> MENSURABLE ET INDESCRIPTIBLE. CETTE FORCE,
> LES CHAMANS L'APPELLENT L'INTENTION, ET ABSO-
> LUMENT TOUT CE QUI EXISTE DANS L'UNIVERS EST
> RELIÉ À L'INTENTION. »
>
> Carlos Castaneda

Au cours des dernières années, mon intérêt pour l'étude de l'intention ne s'est jamais démenti et m'a amené à lire des centaines d'ouvrages de psychologues, de sociologues, de maîtres spirituels, d'érudits de l'Antiquité et du monde moderne et de chercheurs universitaires. Mes recherches ont révélé qu'il existe une définition communément acceptée de l'intention comme étant un but ou un dessein clairement affirmé, accompagné de la détermination d'obtenir le résultat désiré. On dit souvent des gens qui possèdent de tels buts qu'ils ont une volonté de fer, qu'ils refusent de laisser quoi que ce soit interférer avec leurs désirs les plus chers. Je les imagine avec la détermination et la résolution d'un pitbull. Si vous êtes l'une de ces personnes qui n'abandonnent jamais et qui portent en elles une image mentale qui les pousse à réaliser leurs rêves, vous correspondez à la description d'une personne ayant une intention. Vous êtes probablement un fonceur, et fier de votre capacité à reconnaître et à tirer profit des occasions qui se présentent à vous.

Pendant longtemps, j'ai cru qu'il en était ainsi. En fait, j'ai écrit des livres et donné des conférences sur le pouvoir de l'intention comme étant ce que je viens de décrire. Mais au cours des vingt-cinq dernières années, je me suis rendu compte que mes réflexions portaient de moins en moins sur la psychologie et la croissance personnelle, et de plus en plus sur le monde de la spiritualité où la guérison, la création de miracles, la manifestation et le contact avec la divine intelligence sont de véritables possibilités.

Ce ne fut pas tant une tentative délibérée de me désengager de mon passé académique et professionnel qu'une évolution naturelle qui s'est mise en branle lorsque j'ai commencé à entrer consciemment en contact avec l'Esprit. Mes écrits mettent à présent l'accent sur la croyance que nous pouvons trouver une solution à nos problèmes en vivant à des niveaux supérieurs et en faisant appel à des énergies plus diligentes. Pour moi, l'intention est devenue quelque chose qui dépasse infiniment l'ego et la volonté individuelle. En fait, c'est presque tout le contraire. Cela vient sans doute en partie du fait que je me suis peu à peu libéré de mon ego dans ma propre vie, mais j'ai également l'impression d'avoir été profondément influencé par deux phrases tirées d'un livre de Carlos Castaneda. Au cours de ma carrière d'auteur, j'ai souvent croisé des ouvrages qui ont fait germer en moi des réflexions qui ont finalement mené à l'écriture d'un nouveau livre. Pour ce qui est des deux phrases de Castaneda, je les avais lues dans son dernier livre, *Le Voyage définitif*, peu de temps avant de subir une intervention chirurgicale pour débloquer une artère obstruée qui avait été à l'origine d'une petite crise cardiaque.

Voici ce que Castaneda avait écrit : « L'intention est une force à l'œuvre dans l'univers. Lorsque les sorciers (qui vivent de la Source) font appel à l'intention, elle vient à eux et trace le chemin qu'ils doivent suivre, et c'est pourquoi les sorciers réalisent toujours ce qu'ils entreprennent. »

En lisant ces deux phrases, je fus frappé par leur clarté et leur perspicacité quant à la nature de l'intention. Imaginez un instant que l'intention n'est pas quelque chose que vous *faites*, mais une force présente dans l'univers sous la forme d'un champ d'énergie invisible ! Je n'avais jamais vu l'intention sous cet angle avant de lire le livre de Castaneda.

Je pris ces deux phrases en note, puis les fis imprimer sur une carte. J'apportai la carte avec moi dans la salle d'opération et commençai, dès que cela me fut possible, à parler de l'intention à tous ceux qui voulaient bien m'écouter. Je fis en sorte de toujours glisser un mot sur l'intention au cours de mes conférences. En m'immergeant dans ce concept, j'avais l'intention de m'en servir non seulement pour accélérer ma propre guérison, mais aussi pour aider les autres à utiliser le pouvoir de l'intention afin que celui-ci les porte là où ils sont équipés pour aller. J'avais connu un *satori*, une expérience d'éveil instantané, et j'étais déterminé à partager ma découverte avec les autres. Il devint clair pour moi que l'accès au pouvoir de l'intention nous délivrait de cette lutte de tous les instants que nous devons mener si nous voulons concrétiser nos rêves par la seule force de notre volonté.

À partir de ce jour, je consacrai presque tout mon temps à réfléchir sur l'intention et fus étonné de constater que tout dans ma vie – livres, articles, conversations, appels téléphoniques, colis postaux, ouvrages consultés négligemment dans une librairie – semblait concourir à me maintenir dans cette voie. Alors voici le résultat : *Le Pouvoir de l'intention*. J'espère que ce livre vous permettra de voir l'intention sous un jour nouveau et que vous l'utiliserez de façon à ce que vous puissiez un jour vous définir dans les termes utilisés par Patanjali, il y a plus de vingt siècles : « Forces dormantes, facultés et talents prennent vie, et vous découvrez que vous êtes bien plus que tout ce que vous aviez imaginé. »

L'expression employée par Patanjali, « forces dormantes », fut l'élément déclencheur qui m'orienta vers l'écriture d'un livre sur l'intention. En disant cela, Patanjali faisait allusion aux forces qui *semblent* soit inexistantes, soit mortes, mais aussi à la puissante énergie que nous ressentons lorsque nous sommes inspirés. Si vous avez déjà été inspiré par un but ou un appel, vous connaissez cette sensation de l'Esprit agissant à travers vous. *Inspiré* est un mot que nous utilisons pour dire que *l'esprit* agit *en* nous (in-spiritus). J'ai longuement réfléchi à l'idée d'être capable de faire appel à ces forces dormantes pour nous assister dans les moments clés de notre existence afin de réaliser nos souhaits les plus chers. Mais quelles sont ces forces ? Où se trouvent-elles ? Qui peut les utiliser ? Qui n'y a pas accès ? Et pourquoi ? Voilà le genre de questions qui m'ont poussé à entreprendre des recherches et à écrire ce livre, et qui m'ont finalement permis de voir l'intention sous un jour nouveau.

Aujourd'hui, pendant que je vous parle de mon enthousiasme pour cette vérité trop longtemps demeurée obscure, je *sais* que l'intention est une force que nous portons tous en nous. L'intention est un champ d'énergie invisible qui se meut au-delà de nos repères quotidiens habituels. L'intention existait avant même notre conception. Nous sommes en mesure d'attirer cette énergie et de vivre notre vie comme jamais auparavant.

Où se trouve ce champ d'énergie appelé l'intention ?

Certains éminents chercheurs croient que notre intelligence, notre créativité et notre imagination interagissent avec l'énergie du champ de l'intention plutôt que d'être des pensées ou des éléments de notre cerveau. Le brillant scientifique David Bohm suggère dans son livre, *La Plénitude de l'univers*, que toutes les influences et les informations qui régentent l'univers sont présentes dans un monde invisible ou un niveau de réalité supérieur et que nous pouvons y faire appel lorsque nous sommes dans le besoin. Des conclusions de ce genre, j'en ai trouvé des milliers d'exemples au cours de mes recherches et de mes lectures. Si les preuves scientifiques ont un attrait pour vous, je vous suggère de lire *L'Univers informé : la quête de la science pour comprendre le champ de la cohérence universelle* de Lynne McTaggart. Son livre est rempli d'études soutenant l'hypothèse de l'existence d'une dimension énergétique supérieure dans laquelle nous pouvons puiser.

La réponse à la question *Où se trouve ce champ ?* est : *Il n'y a pas un seul endroit où il n'est pas*, puisque l'intention fait partie intégrante de tout ce qui compose l'univers. Cela est vrai de toutes les formes vivantes, qu'il s'agisse d'un animal, d'un rosier ou d'une montagne. Même la création et la vie du moucheron portent l'empreinte de l'intention. Le petit gland, n'ayant en apparence aucun pouvoir de penser ou d'élaborer des plans pour son avenir, est lui aussi issu du champ invisible de l'intention. Si vous coupez le gland en deux, vous n'y trouverez aucun chêne majestueux, mais vous savez qu'il est là. Au printemps, la fleur du pommier n'est qu'une jolie petite fleur, et pourtant l'intention est inscrite en elle et se manifestera durant l'été sous la forme d'une pomme. L'intention ne se trompe jamais. Le gland ne se transforme jamais en citrouille et la fleur du pommier ne donne jamais d'orange. Tous les aspects de la nature, sans exception, portent la marque de l'intention, et d'après ce que nous en savons, rien dans la nature ne remet en question la voie que lui a tracée l'intention. La nature se développe toujours en harmonie avec le champ de l'intention. Et nous aussi, nous avons été *voulus* par le champ d'énergie de l'intention.

Il y a dans notre ADN ce que certains appellent une « vision d'avenir », présente en nous dès les premiers instants de notre conception. Au moment de notre conception, lorsqu'une minuscule goutte de protoplasme humain s'unit à un œuf, la vie débute sous sa forme physique, et l'intention prend aussitôt en charge le processus de croissance. La structure de notre corps, notre aspect physique, notre développement, y compris notre vieillissement, sont orientés par une intention dès notre conception. Les joues pendantes, les rides et même notre mort sont déjà inscrites en nous. Mais attendez un instant, que se passe-t-il au juste au moment de notre conception ? Où commence cette vie née de l'intention ?

Lorsque nous examinons les tentatives qui ont été faites pour déterminer les origines de la vie, en remontant jusqu'à la Création, nous trouvons d'abord les molécules, puis les atomes, puis les électrons, puis les particules subatomiques, et les particules sub-subatomiques. Finalement, si nous plaçons ces minuscules particules quantiques dans un accélérateur de particules pour les faire entrer en collision dans l'espoir de mettre enfin le doigt sur la source de la vie, nous découvrons ce que Einstein et ses compatriotes de la communauté scientifique ont découvert : il n'y a pas de particules à la source de la vie ; les particules ne donnent pas naissance à d'autres particules. La Source, qui est l'intention, est une énergie pure et illimitée qui vibre si rapidement qu'elle défie toute mesure et toute observation. Cette énergie est invisible, informe et sans frontière. Nous sommes donc à l'origine une énergie informe, et c'est dans ce champ d'énergie spirituelle informe et vibratoire que se trouve l'intention. Pour plaisanter, je dis souvent que je *sais* qu'il en est ainsi puisque l'intention est parvenue, en s'infiltrant dans une goutte de sperme et un ovule, à déterminer que mes cheveux cesseraient de pousser au bout de vingt-cinq ans... et qu'à cinquante ans, il me pousserait des poils sur le nez et sur les oreilles. Quant à moi (l'observateur), je ne peux qu'observer le phénomène et m'épiler de temps en temps !

On ne peut décrire ce champ d'intention avec des mots, puisque même les mots en émanent, tout comme les questions qu'il suscite. L'intention est ce lieu qui n'est nulle part et qui s'occupe de tout en notre nom. L'intention fait pousser mes ongles, battre mon cœur et digérer mes aliments. C'est elle qui écrit ce livre, et elle en fait tout autant pour chacun d'entre nous et pour tout ce qui existe dans l'univers. Cela me rappelle une très vieille histoire chinoise que j'adore, racontée par Chuang Tzu :

> *Il était une fois un dragon unijambiste appelé Hui.*
> *« Comment fais-tu pour diriger toutes ces pattes ? demanda-t-il un jour au mille-pattes. J'y arrive à peine avec une seule !*
> *— En fait, répondit le mille-pattes, ce n'est pas moi qui les dirige. »*

Il existe en effet un champ invisible et informe qui dirige toutes choses dans cet univers. L'intention se manifeste d'ailleurs d'une multitude de façons dans le monde physique, et toutes les parties de votre être, y compris votre âme, vos pensées, vos émotions, et bien sûr le corps physique que vous occupez, participent de cette intention. Donc, si l'intention détermine tout dans l'univers, en plus d'être omniprésente – ce qui veut dire qu'elle est partout à la fois – alors pourquoi avons-nous si souvent l'impression d'en être coupés ? Et plus important encore, si l'intention détermine tout, pourquoi sommes-nous si nombreux à souffrir de ne pas posséder ce que nous aimerions avoir ?

La signification de l'intention omniprésente

Essayez d'imaginer une force qui est partout à la fois, une force qui vous suit partout où vous allez. Elle ne peut être divisée, et pourtant, elle est présente dans tout ce que vous pouvez voir ou toucher. À présent, élargissez votre conscience de ce champ d'énergie infini au-delà du monde des formes et de la finitude. Cette force invisible est partout, elle est donc présente dans le monde physique et dans le monde immatériel. Votre corps physique n'est qu'une partie de votre être global émanant de cette énergie. Au moment de la conception, l'intention met en branle le développement de vos caractéristiques physiques et le déroulement de votre croissance et de votre vieillissement, mais elle met aussi en branle le développement de vos caractéristiques immatérielles, comme vos émotions, vos pensées et vos dispositions. Dans ce cas précis, *l'intention est une potentialité infinie qui active vos attributs physiques et im-*

matériels sur terre. Vous devez vous détacher de l'omniprésence pour devenir une présence dans le temps et l'espace, mais étant omniprésence, ce champ d'énergie d'intention vous est accessible même après votre arrivée physique sur terre ! En fait, la seule façon de désactiver cette *force dormante* consiste à croire que vous en êtes séparé.

En activant l'intention, vous rejoignez votre Source et devenez un sorcier des temps modernes. Devenir sorcier signifie atteindre un niveau de conscience où des choses inconcevables deviennent soudainement possibles. Comme l'expliquait Carlos Castaneda : « La tâche des sorciers est de se tourner vers l'infini [*l'intention*], et ils s'y jettent d'ailleurs tous les jours, comme le pêcheur jette ses filets à la mer. » L'intention est une force qui est partout présente sous la forme d'un champ d'énergie ; elle ne se limite pas au développement physique. C'est aussi une source de développement immatériel. Ce champ d'intention est ici, présent, à votre portée. Lorsque vous l'activerez, votre vie prendra un tout autre sens et vous serez guidé par votre moi infini. Voici comment un poète et maître spirituel décrivait ce que j'appelle l'intention :

> *Ô Seigneur, Toi qui es sur le banc de sable*
> *Comme au milieu du courant ;*
> *Je m'incline devant toi.*
> *Toi qui es dans le grain de sable*
> *Comme dans les calmes étendues de l'océan ;*
> *Je m'incline devant Toi.*
> *Ô Seigneur omniprésent,*
> *Toi qui es sur la terre stérile*
> *Comme au milieu des foules ;*
> *Je m'incline devant Toi.*

Tiré du *Veda XVI* de Sukla Yajur

Tandis que vous vous inclinez métaphoriquement devant cette force, prenez conscience que vous vous inclinez devant vous-même. L'énergie de l'intention qui imprègne toute chose vous propulse vers votre potentialité à vivre une vie pleine de sens.

Comment vous en êtes venu à penser que vous êtes déconnecté de l'intention

S'il existe un pouvoir de l'intention omniprésent qui est non seulement en moi, mais aussi en tout et en chacun, alors nous sommes reliés par cette Source enveloppante à tout et à tout le monde, à ce que nous aimerions être, à ce que nous aimerions avoir, à ce que nous voulons accomplir et à tout ce qui dans l'univers peut nous porter secours. Pour y arriver, nous n'avons qu'à nous réaligner nous-mêmes et à activer l'intention. Mais comment en sommes-nous venus à nous couper de cette Source ? Comment avons-nous pu perdre cette aptitude naturelle à prendre contact avec elle ? Les lions, les poissons et les oiseaux ne perdent jamais ce contact. Les représentants des règnes animal, végétal et minéral sont toujours en contact avec leur Source. Ils ne remettent pas en cause l'intention qui a précédé leur création. Les humains, toutefois, avec leurs soi-disant fonctions cérébrales supérieures, possèdent ce que nous appelons un *ego*, un terme qui désigne l'idée que nous nous faisons de ce que nous sommes.

L'ego est composé de six ingrédients de base qui témoignent de la façon dont nous faisons l'expérience de nous-mêmes en tant qu'êtres séparés de leur Source. En permettant à l'ego de déterminer le chemin qu'empruntera notre vie, nous désactivons le pouvoir de l'intention. Voici brièvement six croyances au sujet de l'ego.

Vous trouverez une description plus détaillée de ces croyances dans plusieurs de mes ouvrages précédents, en particulier dans *Your Sacred Self*.

1. *Je suis ce que je possède*. Mes possessions définissent qui je suis.
2. *Je suis ce que je fais*. Mes accomplissements définissent qui je suis.
3. *Je suis ce que les autres pensent de moi*. Ma réputation définit qui je suis.
4. *Je suis distinct des autres*. Mon corps me dit que je suis seul.
5. *Je suis coupé de tout ce qui est manquant dans ma vie*. Mon espace vital est déconnecté de mes désirs.
6. *Je suis distinct de Dieu*. Ma vie dépend de l'assentiment de Dieu quant à ma propre valeur.

Même si vous faites de votre mieux, vous ne pourrez accéder à l'intention par le biais de votre ego. Alors prenez le temps de réfléchir à ces six croyances, puis apportez les changements qui s'imposent. Une fois que vous aurez créé une brèche dans la suprématie de l'ego, alors vous pourrez rechercher l'intention et maximiser votre potentiel.

Tenir ferme

Voici un exercice que je trouve particulièrement utile lorsque je ressens le besoin d'activer l'intention. Il se peut que cela fonctionne également pour vous. (Voir chapitre trois pour une description détaillée des diverses façons d'accéder à l'intention.)

C'est l'un de mes plus vieux souvenirs. Ma mère, mes deux frères et moi prenons le tramway qui doit nous conduire du quartier est de Detroit jusqu'à Water-works Park. J'ai deux ou trois ans. Je lève les yeux et aperçois les poignées qui pendent du plafond. Les adultes peuvent s'y retenir, mais de mon côté, je ne peux qu'imaginer l'effet que cela fait d'être assez grand pour saisir ces poignées au-dessus de ma tête. En fait, je joue à faire semblant que je suis assez léger pour flotter jusqu'aux poignées de maintien. Puis, j'imagine que je suis en sûreté et que le tramway me conduit jusqu'à ma destination, à la vitesse de son choix, s'arrêtant pour prendre d'autres passagers qui se joignent en cours de route à notre extraordinaire aventure en tram.

Dans ma vie adulte, j'utilise l'image des poignées de maintien pour me rappeler l'importance de revenir à l'intention. J'imagine une poignée à un peu plus d'un mètre au-dessus de ma tête, assez haute pour que je ne puisse l'atteindre, même en sautant. La poignée est fixée au plafond du tramway, mais cette fois, le tramway symbolise le pouvoir mouvant de l'intention. Peut-être l'ai-je lâchée ou peut-être se trouve-t-elle temporairement hors de ma portée. Néanmoins, dans les moments de stress, d'anxiété, d'inquiétude ou de malaise physique, je ferme les yeux et m'imagine, le bras tendu, en train de flotter jusqu'à la poignée du tramway. Au moment où je la saisis, je pousse un soupir de soulagement et ressens une extraordinaire sensation de bien-être. En éliminant les pensées de l'ego, je me donne la permission d'atteindre l'intention ; je suis confiant que son pouvoir me conduira à bon port, que nous nous arrêterons lorsque cela sera nécessaire pour prendre d'autres compagnons en cours de route.

Dans mes ouvrages antérieurs, j'appelais ce processus le chemin de la maîtrise. Ces quatre avenues vous aideront à vous préparer à l'activation de l'intention.

Quatre étapes vers l'intention

Pour activer le pouvoir de l'intention, vous devez prendre contact avec votre moi naturel et cesser de vous identifier complètement à votre ego. Ce processus se déroule en quatre étapes :

1. Discipline. Apprendre une nouvelle tâche implique que vous entraîniez votre corps afin qu'il exécute les mouvements comme vous le désirez. Vous n'avez donc pas à vous couper de votre corps pour cesser de vous identifier à votre ego ; vous devez plutôt l'entraîner pour concrétiser ce que vous désirez. Pour y arriver, vous devrez vous exercer, adopter des habitudes non toxiques, manger des aliments sains, et ainsi de suite.

2. Sagesse. La sagesse conjuguée à la discipline renforce votre capacité de concentration et vous permet de patienter pendant que vous harmonisez vos pensées, votre intellect et vos émotions avec la mise en forme de votre corps. Nous envoyons nos enfants à l'école en leur disant *Sois sage* et *Sers-toi de ta tête*, et nous appelons cela éducation, mais nous sommes encore loin de la maîtrise.

3. Amour. Après avoir discipliné votre corps avec sagesse et étudié avec votre intellect la tâche qui vous attend, vous devez apprendre à aimer ce que vous faites et à faire ce que vous aimez. Dans le monde de la vente au détail, je dis souvent aux gens qu'ils doivent tomber en amour avec leur produit, puis vendre cet amour et cette passion à leurs clients potentiels. Pour apprendre à jouer au tennis, vous devez répéter les mouvements et étudier les différentes stratégies propres à ce sport.

Mais vous devez également prendre plaisir à frapper des balles et à courir sur le court, et aimer tout ce qui entoure cette activité.

4. Abandon. Voilà le lieu de l'intention. C'est ici que votre corps et votre esprit quittent le devant de la scène et que vous entrez dans l'intention. Voici ce qu'en dit Carlos Castaneda : « Il existe dans l'univers une force incommensurable et indescriptible, une force que les chamans appellent intention, et tout ce qui existe dans le cosmos est relié à cette force. » À présent, détendez-vous, saisissez la poignée du tramway et acceptez d'être porté par ce même pouvoir qui transforme les glands en arbres, les fleurs en pommes, et de minuscules cellules en êtres humains. Saisissez la poignée du tramway et créez votre propre lien. *Absolument tout dans le cosmos est relié à l'intention*, y compris votre moi discipliné, sage et aimant, de même que toutes vos pensées et émotions. En vous abandonnant à l'intention, vous vous remettez de tous vos tracas ; vous pouvez enfin consulter votre âme infinie. Puis le pouvoir de l'intention vous donne l'occasion d'aller là où votre destinée vous appelle.

Vous vous demandez peut-être ce qu'il en est de votre libre arbitre après un tel exposé sur l'intention et l'abandon. Vous êtes peut-être enclin à penser que le libre arbitre n'existe pas ou que vous êtes le produit d'un programme génétique. Alors penchons-nous sur le libre arbitre et voyons comment nous pouvons l'inclure dans cette nouvelle conception de l'intention. Avant de passer aux deux sections suivantes, je vous demande de laisser de côté vos préjugés, même si certaines choses contredisent tout ce en quoi vous avez cru depuis que vous êtes au monde !

L'intention et votre libre arbitre : une relation paradoxale

Un paradoxe est un énoncé qui semble absurde ou contradictoire même s'il est valide. Unir intention et libre arbitre dans une même phrase est certes paradoxal. Cette notion entre en conflit avec plusieurs idées préconçues quant à ce qui est raisonnable ou possible. En effet, comment pouvez-vous prétendre user de votre libre arbitre si vous croyez que votre corps et votre potentiel sont le résultat d'une intention ? Vous pouvez surmonter cette dichotomie en choisissant de croire en l'infinité de l'intention *et* en votre capacité d'exercer votre libre arbitre. Puisque vous êtes capable de manipuler rationnellement les règles de cause à effet, utilisez votre intellect pour en prendre la mesure.

De toute évidence, il ne peut y avoir deux infinis, sinon ils ne seraient pas vraiment infinis, chacun étant limité par l'autre. On ne peut diviser l'infini en diverses parties. L'infini est par essence unité, continuité et unicité, comme l'air dans votre maison. Où s'arrête l'air de votre cuisine et où commence celui de votre salon ? Où s'arrête l'air à l'intérieur de votre maison et où commence celui qui se trouve à l'extérieur ? Et qu'en est-il de l'air que vous respirez ? L'air est sans doute l'image la plus utile pour comprendre l'Esprit infini, universel et omniprésent. Néanmoins, vous devez dépasser en pensée l'idée de votre existence individuelle pour atteindre l'idée de l'unité de l'être universel, puis poursuivre votre réflexion jusqu'à l'idée d'une énergie universelle. Lorsque vous imaginez un tout dont les parties se trouvent à différents endroits, vous perdez de vue l'idée de l'unité. Mais (en laissant de côté vos préjugés comme je vous l'ai demandé plus tôt) il y a mieux encore ! À tout moment, l'Esprit dans sa totalité est concentré là où vous portez toute votre attention. Par conséquent, *vous* pouvez consolider toute l'énergie créatrice à n'importe quel moment. *Voilà comment fonctionne votre libre arbitre.*

Votre esprit et vos pensées sont aussi les pensées de l'esprit divin. L'Esprit universel est présent dans vos pensées *et* dans votre libre arbitre. Lorsque vos pensées se détournent de l'Esprit pour s'intéresser à l'ego, vous perdez contact avec le pouvoir de l'intention. Votre libre arbitre peut suivre le mouvement de l'Esprit universel dans son dévoilement *ou* s'en éloigner et tomber sous la coupe de l'ego. Tandis qu'elle s'éloigne de l'Esprit, la vie apparaît soudain comme une lutte sans merci. Des énergies plus lentes se mettent à circuler en vous, et il se peut que vous vous sentiez désespéré, impuissant et désorienté. Vous pouvez utiliser votre libre arbitre pour rejoindre des énergies supérieures, plus rapides. La vérité est que *nous* ne créons rien par nous-mêmes ; nous sommes tous des créatures de Dieu. Notre libre arbitre ne fait que joindre et redistribuer des choses qui existent déjà. *C'est à vous de décider !* Avoir un libre arbitre signifie avoir le choix d'entrer ou non en contact avec l'Esprit !

Donc, la réponse aux questions *Ai-je un libre arbitre ?* et *Est-ce que l'intention est une force universelle omniprésente agissant en moi ?* est : *Oui.* Pouvez-vous vivre avec ce paradoxe ? Si vous y réfléchissez bien, vous verrez que toute votre vie est un paradoxe. Vous êtes en même temps un corps définissable dans l'espace et le temps, un objet pourvu de frontières, ayant un début et une fin, et un être invisible, informe et illimité, ayant des pensées et des émotions. Un corps et un esprit, si vous voulez. Alors qui êtes-vous ? Matière ou essence ? Physique ou métaphysique ? Forme ou esprit ? La réponse est que vous êtes toutes ces choses à la fois, même si cela semble parfois contradictoire. Peut-on être à la fois libre et partie intégrante de la densité de l'intention ? *Oui*. Surmontez la dichotomie. Surmontez les oppositions, et vivez en accord avec ces deux croyances. Entreprenez le processus qui permettra à l'Esprit d'agir de concert avec vous et prenez contact avec le champ de l'intention.

Dans le monde de l'intention, l'Esprit est à votre service !

En décidant librement de reprendre contact avec le pouvoir de l'intention, vous modifiez son cours. Vous éprouverez soudain une agréable sensation de reconnaissance et de vénération pour l'unité de l'Esprit et de votre personne, en tant que concentration individuelle de cette unité. Je répète en silence les mots *dessein* et *intention* pour me débarrasser plus facilement de mon ego et de mon égocentrisme. Je pense souvent à cette citation de Castaneda tirée de son livre, *Le Pouvoir du silence* : « Ayant perdu tout espoir de retourner à la source de toute chose, l'homme de la rue cherche réconfort dans l'égoïsme. » Pour ma part, j'essaie tous les jours de retourner à la source de toute chose, et refuserai toujours d'être cet « homme de la rue » dont parle Castaneda.

Il y a de cela plusieurs années, je pris la décision de ne plus boire d'alcool. Je voulais faire l'expérience d'un état de sobriété durable afin d'améliorer ma capacité à faire le travail qui me tenait le plus à cœur. Je sentais que j'étais appelé à enseigner comment conquérir notre indépendance en écrivant des livres et en donnant des conférences. Plusieurs professeurs m'avaient expliqué que la sobriété était une condition préalable à l'accomplissement de la tâche pour laquelle j'étais appelé. Peu de temps après avoir apporté des changements radicaux à mon mode de vie, je me rendis compte qu'une force semblait me soutenir lorsque j'étais tenté de retomber dans mes vieilles habitudes de boire quelques bières après le dîner. Un soir que j'étais particulièrement indécis, je sortis pour acheter quelques canettes de bière, mais oubliai mon argent à la maison. Pourtant, je n'oublie *jamais* de prendre mon portefeuille !

Tandis que je retournais chez moi pour récupérer mon argent, je réévaluai le rôle de ce libre arbitre qui me permettait de m'acheter de la bière et décidai plutôt de suivre mon intention. Au cours des semaines qui suivirent, je découvris que ce genre d'événements se produisait régulièrement, comme si quelque chose m'éloignait des situations où la tentation de boire serait irrésistible. Un appel téléphonique pouvait me tirer d'une situation embarrassante, une chicane de famille pouvait éclater et m'empêcher de rechuter dans l'alcool. Aujourd'hui, après quelques décennies de sobriété, il est clair pour moi que le fait d'avoir empoigné solidement cette poignée de tramway m'a permis de retrouver le chemin qui doit me mener à la destination invoquée de toute éternité par l'intention. Je constate également que mon libre arbitre est un partenaire paradoxal du pouvoir de l'intention.

Le fait de prendre conscience que l'intention est un pouvoir avec lequel je peux reprendre contact, et non quelque chose que mon ego doit accomplir, a fait une énorme différence dans ma vie professionnelle. La découverte que mes écrits et mes conférences étaient des manifestations du champ de l'intention m'a apporté des avantages incommensurables. Je suis toujours impressionné par l'énergie créatrice qui m'envahit lorsque je mets de côté mon égocentrisme en cessant de m'identifier à mon ego. Avant de prendre la parole, j'envoie mon ego dans le hall où je lui dis de prendre place dans l'auditoire. Je répète en silence le mot *intention*, puis je m'imagine en train de flotter dans le champ d'énergie de l'intention. Je m'abandonne, je m'ouvre et je découvre que je suis parfaitement à mon aise, me souvenant de tous les petits détails de ma conférence, sans jamais perdre le fil, tout en faisant l'expérience de ce lien unique qui se tisse entre moi et le public. Je ne ressens plus ni fatigue, ni faim ; je n'ai même plus besoin d'aller aux toilettes ! Tout ce dont j'ai besoin pour transmettre mon message semble instantanément à portée de main.

Conjuguer libre arbitre et intention

En mathématiques, on dit de deux angles qui coïncident qu'ils s'accordent parfaitement. Le mot *coïncidence* ne décrit pas un coup de chance ou une erreur. Il décrit *ce qui s'accorde parfaitement*. En conjuguant libre arbitre et intention, vous harmonisez votre vie avec l'esprit universel. Au lieu d'utiliser votre propre esprit sans égard pour cette force appelée l'intention, il se peut, en lisant ce livre, que vous ayez envie de travailler à établir une harmonie permanente entre vous et l'intention. Lorsque la vie semble se dresser contre vous, lorsque votre chance vous abandonne, lorsque les soi-disant mauvaises personnes se trouvent constamment sur votre route ou encore lorsque vous trébuchez et retombez dans de vieilles habitudes contraires au but que vous recherchez, prenez conscience des signes que vous ne vivez plus en harmonie avec l'intention. Vous pourrez alors reprendre contact avec l'intention d'une manière qui vous permettra de vous réaligner avec votre propre but.

Par exemple, lorsque j'écris, je m'ouvre à la possibilité de l'Esprit universel et de mes propres pensées individuelles collaborant de bonne foi pour produire un livre utile et pénétrant. Mais en repensant à ma propre expérience avec l'alcool, je tiens à présenter dans ce chapitre un autre exemple montrant comment l'intention peut collaborer avec les circonstances de la vie pour produire ce dont nous avons besoin.

Récemment, ma fille de dix-neuf ans, Sommer, m'apprit qu'elle avait quitté son emploi temporaire d'hôtesse dans un restaurant et qu'elle ne savait plus ce qu'elle voulait faire avant de reprendre ses études universitaires. Je lui demandai ce qui la rendait heureuse et lui donnait l'impression d'être utile, et elle me répondit que c'était d'enseigner l'équitation à de jeunes enfants, mais qu'il était hors de question pour elle de retourner dans cette vieille écurie où elle avait travaillé l'année précédente, car elle avait l'impression que les propriétaires ne l'appréciaient pas, lui donnaient trop de travail et ne la payaient pas assez.

Je me trouvais à Maui, plongé dans l'écriture de ce premier chapitre consacré à une nouvelle façon de concevoir l'intention, lorsque nous eûmes cette conversation téléphonique. Je lui fis mon petit boniment sur « l'intention comme force active dans l'univers » et lui expliquai qu'elle devait réaligner ses pensées, et ainsi de suite. « Sois prête à recevoir l'aide dont tu as besoin, lui dis-je. Fais confiance à l'intention. Elle est là pour toi. Sois en alerte et prête à accepter tous les conseils qui te parviendront. Demeure en harmonie vibratoire avec la Source omnipotente. »

Le lendemain, alors que je cherchais un autre exemple d'intention à insérer dans ce chapitre, le téléphone sonna. C'était Sommer, et elle était tout excitée. « Tu ne vas pas le croire, papa. Mais réflexion faite, je suis sûre que tu vas le croire. Tu te rappelles ce que tu m'as dit hier sur l'importance de s'ouvrir à l'intention ? J'étais plutôt sceptique, pensant même que c'était encore une autre de tes bizarreries, mais j'ai pensé que cela valait la peine d'essayer. Eh bien, j'ai aussitôt vu une petite annonce sur un poteau téléphonique concernant des leçons d'équitation, accompagnée d'un numéro de téléphone. J'ai noté le numéro et j'ai appelé. La femme qui m'a répondu m'a expliqué qu'elle avait besoin d'une personne de confiance pour accompagner de jeunes enfants en randonnée. Elle m'a offert le double de ce que je gagnais au restaurant. Je la rencontre demain. C'est génial, non ? »

Génial ? Et comment donc ! Je suis en train d'écrire un livre, il me manque un bon exemple, et celui-ci m'arrive sous la forme de l'aide que je tentais d'offrir à ma fille le jour précédent. Deux pour le prix d'un !

Fusionner vos pensées individuelles avec l'esprit universel

Nos pensées individuelles créent un prototype dans l'esprit universel de l'intention. Vous n'êtes pas séparé de votre pouvoir de l'intention. Donc, lorsque vous formez à l'intérieur de vous une pensée qui est commensurable avec l'Esprit, vous formez un prototype spirituel qui vous met en contact avec l'intention et met en branle la manifestation de vos désirs. Peu importe ce que vous désirez accomplir, ce désir est un fait réel, déjà présent dans l'Esprit. Éliminez de vos pensées les conditions préalables, les limitations et les possibilités d'échec. Si vous laissez votre désir tranquille, simultanément dans votre esprit et dans l'esprit de l'intention, il donnera naissance à une réalité dans le monde physique.

En d'autres termes, « Tout ce que vous demandez dans vos prières, faites comme si vous l'aviez déjà reçu, et vous le recevrez » [Marc 11, 24]. Dans cette citation des Écritures, on vous dit de croire que vos désirs ont déjà été réalisés, et qu'alors il en sera ainsi. Sachez que votre idée ou votre désir est déjà présent dans l'univers. Éliminez tout doute afin de créer une pensée qui s'harmonisera avec l'esprit universel ou intention. Lorsque vous n'aurez plus l'ombre d'un doute, votre désir se réalisera. Tel est le pouvoir de l'intention.

Je conclurai cette section par une citation d'Aldous Huxley, l'un de mes auteurs préférés : « Notre voyage spirituel ne consiste pas à atteindre une destination pour obtenir quelque chose que nous ne possédions pas ou devenir une personne que nous n'étions pas. Il consiste à dissiper notre propre ignorance vis-à-vis de nous-même et de notre existence, et à assimiler progressivement cette compréhension qui marque le début de l'éveil spirituel. La découverte de Dieu est ainsi un retour sur soi. »

*
* *

Dans ce premier chapitre, je vous ai demandé de ne plus douter de l'existence d'une force omniprésente et universelle que j'ai nommée l'intention, et je vous ai expliqué que vous pouviez entrer en contact avec elle et vous rendre à votre destination grâce à son énergie. Voici donc quelques suggestions pour mettre tout cela en pratique.

Cinq suggestions pour mettre en pratique les idées présentées dans ce chapitre

1. *Quand vous n'êtes pas dans votre assiette, que vous vous sentiez perdu ou de mauvaise humeur, visualisez la poignée du tramway descendant du champ de l'intention à un mètre au-dessus de votre tête.* Imaginez que vous flottez dans les airs et que le tramway vous transporte vers l'intention qu'on a programmée en vous. Cela est un outil pour mettre en pratique l'acte de vous abandonner à votre vie.

2. *Répétez le mot intention ou le mot but lorsque vous souffrez d'anxiété ou quand tout autour de vous semble conspirer pour vous empêcher de remplir votre mission.* Cela vous aidera à vous rappeler qu'il faut demeurer calme et serein. L'intention est esprit, et l'esprit est un calme bonheur.

3. *Dites-vous que vous avez une mission et un partenaire silencieux sur qui vous pouvez toujours compter.* Quand l'ego vous définit par ce que vous possédez, par ce que vous faites ou par rapport aux autres, utilisez le pouvoir de votre libre arbitre pour mettre un terme à ces pensées. Dites-vous : « Je suis ici pour une raison précise, je peux accomplir tout ce que je désire et je le fais en harmonie avec la force créatrice de l'univers qui pourvoit à tout. » Cela deviendra une façon automatique de répondre aux défis de la vie. Des résultats synchroniques commenceront bientôt à arriver.

4. *Agissez comme si tout ce que vous désirez est déjà acquis.* Vous devez croire que vous avez déjà reçu

tout ce dont vous avez besoin, que vos désirs seront comblés et que l'esprit englobe tout ce qui existe. L'un de mes dix secrets du succès et de la paix intérieure consiste à vous *traiter vous-même comme si vous étiez déjà la personne que vous aimeriez devenir.*

5. *Copiez cet ancien dicton hassidique et portez-le sur vous pendant un an.* Cela vous aidera à ne pas oublier le pouvoir de l'intention et comment il peut vous aider tous les jours, de toutes les façons.

Lorsque vous traversez un champ avec un esprit pur et saint, de toutes les pierres, de tout ce qui pousse et de tous les animaux, jaillit de leur âme une étincelle qui s'accroche à vous, et c'est ainsi qu'ils se purifient et deviennent un feu sacré en vous.

*
* *

Dans le prochain chapitre, je décrirai à quoi ressemblerait ce champ de l'intention si vous pouviez le voir et à quoi ressemblent les *visages de l'intention*. Je conclurai ce chapitre par une autre citation du maître de Carlos Castaneda, Don Juan Matus : « ... l'esprit se révèle à tous avec la même intensité et la même cohérence, mais seuls les guerriers sont toujours en état de recevoir de telles révélations. »

Lecteurs aussi bien que guerriers, poursuivez dans l'esprit du libre arbitre pour accéder au pouvoir de l'intention.

CHAPITRE DEUX

LES SEPT VISAGES DE L'INTENTION

« QUATRE MILLE VOLUMES DE MÉTAPHYSIQUE NE
NOUS ENSEIGNERONT PAS CE QU'EST L'ÂME. »
Voltaire

Passer de la conscience de l'intention à la connaissance de l'intention

Hier, tandis que je travaillais à l'écriture de ce livre sur l'île de Maui, j'ai subitement *compris* quelque chose que je vais à présent tenter de vous expliquer. Une Japonaise venait d'être extirpée des vagues, le corps gonflé par l'eau de mer. Tandis que je m'agenouillais près d'elle avec d'autres personnes pour tenter de pratiquer une technique de réanimation cardio-pulmonaire, plusieurs de ses amis japonais observaient nos futiles efforts en poussant des cris d'angoisse. Soudain, je pris conscience que l'âme de cette femme flottait tout doucement au-dessus de nous. Tandis que j'observais cette scène de sauvetage sur la plage, je sentis la présence d'une énergie sereine et merveilleuse, et je compris, même si je ne pouvais l'expliquer, qu'elle ne reviendrait pas à la vie, n'étant plus en contact avec ce corps que tant de braves gens, moi y compris, tentaient de réanimer.

Cette tranquille certitude m'incita à me lever, à joindre les mains et à réciter, en silence, une prière pour la défunte. Nous venions de deux parties du monde complètement différentes, nous ne parlions même pas la même langue, et pourtant, je sentais qu'un lien nous unissait. J'étais en paix avec moi-même étant à présent convaincu que son esprit et le mien étaient reliés, d'une manière ou d'une autre, par le mystère de cette vie physique, transitoire et éphémère, qui est la nôtre.

Tandis que je m'éloignais de la plage, ce n'était pas l'idée de la mort qui dominait mes pensées. Au contraire, je savais et sentais que l'esprit de cette femme, en quittant ce corps inanimé et gonflé par l'eau de mer, avait agi de manière inexplicable, conformément à un plan parfait et divin. Je n'aurais pu le prouver. Je n'avais aucune preuve scientifique de cela. Mais ce n'était pas qu'une sensation : je le *savais*. Voilà un exemple de ce que j'appelle une *connaissance silencieuse*. Tandis que j'écris ces lignes, vingt-quatre heures plus tard, je sens encore sa présence autour de moi. Dans *La Force du silence*, Carlos Castaneda décrit la connaissance silencieuse comme « quelque chose que nous portons tous en nous. Une force qui maîtrise et connaît toute chose. Mais cette force ne pense pas, et par conséquent, elle ne peut nous dire ce qu'elle sait… L'Homme a abandonné la connaissance silencieuse pour le monde de la raison. Et plus il s'accroche au monde de la raison, plus l'intention devient éphémère ».

Puisque l'intention est présentée dans ce livre comme un champ d'énergie invisible inhérent à toute forme physique, l'intention fait donc partie du monde inexplicable et immatériel de l'Esprit. L'Esprit déjoue nos tentatives visant à l'expliquer et à le définir, car il réside dans une dimension qui n'a ni commencement ni fin, au-delà des frontières, des symboles et de toute forme. Par conséquent, nos paroles et nos écrits, les symboles que nous utilisons pour communiquer nos expériences, ne peuvent expliquer ce qu'est l'Esprit, même s'ils nous permettent de décrire le monde physique.

Je partage tout à fait l'avis de Voltaire présenté au début de ce chapitre et admets volontiers que je suis incapable d'enseigner à quiconque ce qu'est l'Esprit, ni de le décrire précisément avec des mots. Mais je peux néanmoins décrire la façon dont je conçois l'intention, s'il était de quelque façon possible de lever le voile qui sépare le champ de l'intention de nos sens et de notre raison. Je vais à présent vous livrer ma conception de ce que j'appelle les *sept visages de l'intention*. Ces éléments représentent l'image que me je me fais du pouvoir de l'intention.

Je crois que nous pouvons sentir l'intention, entrer en contact avec elle, la connaître et lui faire confiance. L'intention est une prise de conscience intérieure que nous ressentons explicitement comme telle, même si nous ne pouvons la décrire adéquatement avec des mots. J'utilise ce concept pour me guider vers le pouvoir de l'intention, la source de toute création, et l'activer dans ma vie quotidienne. J'espère de tout cœur que vous prendrez conscience que vous avez vous aussi besoin d'entreprendre l'activation de l'intention dans votre vie.

Les descriptions suivantes sont tirées de mes rencontres avec de grands maîtres, de mon expérience de travail des trente dernières années, de la montagne d'ouvrages sur la métaphysique que j'ai lus et étudiés, ainsi que de ma propre évolution personnelle. Avec un peu de chance, vous serez vous aussi inspiré par la *connaissance silencieuse* du pouvoir de l'intention et vous irez de l'avant afin de créer pour vous et pour les autres une expérience de vie enchanteresse.

La connaissance silencieuse commence lorsque vous invitez le pouvoir de l'intention à jouer un rôle actif dans votre vie. Il s'agit ici d'un choix très personnel qui n'a pas à être expliqué ou défendu. Une fois que vous aurez pris cette décision, la connaissance silencieuse deviendra progressivement une part essentielle de votre conscience de tous les jours. En vous ouvrant au pouvoir de l'intention, vous apprenez à re-*connaître* que la conception, la naissance et la mort sont des aspects naturels du champ d'énergie de la création. Il est inutile de vous acharner à tenter de comprendre l'intention à l'aide de raisonnements. En bannissant le doute et en faisant confiance à votre intuition, vous devez dégager un espace qui permet au pouvoir de l'intention de s'infiltrer en vous. Cela ressemble peut-être à un tour de passe-passe, mais je préfère y voir une façon de vider mon esprit et de pénétrer au cœur du mystère. Ici, je laisse de côté les pensées rationnelles pour m'ouvrir à la magie et à l'effervescence d'un nouvel état de conscience éclairant.

J. Krishnamurti, un maître qui a joué un grand rôle dans ma vie, a dit un jour : « Faire totalement le vide n'est pas une chose dont nous devrions avoir peur ; il est essentiel pour l'esprit d'être oisif, vide et sans contrainte, car à cette seule condition, il peut pénétrer dans les profondeurs inconnues. »

Prenez à présent le temps de déposer ce livre et laissez-vous aller, en toute confiance, à faire l'expérience de la conscience de votre moi immatériel. Pour commencer, fermez les yeux et videz votre esprit de toute pensée rationnelle et de tout ce bavardage incessant et multiforme. Ensuite, appuyez sur le bouton « supprimer » chaque fois qu'un doute montre le bout de son nez. Finalement, ouvrez-vous au sentiment de vide. Vous pouvez alors commencer à découvrir comment connaître en silence le pouvoir de l'intention. (Dans les prochains chapitres, j'aborderai plus en détail d'autres façons d'accéder et de reprendre contact avec l'intention.)

Mais pour l'instant, je décrirai ce que serait à mon avis notre perception si nous pouvions être à l'extérieur de nous-mêmes et flotter au-dessus de notre corps, comme l'esprit de cette Japonaise l'autre jour sur la plage. Puis de là, je m'imagine en train de regarder les visages de l'intention avec des yeux capables de voir les vibrations supérieures.

Les sept visages de l'intention

1. Le visage de la créativité. Le premier des sept visages de l'intention est l'expression créatrice du pouvoir de l'intention qui nous a conçus, qui nous a amenés ici et qui a créé un environnement compatible avec nos besoins. Le pouvoir de l'intention doit être créateur sinon rien n'existerait. Il me semble qu'il s'agit là d'une vérité irréfutable, car la raison d'être de l'intention et de l'esprit est précisément de donner naissance à la vie dans un environnement adéquat. Comment puis-je en conclure que le pouvoir de l'intention qui insuffle la vie *a prévu* de nous donner la vie et de nous la donner en abondance ? Parce que si le contraire était vrai, la vie telle que nous la connaissons n'aurait pu prendre forme.

Le simple fait que nous puissions respirer et faire l'expérience de la vie est pour moi la preuve que la nature de l'Esprit qui insuffle la vie est essentiellement créatrice. Cela vous semble peut-être évident ou encore confus et hors de propos. Néanmoins, une chose est claire : vous êtes ici dans votre corps physique ; il fut un temps où vous étiez un embryon, et avant cela une cellule, et avant cela une énergie informe. Cette énergie informe porte en elle l'intention, laquelle vous a fait passer du *néant* à *l'être*. Au plus haut niveau de conscience, l'intention vous propulse sur la voie de votre destinée. Le visage de la créativité a prévu pour vous que vous continuiez à créer et à co-créer tout ce vers quoi vous dirigez le pouvoir de l'intention. L'énergie créatrice fait partie de vous ; elle tire elle aussi son origine de l'Esprit qui insuffle la vie qui vous a *projeté*.

2. Le visage de la bonté. Tout pouvoir qui ressent, dans sa nature intrinsèque, le besoin de créer et de convertir son énergie en forme physique est forcément un pouvoir bienveillant. Une fois encore, je suis arrivé à cette conclusion en passant par l'affirmation inverse. Si le pouvoir de l'intention omnipotent était rongé par le désir d'être mauvais, malveillant et nuisible, alors la création serait elle-même impossible. À l'instant où une énergie malveillante prendrait forme, l'Esprit qui insuffle la vie périrait. Mais au contraire, le pouvoir de l'intention montre un visage rayonnant de bonté. L'intention est une énergie bienveillante qui a l'intention que ses créations prospèrent et s'épanouissent dans la joie et le bonheur. Notre propre existence est pour moi la preuve de la bonté de l'intention. Choisir d'être bon, c'est choisir d'accorder un rôle actif au pouvoir de l'intention dans votre vie.

Plusieurs études ont prouvé que la bonté avait des effets positifs sur le système immunitaire et augmentait la production de sérotonine dans le cerveau. Cette substance, produite par l'organisme de manière naturelle, nous procure un sentiment de bien-être, de paix et même de joie. En fait, le rôle de la plupart des antidé-presseurs consiste à stimuler chimiquement la production de sérotonine afin d'apaiser les symptômes de la dépression. Une étude a d'ailleurs démontré que le simple fait de poser un geste de bonté envers une autre personne améliorait le fonctionnement du système immunitaire et stimulait la production de sérotonine chez la personne qui pose le geste *et* chez celle qui en bénéficie. Plus incroyable encore, le même phénomène se produit chez les personnes qui observent le geste de bonté. Imaginez un peu ! La bonté, que nous en soyons l'auteur, le bénéficiaire ou l'observateur, a des impacts positifs sur la santé et le psychisme de tous ceux qu'elle touche ! Je vois ici sourire le visage de la créativité et de la bonté.

Lorsque vous êtes désagréable, vous voilez le visage de la bonté. Vous vous éloignez du pouvoir de l'intention. Que vous lui donniez le nom de Dieu, d'Esprit, de Source ou d'intention, soyez conscient que les pensées malveillantes affaiblissent et que les pensées bienveillantes renforcent le lien qui vous y unit. La créativité et la bonté sont deux des sept visages de l'intention.

3. Le visage de l'amour. Le troisième des sept visages de l'intention est le visage de l'amour. Qu'il y ait une nature qui insuffle la vie au cœur du pouvoir de l'intention est une conclusion irréfutable ! Comment nommerions-nous cette qualité qui encourage, fortifie et soutient toute vie, sinon l'amour ? L'amour est le premier moteur de l'Esprit universel de l'intention. Comme le disait Ralph Waldo Emerson : « Il n'y a pas de plus grand mot qu'amour, ce synonyme de Dieu. »

Le champ d'énergie de l'intention est un pur amour ouvrant sur un environnement nourrissant et totalement coopératif. Là-bas, la colère, la peur, la haine et les préjugés n'ont pas leur place. Donc, si nous étions en mesure de voir ce champ d'énergie, nous verrions la créativité et la bonté dans un champ infini d'amour. Nous entrons dans le monde de la finitude et des barrières physiques par la force universelle du champ de pur amour. Ce visage de l'intention, qui est une pure expression d'amour, ne souhaite que notre prospérité, notre épanouissement et le développement de notre plein potentiel. Lorsque nous ne sommes pas en harmonie avec l'énergie de l'amour, nous nous éloignons de l'intention et affaiblissons notre capacité à l'activer par l'expression de l'amour. Par exemple, si vous n'aimez pas ce que vous faites et ne faites pas ce que vous aimez, vous affaiblissez en vous le pouvoir de l'intention. Vous attirez dans votre vie de nouvelles sources de mécontentement qui sont à l'opposé du visage de l'amour. Et par conséquent, les choses que vous n'aimez pas se manifestent de plus en plus souvent dans votre vie.

Les pensées et les émotions ne sont que pure énergie ; certaines énergies sont plus puissantes et plus rapides que d'autres. Lorsque des énergies supérieures occupent le même champ que des énergies inférieures, les énergies inférieures sont converties en énergies supérieures. Par exemple, une pièce sombre possède moins d'énergie qu'une pièce baignée par les rayons du soleil. Puisque la lumière se déplace plus rapidement que toute chose, lorsque nous entrons dans une pièce sombre avec une bougie, non seulement les ténèbres disparaissent et s'évanouissent, mais elles semblent également transformées en lumière, comme par magie. Il en va de même de l'amour, une énergie supérieure, plus rapide que l'énergie de la haine.

Dans sa célèbre prière, saint François implore Dieu en ces termes : « Là où il y a la haine, laissez-moi semer l'amour. » Ce qu'il recherche en fait, c'est le pouvoir de dissoudre et finalement de convertir la haine en énergie d'amour. La haine est convertie en amour en présence de l'énergie de l'amour. Cela vaut également pour vous. La haine, qu'elle soit dirigée contre vous-même ou contre les autres, peut se transformer en une force qui insuffle la vie et qui donne accès à l'amour, la force de l'intention. Pierre Teilhard de Chardin écrivait : « Nous arrivons toujours à la même conclusion : l'amour est l'énergie la plus puissante de l'univers et pourtant la plus méconnue. »

4. Le visage de la beauté. Le quatrième des sept visages de l'intention est le visage de la beauté. Une expression créatrice, bonne et aimante pourrait-elle ne pas être belle ? Pourquoi l'intelligence structurante de l'intention choisirait-elle de se manifester sous des dehors répugnants ? À l'évidence, elle ne le ferait pas. Nous pouvons donc en conclure que la nature de l'intention consiste en une interaction éternelle entre l'amour et la beauté, et que l'expression de la beauté s'ajoute au pouvoir créateur, bienveillant et aimant de l'intention.

John Keats, le jeune et brillant poète romantique, conclut ainsi son *Ode sur une urne grecque* : « La beauté est vérité, la vérité est beauté. Voilà tout ce que vous savez sur terre, et tout ce qu'il vous faut savoir. » De toute évidence, il entre de la beauté dans la création de toute chose. Il est vrai qu'elle se manifeste ici sous une forme. Elle est à présent ici sous une forme qui est l'expression d'une force créatrice invisible. Je suis donc d'accord avec Keats pour dire que nous avons besoin d'acquérir une *connaissance silencieuse* de l'unité de la vérité et de la beauté. L'esprit tire son origine d'une expression du pouvoir de l'intention, et de cette vérité découle l'identification de la vérité et de la beauté. Cette *connaissance* nous fournit de précieux renseignements sur l'exercice de notre volonté, de notre imagination et de notre intuition individuelle.

Afin de comprendre en quoi la beauté constitue l'un des visages de l'intention, rappelez-vous ceci : *de belles pensées sont le fondement d'une belle âme*. À mesure que vous apprenez à voir et à percevoir la beauté qui vous entoure, vous vous accordez avec le pouvoir créateur de l'intention présent en toute chose dans le monde naturel, y compris vous. En choisissant de voir le beau côté des choses, même une personne née dans la pauvreté et l'ignorance pourra faire l'expérience du pouvoir de l'intention. N'importe qui peut entrer en contact avec le pouvoir de l'intention en cherchant intentionnellement la beauté même dans les pires circonstances. Et cela fonctionne. Le visage de la beauté est toujours présent, même là où les gens ne le voient pas.

En 1978, j'eus l'insigne honneur de participer à une rencontre publique avec Viktor Frankl à Vienne, en Autriche. Je me rappelle encore distinctement qu'il avait partagé avec nous sa conviction que nos existences ont un sens dans la mesure où nous sommes capables de voir la beauté dans toutes les circonstances de la vie. Dans son livre, *Découvrir un sens à sa vie*, il décrit le seau rempli d'eau sale et de têtes de poisson que lui donnaient ses geôliers nazis alors qu'il était prisonnier dans un camp de concentration durant la Seconde Guerre mondiale. Il s'entraîna à voir la beauté de ce repas, plutôt que de se concentrer sur l'horreur de la chose. S'il avait survécu à l'enfer des camps, c'était en grande partie selon lui parce qu'il était capable de voir la beauté partout où elle se trouvait. Son témoignage nous rappelle que si nous nous concentrons sur ce qui est laid, nous attirons la laideur dans nos pensées, puis dans nos émotions, et finalement dans notre vie. En choisissant de nous accrocher à un petit coin de liberté, même dans la pire des situations, il devient possible d'appréhender notre monde avec l'énergie de la reconnaissance et de la beauté, et de créer une occasion de transcender la contingence des événements.

J'adore la façon dont Mère Teresa avait décrit cette qualité lorsqu'on lui avait demandé : « Que faites-vous tous les jours dans les rues de Calcutta ? » Et elle avait répondu : « Tous les jours je rencontre Jésus-Christ caché sous de pénibles déguisements. »

5. Le visage de l'expansion. La nature élémentaire de la vie est d'accroître son pouvoir d'expression et de chercher sans cesse à l'améliorer. Si nous pouvions nous concentrer intensément sur les visages de l'intention, nous serions plus qu'étonnés. J'imagine que l'un des visages que nous verrions serait une expression continuellement en expansion du pouvoir de l'intention. La nature de cet esprit créateur est de toujours agir dans le but de prendre de l'expansion. L'esprit est un pouvoir structurant qui fonctionne sur le principe de l'accroissement, ce qui veut dire que la vie continue à prendre de l'expansion vers plus de vie. La vie telle que nous la connaissons tire son origine d'une intention informe. Par conséquent, l'un des visages de l'intention ressemble à un phénomène continuellement en expansion. Pensez à un minuscule point qui se reproduit lui-même sans arrêt, devient de plus en plus gros, puis se met en marche, tout en continuant à prendre de l'expansion et à s'exprimer.

C'est précisément ce qui se produit dans notre monde physique. Ce cinquième visage de l'intention prend la forme de ce qui l'exprime. Il ne peut en être autrement, car si cette force en constante expansion ne s'aimait pas ou avait le sentiment de ne pas être en contact avec l'intention, elle ne pourrait que se détruire. Mais il n'en est pas ainsi. Le pouvoir de l'intention se manifeste en tant qu'expression de l'expansion de la créativité, de la bonté, de l'amour et de la beauté. En établissant votre rapport personnel avec ce visage de l'intention, votre vie prend de l'expansion par le biais du pouvoir de l'intention, qui était, qui est et qui sera toujours, un élément de cette intention originelle. Grâce au pouvoir de l'intention, vous pouvez élargir et développer tous les aspects de votre vie. Sans exception ! Car il est de la nature de l'intention d'être dans un état d'expression accru, et cela vaut également pour vous.

Mais il y a une condition à ce mouvement vers l'avant de l'intention : il faut coopérer avec lui en tout lieu et permettre à l'esprit d'augmenter son pouvoir d'expression à travers vous, pour vous et pour tous ceux que vous rencontrez. Alors l'inquiétude et l'anxiété deviendront des choses du passé. Faites confiance au visage de l'expansion et faites ce que vous faites parce que vous aimez ce que vous faites et faites ce que vous aimez. Et sachez que cela ne peut avoir que des résultats positifs et bénéfiques.

6. Le visage de l'abondance illimitée. Le sixième visage de l'intention est l'expression d'une réalité sans frontière, qui est partout en même temps et d'une abondance sans fin. Ce merveilleux don de l'abondance est ce par quoi vous avez été créé. Il est donc naturel que vous partagiez ce don dans l'expression de votre vie, même si en fait vous ne faites que suivre la règle de l'abondance. Ces dons vous ont été donnés gratuitement et entièrement, et comme l'air, le soleil, l'eau et l'atmosphère, ils sont disponibles en abondance.

Dès votre plus tendre enfance, on vous a probablement appris à penser en termes de limites. *Ma propriété commence ici. La tienne là-bas*. Nous construisons donc des clôtures pour marquer nos frontières. Toutefois, les premiers explorateurs nous ont donné l'idée d'un monde potentiellement infini. Certains astronomes de l'Antiquité ont même rejeté la croyance en l'existence d'un immense dôme renversé surplombant la terre. Nous avons depuis découvert l'existence des galaxies dont nous mesurons l'éloignement en années-lumière. Les livres de science sont dépassés deux ans après leur publication. Même les records d'athlétisme qui étaient censés marquer les limites de nos prouesses physiques sont fracassés avec une régularité déconcertante.

Cela veut dire qu'il n'y a pas de limite à notre potentiel en tant que peuples, entités collectives et individus. Il en est ainsi car nous émanons de l'abondance illimitée de l'intention. Si le visage du pouvoir de l'intention est une abondance illimitée, alors nous savons que notre potentiel pour concrétiser et attirer dans nos vies tout ce que nous désirons l'est également. Le visage de l'abondance ne connaît aucune limite. Imaginez l'étendue des ressources à partir desquelles toutes choses ont été créées. Puis pensez à une ressource qui surpasserait toutes les autres. Cette ressource, c'est votre esprit et l'esprit collectif de l'humanité. Où commence votre esprit ? Où se termine-t-il ? Quelles sont ses frontières ? Où se trouve-t-il ? Plus important encore, où ne se trouve-t-il pas ? Est-il venu au monde avec vous ou était-il déjà présent avant votre conception ? Va-t-il mourir avec vous ? De quelle couleur est-il ? Quelle est sa forme ? La réponse à toutes ces questions se trouve dans l'expression *abondance illimitée*. Vous avez été créé à partir de cette même abondance illimitée. Le pouvoir de l'intention est partout. C'est lui qui permet à tout ce qui existe de se manifester, de prendre de l'expansion et d'être infiniment disponible.

Prenez conscience que vous êtes relié à cette force de vie et que vous la partagez avec tous les gens qui vous entourent et tout ce que vous percevez comme étant manquant. Ouvrez-vous à l'expression du visage de l'abondance illimitée, et vous pourrez enfin co-créer votre vie comme vous l'entendez. Comme c'est souvent le cas, les poètes peuvent exprimer en quelques mots ce qui nous semble si difficile à articuler clairement. Voici un extrait de Walt Whitman tiré du *Chant de moi-même*. En lisant ce poème, remplacez le mot *Dieu* par *visage de l'abondance illimitée* pour un avant-goût de ce qu'est réellement le pouvoir de l'intention.

> *J'entends et perçois Dieu dans chaque objet, et*
> *pourtant je ne Le comprends pas davantage...*
> *Je vois quelque chose de Dieu à chaque heure*
> *de chaque jour, et à chaque moment,*
> *Dans le visage des hommes et des femmes je vois*
> *Dieu, et dans mon propre visage dans la*
> *glace ;*
> *Je trouve des lettres écrites de la main de Dieu*
> *au milieu de la rue, et chacune d'entre elles*
> *est signée du nom de Dieu,*
> *Mais je les laisse là où elles sont, car je sais que*
> *peu importe où je vais,*
> *d'autres viendront à leur heure, pour toujours*
> *et à jamais.*

Il n'est pas nécessaire d'avoir une compréhension intellectuelle de ce concept. Il vous suffit d'acquérir une *connaissance silencieuse* et de vivre en étant conscient de la présence du visage de l'abondance illimitée.

7. Le visage de la réceptivité. Voici comment j'imagine le septième visage de l'intention, le visage de la réceptivité. Il est simplement réceptif à tout. Rien, ni personne, n'est rejeté par le visage réceptif de l'intention. Il accueille tout le monde et tous les êtres vivants, sans porter de jugement, sans jamais accorder le pouvoir de l'intention à certains pour en priver certains autres. Le visage de la réceptivité signifie pour moi que toute la nature attend d'être appelée pour entrer en action. De notre côté, nous n'avons qu'à reconnaître et à recevoir. L'intention ne peut rien pour vous si vous n'êtes pas conscient de son existence. Si le monde est pour vous un endroit gouverné par le hasard et les coïncidences, alors l'esprit universel de l'intention vous apparaîtra comme un amalgame de forces dépourvues de structure et de pouvoir opérant.

Pour le dire simplement, en étant non réceptif, vous vous déniez le droit d'accéder au pouvoir de l'intention. Pour utiliser la réceptivité inclusive de l'intention, vous devez générer en vous une intelligence égale en affinités avec celle de l'esprit universel. Vous devez non seulement être ouvert au fait de recevoir une direction pour manifester vos intentions humaines, mais vous devez également être disposé à retourner cette énergie dans le monde. Comme je l'ai souvent dit dans mes conférences et mes ouvrages précédents, votre travail n'est pas de dire *comment*, mais de dire *oui ! Oui, je le veux. Oui, je sais que le pouvoir de l'intention est universel. On ne le dénie à personne.*

Le visage de la réceptivité me sourit, car tout ce dont j'ai besoin me vient de la Source, et la Source est réceptive au fait que je puise en elle pour co-créer les livres, les conférences, les vidéos, les enregistrements audio et toutes les choses que j'ai la chance d'inscrire sur mon curriculum vitæ. En étant réceptif, je suis en harmonie avec le pouvoir de l'intention de la force créatrice universelle. Cela fonctionne sur plusieurs plans. Vous voyez les bonnes personnes apparaître comme par magie dans votre vie, votre corps se rétablit, et si tel est votre désir, vous découvrez que vous devenez un meilleur danseur, joueur de cartes ou athlète ! Le champ de l'intention permet à toute chose de prendre forme, et ce pouvoir illimité est intrinsèque à tout ce qui s'est manifesté dans le monde, et ce, avant même sa conception.

*
* *

Dans ce chapitre, vous vous êtes familiarisé avec mon concept des sept visages de l'intention. Je vous rappelle que ces visages sont la créativité, la bonté, l'amour, la beauté, l'expansion, l'abondance illimitée et la réceptivité à toute chose, et que vous pouvez prendre contact avec cet attrayant champ de l'intention. Voici cinq suggestions pour mettre en pratique dès aujourd'hui le message essentiel de ce chapitre.

Cinq suggestions pour mettre en pratique les idées présentées dans ce chapitre

1. *Visualisez le pouvoir de l'intention*. Invitez *votre* visualisation du champ d'énergie, celui du pouvoir de l'intention, à apparaître dans votre esprit. Soyez réceptif à tout ce qui apparaîtra tandis que vous visualisez votre concept de ce champ d'énergie. Même si vous savez qu'il est invisible, fermez les yeux et voyez quelles sont les images qui vous viennent. Récitez les sept mots qui représentent les sept visages de l'intention : *créativité, bonté,*

amour, *beauté*, *expansion*, *abondance* et *réceptivité*. Mémorisez ces sept mots et utilisez-les afin d'entrer en harmonie avec le pouvoir de l'intention pendant que vous le visualisez. Rappelez-vous que chaque fois que vos émotions et votre comportement sont incompatibles avec ces sept visages de l'intention, vous vous coupez du pouvoir de l'intention. Laissez les sept visages orner votre visualisation du pouvoir de l'intention et notez les changements de perspective qui se produisent en vous tandis que vous reprenez contact avec celui-ci.

2. *Réfléchissez.* Un miroir reflète sans déformer et sans porter de jugement. Soyez donc comme un miroir, et reflétez ce qui survient dans votre vie sans exprimer de jugement ou d'opinion. Adoptez une attitude détachée par rapport aux choses et aux êtres qui vous entourent, en ne demandant ni à ce qu'ils restent, ni à ce qu'ils partent, au gré de votre fantaisie. Arrêtez de vous juger et de juger les autres parce qu'ils sont trop gros, trop grands, trop laids, trop n'importe quoi ! Le pouvoir de l'intention vous accepte et vous reflète sans porter de jugement et sans attachement, alors essayez de faire de même avec ce qui survient dans votre vie. Soyez comme un miroir !

3. *Comptez sur la beauté.* Cette suggestion suppose que vous allez également vous attendre que la bonté et l'amour, tout comme la beauté, entrent dans votre vie, en vous aimant de tout votre cœur, vous-même et votre environnement, et en montrant votre vénération pour toutes les formes de vie. Il y a toujours de la beauté, peu importe où

vous vous trouvez. Regardez tout de suite autour de vous et concentrez-vous sur quelque chose de beau. Cela est si différent du fait d'être continuellement à l'affût de ce qui pourrait nous blesser, nous mettre en colère ou nous offenser, n'est-ce pas ? En comptant sur la beauté, vous percevrez plus facilement le pouvoir de l'intention à l'œuvre dans votre vie.

4. *Méditez sur l'appréciation.* Chérissez l'énergie que vous partagez présentement avec tous les êtres vivants et même avec ceux qui ont vécu avant vous. Sentez l'élan de cette force vitale qui vous permet de penser, de dormir, de bouger, de digérer et même de méditer. Le pouvoir de l'intention réagit en fonction de votre appréciation de celui-ci. La force vitale qui circule dans votre corps est la clé de ce que vous désirez. Tandis que vous appréciez votre force vitale comme étant représentative du pouvoir de l'intention, une vague de détermination et de savoir s'engouffre en vous. La sagesse de votre âme, en réponse à votre méditation sur l'appréciation, prendra alors les commandes, car elle connaît toutes les étapes qui doivent être franchies.

5. *Chassez vos doutes.* Lorsque le doute a été chassé, tout vient en abondance et devient possible. Nous tendons tous à utiliser nos pensées pour créer le monde de notre choix. Si vous doutez de votre capacité à créer la vie que vous souhaitez vivre, alors vous refusez le pouvoir de l'intention. Même quand rien n'indique que vous travaillez à l'accomplissement de vos désirs, refusez d'entretenir le moindre doute. Rappelez-vous la poignée du tramway de l'intention. Elle n'attend qu'une

chose : que vous flottiez jusqu'à elle pour être emporté.

Shakespeare déclare : « Nos doutes sont des traîtres qui nous privent de ce que nous pourrions gagner de bon, parce que nous avons peur d'essayer. » Et Ramana Maharshi observe : « Les doutes surviennent en raison d'une absence d'abandon. »

Vous pouvez toujours choisir de douter de ce que disent les autres et même de vos propres perceptions sensorielles, mais bannissez le doute quand il est question de connaître la force universelle de l'intention qui vous a conçu et amené jusqu'ici ! Ne doutez pas du fait que vous avez été créé par un champ d'énergie toujours à votre disposition.

*
* *

Dans le chapitre suivant, je vous proposerai ce qui pourrait vous sembler des méthodes plutôt étranges pour renforcer le lien qui vous unit à ce champ d'énergie passionnant que nous appelons l'intention.

CHAPITRE TROIS

Prendre contact avec l'intention

> « La loi de la flottaison n'a pas été découverte en contemplant des objets qui coulent, mais en observant comment flottent des objets qui flottent naturellement, puis en se demandant intelligemment pourquoi il en est ainsi. »
>
> Thomas Troward

Relisez cette observation du grand spécialiste des sciences cognitives du début du XXe siècle, Thomas Troward. À l'origine, les premiers bateaux étaient construits en bois, car on avait observé que le bois flotte et que le fer coule à pic. Pourtant, aujourd'hui, on construit partout dans le monde des navires en fer. Lorsqu'on commença à étudier les lois de la flottaison, on découvrit que n'importe quelle matière pouvait flotter à condition qu'elle soit plus légère que la masse de liquide déplacée. Donc aujourd'hui, nous pouvons faire flotter du fer en vertu de la même loi qui le fait couler. Gardez cet exemple à l'esprit en lisant et en mettant en pratique le contenu de ce chapitre sur l'art d'entrer en contact avec tout ce que vous êtes censé devenir.

Le mot clé est ici *contempler*, ou ce sur quoi vous portez votre attention lorsque vous commencez à utiliser l'énorme potentiel et le pouvoir de l'intention. Vous devez être en mesure de prendre contact avec l'intention, et vous ne pourrez y accéder et l'utiliser si vous considérez au départ que cela est impossible. Vous ne pourrez découvrir les lois de la co-création si vous contemplez ce qui vous manque. Vous ne pourrez découvrir le pouvoir de l'éveil si vous contemplez des choses qui sont encore endormies. Le secret pour concrétiser tout ce que vous désirez tient à votre volonté et à votre capacité à vous réaligner afin que votre monde intérieur soit en harmonie avec le pouvoir de l'intention. Tous les progrès de la science moderne que vous prenez aujourd'hui pour acquis ont été créés (et c'est aussi ce que nous faisons dans ce livre) par quelqu'un qui contemplait ce qu'il avait l'intention de manifester.

Pour établir une relation avec l'Esprit et accéder au pouvoir de ce principe créateur, visualisez-vous constamment entouré des conditions que vous souhaitez produire. Je vous encourage à mettre l'accent sur cette idée en soulignant la phrase précédente dans ce livre et dans votre esprit. Méditez cette idée d'un pouvoir suprême infini produisant les résultats que vous désirez. Car ce pouvoir est le pouvoir créateur de l'univers, et il est responsable de tout ce qui apparaît. Étant convaincu qu'il vous fournit la forme et les conditions préalables à sa manifestation, vous établissez une relation avec l'intention qui vous permet de demeurer en contact avec elle aussi longtemps que vous exercez ce type d'intention personnelle.

Les frères Wright n'ont pas contemplé *la possibilité de demeurer au sol*. Alexander Graham Bell n'a pas contemplé *la possibilité de ne pas communiquer*, et Thomas Edison n'a pas contemplé *la possibilité de demeurer dans le noir*. Pour réussir à manifester une idée dans votre réalité, vous devez être prêt à faire un saut dans l'inconcevable, puis à retomber sur vos pieds, en contemplant non pas ce qui vous manque, mais ce que vous souhaitez obtenir. Alors seulement vos désirs se mettront à flotter au lieu de couler à pic, car la loi de la manifestation est semblable à la loi de la flottaison : vous devez contempler ce qui fonctionne *pour vous*, et non ce qui ne fonctionne pas. Pour y parvenir, il vous faudra établir un lien solide entre vous et ce champ d'énergie invisible et informe appelé le pouvoir de l'intention.

Pénétrer dans l'Esprit de l'intention

Peu importe ce que vous avez l'intention de créer dans votre vie, cela implique que vous génériez la même qualité porteuse de vie à laquelle toute chose doit son existence. L'esprit de toute chose, soit la qualité qui permet d'entrer dans le monde de la forme, est vrai en tant que principe général ; alors pourquoi ne pas l'activer à l'intérieur de vous ? Le pouvoir de l'intention attend simplement que vous fassiez les premiers pas.

Nous avons déjà établi que l'intention n'est pas une substance matérielle ayant des qualités physiques mesurables. Prenez par exemple les artistes. Leurs créations sont loin d'être une simple fonction de la qualité de leur peinture, de leurs pinceaux, de leur toile ou de toute autre combinaison de matériaux qu'ils pourraient utiliser. Pour comprendre et saisir la création d'un chef-d'œuvre, nous devons tenir compte des pensées et des émotions de l'artiste. Nous devons connaître et entrer dans le mouvement de l'esprit créatif si nous voulons comprendre le processus de création. L'artiste crée quelque chose à partir de rien ! Sans les pensées et les émotions de l'artiste, l'art n'existerait pas. C'est leur esprit particulièrement créatif qui amène l'intention, par le biais de la contemplation, à donner naissance à ce que nous appelons une création artistique. C'est également ainsi que vous avez été créé par le pouvoir de l'intention, comme une personne absolument unique, créée à partir de rien. Reproduire ce processus en vous signifie rencontrer cette impulsion créatrice et découvrir que le pouvoir de l'intention tend à la réalisation de tout ce qu'il *ressent*, en s'exprimant lui-même à travers vous.

Ce que vous ressentez est fonction de vos pensées, de ce que vous contemplez et de la formulation de votre discours intérieur. Si vous pouviez vous brancher à votre *perception* du pouvoir de l'intention, vous sentiriez qu'il augmente sans cesse et qu'il a confiance en lui, car il s'agit d'un pouvoir formateur si infaillible qu'il ne rate jamais sa cible. Il est toujours en train d'augmenter et de créer. Le mouvement de l'esprit vers l'avant va de soi. Le pouvoir de l'intention aspire à une expression plus entière de la vie, tout comme les émotions de l'artiste donnent libre cours à une expression plus entière de ses idées et de ses pensées. Vos émotions sont des indices qui vous renseignent sur votre destinée et votre potentiel, et c'est la pleine expression de la vie qu'elles cherchent à travers vous.

Comment entre-t-on dans l'esprit de l'intention qui n'est qu'émotion et expression de la vie ? Vous pouvez y contribuer en croyant fermement que l'infaillibilité de la loi spirituelle de la croissance fait partie de votre vie. Nous le voyons dans notre capacité à percevoir les vibrations supérieures et nous l'entendons dans la voix que lui ont donnée les maîtres spirituels au cours des siècles. Il est partout. Il veut exprimer la vie. C'est la confiance et l'amour en action. Et devinez quoi ? Vous êtes cet esprit, mais vous l'avez oublié. Il suffit que vous ayez confiance en votre capacité à mettre volontairement votre confiance en l'Esprit pour qu'il s'exprime à travers vous et pour vous. Votre tâche consiste donc à contempler les énergies de la vie, de l'amour, de la beauté et de la bonté. Toute action en harmonie avec ce principe originel de l'intention donne la chance à votre propre pouvoir de s'exprimer.

Votre volonté et votre imagination

Il n'est pas question de remettre en cause l'existence de votre libre arbitre. Vous êtes un être doué de raison capable de faire des choix. Vous êtes d'ailleurs continuellement plongé dans un état de délibération. Il ne s'agit donc pas d'opposer libre arbitre et prédestination, mais d'examiner plus attentivement comment vous avez choisi de compter sur votre capacité à vous diriger vers ce que vous désirez. Lorsque je parle d'intention, je ne parle pas du fait de désirer ardemment quelque chose et de foncer avec la détermination d'un *pitbull*. En ayant une volonté de fer et la détermination nécessaire pour atteindre vos buts personnels, vous demandez à votre ego d'être la force directrice dans votre vie. *Je ferai ce que j'ai à faire. On ne me prendra jamais pour un idiot. Je n'abandonnerai jamais.* Ce sont des traits admirables, mais ils ne vous permettront pas de reprendre contact avec l'intention. Votre volonté est beaucoup moins efficace que votre imagination, laquelle vous relie au pouvoir de l'intention. L'imagination est le mouvement de l'esprit universel en vous. Votre imagination crée l'image mentale qui vous permet de participer à l'acte créateur. C'est le lien invisible que vous devez retrouver pour manifester votre propre destinée.

Essayez de vous imaginer en train de vouloir quelque chose que votre imagination refuse de vous laisser faire. Votre volonté est cette partie de votre ego qui croit que vous êtes différent des autres, différent de ce que vous aimeriez accomplir ou posséder, et différent de Dieu. Elle croit également que vous êtes vos biens, vos réussites et votre réputation. La *volonté* de cet ego est que vous acquériez constamment des preuves de votre propre importance. Elle vous pousse à prouver votre supériorité et à acquérir des choses que vous êtes disposé à poursuivre avec dévouement et résolution. À l'inverse, votre imagination est le concept de l'Esprit en vous. Elle est le Dieu en vous. Lisez la description que donne William Blake de l'imagination. Blake croyait qu'avec un peu d'imagination nous avions le pouvoir de devenir tout ce que nous désirions être.

> *Je n'arrêterai pas mon combat !*
> *Pour accéder aux Mondes Éternels,*
> *Pour ouvrir les yeux immortels de l'Homme*
> *Afin qu'ils contemplent de l'intérieur les Mondes*
>   *de la Pensée ;*
> *L'éternité en continuelle expansion*
> *Dans le Sein de Dieu,*
> *L'Imagination Humaine*

William Blake, *Jérusalem*

À présent, retournez à l'idée de vous convaincre de faire quelque chose quand votre imagination dit non. Pensez par exemple au fait de marcher sur un tapis de feu. Vous pouvez regarder fixement ces charbons brûlants et vous convaincre de marcher dessus, mais si vous comptez exclusivement sur la force de votre volonté, vous arriverez à l'autre bout avec de graves brûlures et des cloques sous les pieds. Toutefois, si vous imaginez être protégé par le divin – *dans le Sein de Dieu*, pour reprendre l'expression de Blake – et si vous êtes capable de vous voir en imagination en train de faire quelque chose qui dépasse vos capacités physiques, vous vous en sortirez indemne. Tandis que vous vous imaginez insensible à la chaleur des braises, vous commencez à vous percevoir comme quelque chose qui dépasse votre corps. Dans votre esprit, vous êtes désormais plus fort que le feu. Votre image mentale de pureté et de protection vous permet de marcher sur les charbons brûlants, et c'est votre imagination qui rend tout cela possible. Sans elle, vous vous seriez brûlé les pieds !

Je me revois en train d'imaginer que je suis capable de courir mon premier marathon de plus de quarante-deux kilomètres. Ce n'est pas grâce à ma volonté si j'ai pu courir sans arrêt pendant trois heures et demie, mais grâce à mon imagination. Je me suis accordé avec cette idée, puis j'ai permis à mon corps d'aller jusqu'au bout de ses limites par le biais de ma volonté. Sans cette image, toute la volonté du monde n'aurait pu me pousser à terminer cette épreuve.

Et il en va ainsi de toute chose. Vouloir devenir heureux, prospère, sans rivaux, célèbre, le meilleur vendeur de votre entreprise ou la personne la plus riche de votre communauté sont des idées issues de l'ego et de son obsession égocentrique. Au nom de la sacro-sainte volonté, les gens font peu de cas de ceux qui se mettent en travers de leur chemin ; ils trichent, volent et trahissent pour atteindre leur but personnel. Pourtant, ce genre de comportements mène toujours à la catastrophe. Peut-être allez-vous atteindre les objectifs physiques que vous vous étiez fixés. Toutefois, votre imagination, ce théâtre intérieur où vous vivez l'essentiel de votre vie, ne vous laissera pas vivre en paix.

Dans mon travail, ce n'est pas au pouvoir de la volonté que j'ai recours, mais au pouvoir de l'imagination. Par exemple, je me vois ayant déjà terminé la rédaction de ce livre. Cette pensée qui *commence par la fin* m'amène à me comporter comme si ce que je voulais créer s'était déjà concrétisé. Mon credo est le suivant : *Imagine ce que tu veux être et tu le seras*. Et c'est une image qui ne me quitte jamais. Je ne vais pas compléter ce livre grâce à la force de ma volonté. Cela voudrait dire que c'est moi, ce corps nommé Wayne Dyer, qui fais tout cela, alors que mon imagination ne connaît pas de frontière, ni personne du nom de Wayne Dyer. Mon imagination est bien la fille de sa mère l'intention. Elle me fournit ce dont j'ai besoin, elle me permet d'être assis à ma table et d'écrire, elle guide le stylo que je tiens dans ma main, et c'est elle qui remplit les espaces vides. Moi, Wayne Dyer, je ne peux, par la seule force de ma volonté, donner forme à ce livre. Mais l'image que j'en ai est si claire et précise qu'il se manifeste de lui-même. Dans les temps anciens, un être divin appelé Hermès a dit :

> *Ce qui EST est manifeste ;*
> *Ce qui a été ou sera ne l'est plus ou ne l'est*
> *pas encore,*
> *Mais ce n'est pas la mort,*
> *Car l'âme, l'éternelle activité de Dieu,*
> *anime toute chose.*

Vous devriez méditer ces sages paroles si vous envisagez de reprendre contact avec l'intention et ainsi obtenir le pouvoir de créer tout ce que vous imaginez. Tout comme votre corps et votre ego, vous n'avez pas d'intention, vous ne pouvez créer et vous ne pouvez donner la vie. Laissez votre ego de côté. Je vous encourage à avoir un but dans la vie et à faire preuve de détermination, mais débarrassez-vous de l'illusion voulant que ce soit vous qui rendiez possible la réalisation de ce que vous désirez grâce à votre volonté. Pour ma part, je veux qu'en lisant ce livre vous vous concentriez sur votre *imagination* et que vous perceviez tous vos buts et vos activités comme une fonction d'une imagination qui travaille pour vous guider, vous encourager et vous pousser dans la direction que l'intention a élaborée pour vous alors que vous étiez encore dans un état de *non-manifestation*. Pour ce faire, vous devez harmoniser la vibration de votre imagination avec celle de la Source de toute Création.

Votre imagination vous offre le luxe extraordinaire de penser en *commençant par la fin*. Rien ne peut arrêter quelqu'un capable de penser en commençant par la fin. C'est vous qui créez les ressources et surmontez les limites en prenant contact avec vos désirs. En imagination, concentrez-vous sur la fin que vous recherchez, pleinement confiant qu'elle est déjà présente dans le monde matériel et sachant que vous pouvez utiliser les ingrédients de la Source créatrice pour la rendre tangible. Puisque la Source de toute chose agit avec grâce et par le biais de ses sept séduisants visages, vous devriez vous aussi utiliser cette méthode, et uniquement cette méthode, pour co-créer tout ce que vous êtes censé devenir. Apprenez à demeurer indifférent aux doutes et à l'appel de votre volonté. Croyez qu'en vous appuyant continuellement sur votre imagination, vos souhaits deviendront réalité. Reprendre contact avec l'intention implique l'expression des sept visages qu'utilise la Source créatrice de toute chose pour rendre manifeste ce qui ne l'est pas encore. Si Dieu utilise l'imagination, vous pouvez sûrement l'utiliser vous aussi. Grâce à l'imagination, Dieu donne une réalité aux choses en les imaginant. Désormais, ce sera votre nouvelle stratégie à vous aussi.

Entrer en contact avec l'intention en mettant en pratique les sept visages

Si je me fie à ma longue expérience dans le domaine de la croissance personnelle, la question qui revient le plus souvent est sans contredit : « Que dois-je faire pour obtenir ce que je veux ? » À ce moment précis de ma vie, au moment où j'écris ces lignes, ma réponse serait la suivante : « Si vous devenez ce à quoi vous pensez et que vous pensez à obtenir ce que vous voulez, alors vous demeurerez dans un état de manque. Il faut donc reformuler la question ainsi : *Que dois-je faire pour obtenir ce que j'ai l'intention de créer ?* » Ma réponse à cette dernière question se trouve dans la suite de ce chapitre, mais pour donner une réponse courte, je dirais : « Vous obtenez ce que vous avez l'intention de créer en étant en harmonie avec le pouvoir de l'intention, le pouvoir responsable de toute la création. » Devenez à l'image de l'intention et vous pourrez créer tout ce que vous contemplez. Lorsque vous ne faites plus qu'un avec l'intention, vous transcendez votre ego pour devenir un esprit universel créateur de toute chose. John Randolph Price écrivait dans *A Spiritual Philosophy for the New World* (« Une philosophie spirituelle pour le Nouveau Monde ») : « Tant que vous n'aurez pas transcendé l'ego, vous ne pourrez rien faire si ce n'est ajouter à la folie de ce monde. Cette affirmation devrait vous réjouir et non vous mettre au désespoir, car elle vous débarrasse d'un lourd fardeau. »

Commencez par retirer ce fardeau de l'ego qui pèse sur vos épaules, puis reprenez contact avec l'intention. Lorsque vous aurez laissé votre ego de côté et que vous serez retourné là d'où vous émanez, vous vous rendrez aussitôt compte que le pouvoir de l'intention travaille de concert avec vous, pour vous et à travers vous d'une multitude de façons. Pour vous aider à les intégrer dans votre vie, nous allons à présent revenir sur les sept visages de l'intention.

1. Soyez créatif. Vous êtes créatif lorsque vous avez confiance en votre propre mission et que vous adoptez une attitude intransigeante quant à l'intention de vos pensées et de vos activités. Vous demeurez créatif lorsque vous donnez forme à vos intentions personnelles. Une façon de leur donner forme consiste à les mettre tout simplement par écrit. Par exemple, dans la pièce où j'écris sur l'île de Maui, j'ai noté toutes mes intentions. En voici quelques-unes que j'ai tous les jours sous les yeux tandis que je travaille :

    • *Dans toutes mes activités, mon intention sera dirigée par l'Esprit.*

    • *Mon intention est d'aimer et de transmettre mon amour dans mes écrits et à tous ceux qui liront ces mots.*

    • *Mon intention est de faire confiance à ce qui se manifeste à travers moi et d'être un véhicule pour l'Esprit, sans jamais porter de jugement.*

    • *Mon intention est de reconnaître que l'Esprit est ma Source et de me détacher de mon ego.*

    • *Mon intention est de faire tout ce que je peux pour élever la conscience collective de l'humanité afin qu'elle entretienne des rapports plus étroits avec l'Esprit du suprême pouvoir de l'intention dont toute chose est issue.*

Pour exprimer votre créativité et rendre manifestes vos propres intentions dans le monde, je vous recommande de pratiquer le *Japa*, une technique développée par les anciens Veda. Cette méthode de méditation consiste à répéter les noms de Dieu tandis que vous vous concentrez sur ce que vous avez l'intention de manifester. Répéter les noms de Dieu en spécifiant ce que vous voulez obtenir génère l'énergie créatrice nécessaire à la manifestation de vos désirs. Vos désirs sont le mouvement de l'esprit universel en vous. Il se peut que la faisabilité d'une telle entreprise vous laisse songeur. Néanmoins, je vous demande de vous ouvrir à cette idée que le Japa est une expression de votre lien créatif avec l'intention. Je ne décrirai pas ici cette méthode en détail, car j'ai déjà écrit un petit livre en complément d'un CD publié par Hay House intitulé *Getting in the Gap: Making Conscious Contact with God Trough Meditation* (« Entrer dans le vide : établir un contact conscient avec Dieu grâce à la méditation »). Pour l'instant, sachez que je considère que la méditation et la pratique du Japa sont essentielles à notre quête de réalignement avec le pouvoir de l'intention. Ce pouvoir, c'est le pouvoir de la Création, et vous devez vous-même être dans votre propre état d'esprit créatif pour collaborer avec le pouvoir de l'intention. La méditation et le Japa sont deux méthodes infaillibles pour y parvenir[1].

2. Soyez bon. L'un des attributs fondamentaux du pouvoir suprême originel est la bonté. Tout ce qui se manifeste est amené ici pour prospérer. Seul un pouvoir empreint de bonté peut vouloir que sa création prospère et se multiplie. Si ce n'était pas le cas, alors

---

1. Le docteur Wayne W. Dyer préconise une forme de méditation appelée Japa mais, selon lui, toute autre forme de méditation permet ce contact avec l'intention ! (N.d.E.)

toute la création serait détruite par le même pouvoir qui l'a engendrée. Afin de reprendre avec l'intention, vous devez être, en termes de bonté, sur la même longueur que l'intention. Faites l'effort de vivre une vie de joyeuse bonté. L'énergie de la bonté est de loin supérieure à celles de la tristesse et de la malveillance, et elle rend possible la manifestation de vos désirs. *Il faut donner pour recevoir* ; le fait de se montrer bon envers les autres renforce notre système immunitaire et fait même augmenter notre taux de sérotonine !

Les pensées à faible teneur en énergie qui nous affaiblissent tombent sous le domaine de la honte, de la colère, de la haine, du jugement et de la peur. Chacune de ces pensées nous affaiblit et nous empêche d'attirer dans notre vie ce que nous désirons. Si nous devenons ce à quoi nous pensons, et que nous pensons sans arrêt à ce qui va mal dans le monde, à la colère et à la peur qui nous habitent, il tombe sous le sens que nous suivrons la voie tracée par ces vilaines pensées et deviendrons ce à quoi nous pensons. Lorsque vous pensez, ressentez et agissez avec bienveillance, vous vous donnez la chance de ressembler au pouvoir de l'intention. Lorsque vos pensées et vos actions vont dans le sens inverse, vous sortez du champ de l'intention et avez inévitablement l'impression d'être trahi par l'esprit créateur de l'intention.

— *Bonté envers vous-même*. Lorsque vous pensez à vous-même, dites-vous ceci : Il existe une intelligence universelle consubstantielle à la nature, inhérente à chacune de ses manifestations. Vous êtes l'une de ses manifestations. Vous êtes une partie de l'intelligence universelle ; une parcelle de Dieu, si vous préférez. Soyez bon envers Dieu, puisque Dieu a créé tout ce qui est bon. Soyez bon envers vous-même. Vous êtes vous aussi une manifestation de Dieu, et c'est une raison suffisante pour vous traiter avec bonté. Rappelez-vous que vous désirez être bon envers vous-même chaque fois que vous devez prendre une décision dans votre vie de tous les jours. Traitez-vous avec bonté quand vous mangez, quand vous faites de l'exercice, quand vous jouez, quand vous travaillez et quand vous aimez. En vous traitant avec bonté, vous pourrez plus rapidement reprendre contact avec l'intention.

— *Bonté envers les autres*. L'un des principes de base pour bien s'entendre, être heureux et profiter de l'aide des autres afin de parvenir à attirer dans votre vie tout ce que vous désirez, consiste à comprendre que les gens veulent vous aider et faire des choses pour vous. Lorsque vous êtes bon avec les autres, ils vous rendent la pareille. Un patron peu aimable obtiendra peu de coopération de ses employés. Si vous êtes méchant avec des enfants, ils voudront se venger et non vous aider. Bonté donnée est bonté reçue. Si vous désirez entrer en contact avec l'intention et atteindre tous les objectifs que vous vous êtes fixés dans la vie, vous allez avoir besoin de l'aide d'une multitude de personnes. En vous efforçant de déployer votre bonté en tout lieu, vous trouverez un soutien même là où vous n'auriez jamais pu l'imaginer.

L'idée de déployer votre bonté est particulièrement pertinente en ce qui touche votre façon de traiter les personnes dans le besoin, les personnes âgées, les handicapés mentaux, les pauvres, les handicapés physiques, et ainsi de suite. Ces gens participent tous de la perfection de Dieu. Ils ont, eux aussi, une mission divine à remplir, et puisque nous sommes tous reliés les uns aux autres par l'Esprit, leur mission et leur intention ont aussi un lien avec vous. Voici un court récit qui vous touchera droit au cœur. Il suggère que ceux qui sont moins aptes à s'occuper d'eux-mêmes sont peut-être ici pour nous enseigner quelque chose d'important au sujet de la perfection de l'intention. Lisez-le et prenez conscience que ces réflexions, ces émotions et ces comportements vous donnent le pouvoir d'entrer en contact avec l'intention en harmonisant votre bonté avec la sienne.

Chush est une école de Brooklyn, à New York, qui s'occupe d'enfants ayant des difficultés d'apprentissage. Certains enfants font toutes leurs études à Chush, d'autres peuvent éventuellement être redirigés vers des écoles conventionnelles. Lors d'un dîner bénéfice au profit de la fondation Chush, le père d'un enfant inscrit à l'école fit un discours que n'oublieront jamais ceux qui l'entendirent ce soir-là. Après avoir chanté les louanges de l'école et de son dévoué personnel, il s'écria : « En quoi mon fils, Shaya, est-il parfait ? Tout ce que Dieu fait, Il le fait avec perfection. Mais mon fils ne peut apprendre comme les autres enfants. Mon fils ne peut retenir les faits et les dates comme les autres enfants. Où est la perfection de Dieu ? » L'auditoire fut bouleversé et peiné de voir l'angoisse de ce père, mais chacun demeura silencieux, ne sachant comment répondre à cette redoutable question.

« Je crois, répondit le père, qu'en créant un enfant comme celui-ci, Dieu a recherché la perfection dans la façon dont les gens réagissent à cet enfant. » Il raconta ensuite l'histoire suivante :

Un après-midi, Shaya et son père passèrent près d'un parc où des enfants jouaient au base-ball. Comme Shaya les connaissait, il demanda à son père : « Penses-tu qu'ils me laisseraient jouer ? » Le père de

Shaya savait que son fils n'était pas très doué pour les sports et que la plupart des garçons refuseraient de le prendre dans leur équipe. Mais le père de Shaya comprenait également que si son fils était accepté, cela créerait chez lui un sentiment d'appartenance. Le père de Shaya s'approcha de l'un des garçons et lui demanda si Shaya pouvait se joindre à eux. Le garçon regarda autour de lui pour voir ce que ses coéquipiers en pensaient, mais comme personne ne réagissait, il prit l'affaire en main et répondit : « Nous avons six points de retard, et nous en sommes déjà à la huitième manche. Je suppose qu'il peut jouer pour notre équipe. Nous essaierons de l'envoyer au bâton à la neuvième. »

Le père de Shaya était aux anges et ce dernier affichait un large sourire. Les garçons dirent à Shaya de prendre un gant et d'aller se placer au champ centre. À la fin de la huitième manche, l'équipe de Shaya marqua quelques points, mais ils tiraient toujours de l'arrière par trois. À la fin de la neuvième, l'équipe de Shaya marqua encore un point. Il y avait à présent deux retraits et des coureurs sur tous les buts. Le point victorieux était au premier coussin, mais c'était au tour de Shaya d'aller frapper. Son équipe allait-elle le laisser frapper dans ces circonstances et laisser filer leur chance de gagner la partie ?

Étonnamment, on tendit un bâton à Shaya. Tout le monde savait que c'était perdu d'avance, car Shaya ne savait même pas comment tenir le bâton adéquatement, sans parler de frapper une balle. Toutefois, lorsque Shaya se présenta au marbre, le lanceur s'avança d'un mètre ou deux dans le but de lancer doucement la balle en lobe pour au moins lui donner la chance de faire contact. Le lanceur lança la première balle, et Shaya s'élança maladroitement et rata.

L'un de ses coéquipiers s'approcha, et ensemble ils tinrent le bâton et firent face au lanceur en attendant la prochaine balle. Le lanceur s'avança encore de quelques pas et lança doucement la balle vers Shaya. Voyant la balle arriver vers eux, Shaya et son coéquipier s'élancèrent et frappèrent la balle qui roula lentement sur le sol vers le lanceur. Le lanceur ramassa la balle. Il aurait été facile pour lui de lancer au premier but – Shaya aurait été retiré et la partie aurait pris fin – mais il préféra lancer la balle haut dans les airs en direction du champ droit, loin derrière le joueur de premier but. Tout le monde se mit à crier : « Cours au premier ! Shaya. Cours au premier ! » C'était la première fois que Shaya avait l'occasion de courir jusqu'au premier but. Il se mit à galoper le long de la ligne des buts, les yeux écarquillés d'étonnement. Le temps qu'il arrive au premier coussin, le joueur au champ droit avait eu le temps de récupérer la balle. Il aurait pu lui aussi lancer au deuxième but et retirer Shaya qui ne s'était pas arrêté.

Mais le garçon avait compris l'intention du lanceur et lança la balle bien au-dessus de la tête du joueur de troisième but. Tout le monde cria : « Cours jusqu'au deuxième, cours jusqu'au deuxième ! » Shaya poursuivit sa course vers le deuxième coussin tandis que les autres joueurs en avant de lui se dirigeaient fous de joie vers le marbre. Lorsque Shaya arriva au deuxième but, le joueur d'arrêt court de l'autre équipe courut vers lui, l'enligna vers le troisième et cria : « Cours jusqu'au troisième ! » Au moment où Shaya contourna le troisième coussin, les garçons des deux équipes se mirent à courir derrière lui en criant : « Jusqu'au marbre, Shaya ! Jusqu'au marbre ! » Shaya courut jusqu'au marbre, marqua un *point et les dix-huit garçons le hissèrent sur leurs épaules et lui annoncèrent qu'il était le héros de la partie, car il venait de frapper un « grand chelem » et de donner la victoire à son équipe.*

« Ce jour-là, conclut son père tandis que les larmes coulaient doucement sur son visage, ces dix-huit garçons ont atteint le niveau de perfection que Dieu avait mis en eux. »

Si cette histoire ne vous a pas ému, ne vous a pas tiré une larme, alors il est fort probable que vous ne connaîtrez jamais ce qu'il y a de magique dans le fait de reprendre contact avec la bonté de la Source suprême originelle.

— *Bonté envers la vie en général.* Dans les enseignements de Patanjali, on nous rappelle que toutes les créatures vivantes sont profondément marquées par ceux qui demeurent inébranlablement loin de toute pensée violente dirigée vers l'extérieur. Essayez d'être bon envers les animaux, grands et petits, envers tout le royaume de la vie sur terre, envers les forêts, les déserts et les plages, et envers l'essence de la vie qui bat en leur sein. Vous ne pourrez entrer en contact avec la Source et connaître le pouvoir de l'intention dans votre vie sans l'aide de votre environnement. Vous êtes relié à cet environnement. Sans gravité, vous ne pouvez marcher. Sans eau, vous ne pouvez vivre plus d'un jour. Sans les forêts, le ciel, l'atmosphère, la végétation, les minéraux et tout le reste, votre désir de manifester et d'atteindre l'intention est vain.

Prolongez vos pensées de bonté partout où vous allez. Soyez bon envers la terre en ramassant un déchet sur votre chemin ou en récitant en silence une prière de reconnaissance pour l'existence de la pluie, la couleur des fleurs et même la feuille de papier que vous tenez entre vos mains qui vous a été donnée par un arbre. L'univers réagit à ce que vous choisissez d'irradier vers l'extérieur. Si vous dites avec gentillesse de vive voix ou dans votre cœur : « Comment puis-je vous aider ? », l'univers répondra : « Comment puis-je vous aider en retour ? » C'est une énergie attractive. C'est cet esprit de coopération au cœur de toutes les formes de vie qui émerge de l'essence de l'intention. Et cet esprit de bonté est l'une des choses que vous devez apprendre à égaler si vous désirez reprendre contact avec l'intention. Ma fille, Sommer, a écrit ce qui suit pour démontrer comment un petit geste de bonté peut nous mener loin :

Par un après-midi pluvieux, je quittai l'autoroute à péage et me dirigeai vers le poste en fouillant dans mon sac à main. La femme m'adressa un sourire et m'annonça : « La voiture avant vous a payé votre péage. » Je lui répondis que je voyageais seule et lui tendis ma monnaie. Elle insista : « Je sais, l'homme m'a demandé de dire à la prochaine personne qui se présenterait à mon poste de passer une bonne journée. » Ce petit geste de bonté eut l'effet escompté. Une personne que je ne connaîtrais jamais m'avait profondément émue. Je me mis à réfléchir à ce que je pourrais faire de mon côté pour égayer la journée d'une autre personne. Je téléphonai à ma meilleure amie et lui racontai ma petite aventure. Elle me répondit qu'elle n'y avait jamais pensé, mais que c'était une excellente idée. Comme elle fréquentait l'université du Kentucky, elle décida de payer chaque jour le péage de la personne derrière elle avant de quitter l'autoroute à péage. J'éclatai de rire, car je doutais un peu de sa sincérité. « Tu crois que je plaisante, dit-elle, mais comme tu l'as dit toi-même, ce n'est que cinquante cents. » En raccrochant, je me demandai si l'homme qui avait payé mon péage avait pu prévoir que sa gentillesse aurait des répercussions jusque dans le Kentucky.

J'eus moi aussi l'occasion de poser un geste de bonté au supermarché, un jour que mon panier débordait de victuailles pour ma camarade de chambre et moi. La femme derrière moi avait un petit garçon très agité et moins d'articles que moi dans son panier. Je me tournai vers elle et lui dis : « Pourquoi ne passeriez-vous pas devant ? Vous avez beaucoup moins de choses que moi. » La femme me regarda comme si j'étais une sorte d'extraterrestre, mais répondit : « Merci beaucoup. Ce n'est pas tous les jours qu'on rencontre des gens aussi aimables que vous par ici. Nous sommes originaires de la Virginie et nous songeons déjà à repartir, car nous nous demandons si c'est un environnement adéquat pour élever nos trois enfants. » Puis elle m'expliqua qu'elle était sur le point d'abandonner et de retourner chez elle, malgré tous les inconvénients financiers que cela pouvait représenter pour sa famille. Elle ajouta : « Je me suis promis que nous retournerions en Virginie si je ne recevais pas un signe d'ici la fin de la journée. Vous êtes mon signe. »

Elle me remercia à nouveau et quitta le magasin le sourire aux lèvres. J'étais sidérée de voir qu'un si petit geste pouvait avoir un impact aussi important sur la vie de toute une famille. Tandis que la caissière calculait ce que je lui devais, elle me dit : « Le savez-vous, jeune fille ? Vous avez égayé ma journée ! » Je quittai le supermarché en souriant, me demandant combien de personnes mon geste de bonté allait ainsi toucher.

L'autre jour, tandis que j'achetais du café et un petit pain, je me suis dit que mes collègues de travail *aimeraient peut-être que je leur rapporte quelques beignets. Les quatre gars avec qui je travaille vivent dans de petits appartements situés devant les écuries. Ils n'ont pas de voiture et se partagent une bicyclette à tour de rôle. En arrivant, je leur expliquai que les beignets étaient pour eux. La gratitude qui se peignit sur leur visage fut pour moi la plus belle des récompenses. Je travaillais là-bas depuis peu, et j'avais pensé que ces douze petits beignets m'aideraient à briser la glace. Mais ce petit geste de bonté fit boule de neige au cours des semaines qui suivirent. Et bientôt chacun se mit à faire attention aux autres et à travailler en équipe.*

3. Soyez amour. Méditez ces paroles : *Dieu est amour* « et celui qui réside dans l'amour réside en moi et moi en lui ». C'est Dieu qui nous parle ici, pour ainsi dire. En gardant à l'esprit le thème de ce chapitre, et en fait de tout ce livre – à savoir que vous devez apprendre à ressembler à l'énergie qui vous a permis de voir le jour – il est absolument nécessaire que vous soyez dans un état d'amour pour reprendre contact avec l'intention. Puisque vous avez été esquissé dans un élan d'amour, vous devez être amour pour mettre en branle vos intentions. Combien de livres n'ont-ils pas été écrits sur l'amour, et pourtant, il y a autant de définitions de l'amour que de gens pour le définir. Pour le besoin de ce chapitre, j'aimerais que vous pensiez à l'amour des deux façons suivantes.

— *L'amour est coopération plutôt que compétition.* J'aimerais que vous puissiez faire l'expérience de l'essence du plan spirituel, ici même sur la terre, avec votre corps physique. Si c'était possible, cela voudrait dire que votre vie même serait une manifestation de l'amour. Si une telle chose devenait réalité pour vous, vous verriez toutes les créatures vivantes vivre en harmonie et coopérant les unes avec les autres. Vous sentiriez que le pouvoir de l'intention qui a donné la vie à toute chose coopère avec toutes les formes de vie pour leur assurer croissance et survie. Vous remarqueriez que nous partageons tous la même énergie vitale et que la même intelligence bat dans mon cœur et dans votre cœur, et dans le cœur de tous les êtres humains.

— *L'amour est la force qui se cache derrière la volonté de Dieu.* Je ne parle pas ici de l'amour défini en termes d'affection et de sentiment. Ce genre d'amour ne cherche pas non plus à plaire pour obtenir des faveurs en retour. Imaginez un amour qui est le pouvoir de l'intention, l'énergie à l'origine de toute création. Cet amour est la vibration spirituelle qui fait passer les intentions divines d'expressions informes à concrètes. Il crée de nouvelles formes, transforme la matière, vivifie toute chose et tient ensemble le cosmos par-delà le temps et l'espace. Il est en chacun de nous. C'est ce que Dieu est.

Je vous recommande de déverser votre amour dans votre environnement immédiat et de le faire sur une base horaire si possible. Chassez de votre esprit toutes les pensées qui ne sont pas des pensées d'amour et imprégnez de bonté toutes vos pensées, vos paroles et vos actions. Cultivez cet amour dans votre cercle de connaissances immédiat et dans votre famille, et un jour il se répandra dans votre communauté et sur toute la terre. Étendez volontairement cet amour aux gens qui vous ont blessé d'une façon ou d'une autre ou qui vous ont fait souffrir. Plus vous serez en mesure d'étendre l'empire de cet amour, plus vous vous rapprocherez de votre objectif de devenir amour, car c'est en étant amour qu'on atteint l'intention et ses manifestations.

4. Soyez beauté. Emily Dickinson a écrit : « La Beauté n'a pas de cause. Elle est... » En vous éveillant à votre nature divine, vous commencerez à apprécier la beauté de tout ce que vous voyez, touchez et sentez. Beauté et vérité sont synonymes comme nous l'avons vu plus tôt avec la célèbre observation de John Keats dans son poème *Ode sur une urne grecque* : « La beauté est vérité, la vérité est beauté. » Cela signifie, bien sûr, que l'Esprit créateur introduit les choses dans le monde des limites afin qu'elles prospèrent, grandissent et croissent. Et cela ne serait possible si la matière n'était pas entichée de la beauté inhérente à l'existence de toutes les créatures, vous y compris. Donc, pour reprendre consciemment contact avec votre Source afin d'en retrouver le pouvoir, vous devez rechercher et faire l'expérience de la beauté dans tout ce que vous entreprenez. Vie, vérité, beauté. Ce sont tous des symboles d'une même chose, un aspect de la force de Dieu.

Quand vous perdez la conscience de la beauté, vous perdez aussi la possibilité d'entrer en contact avec l'intention. Vous avez été introduit dans ce monde par une force qui vous perçoit comme une expression de la beauté. Elle se serait abstenue si elle avait cru que vous ne l'étiez pas, car si elle possède le pouvoir de créer, elle possède également le pouvoir de ne pas le faire. Ce choix a été fondé sur la supposition que vous êtes une expression de la beauté et de l'amour. Et cela est vrai de toutes les choses et de tous les êtres qui émanent du pouvoir de l'intention.

Voici une histoire adorable qui montre bien comment nous pouvons en venir à apprécier la beauté d'une situation qui nous paraissait détestable. Elle est racontée par Swami Chidvilasananda, mieux connue sous le nom de Gurumayi, dans son merveilleux livre, *Kindle My Heart*.

« Un homme n'aimait pas ses beaux-parents parce qu'il avait l'impression qu'ils prenaient trop de place dans sa maison. Il alla voir un maître qui vivait tout près et dont il avait beaucoup entendu parler. Il lui demanda : "Je vous en prie, faites quelque chose ! Je ne supporte plus la présence de mes beaux-parents. J'aime ma femme, mais mes beaux-parents : jamais ! Ils prennent trop de place dans la maison ; j'ai l'impression qu'ils sont toujours dans mon chemin."
Le maître lui demanda : "Avez-vous des poules ?

— Oui, j'en ai, répondit-il.

— Alors gardez toutes vos poules à l'intérieur de la maison."

L'homme fit ce que le maître lui avait dit, puis revint le voir.

Le maître lui demanda : "Cela a-t-il réglé votre problème ?

— Non, dit-il, c'est pire !

— Avez-vous des moutons ?

— En effet.

— Faites entrer tous vos moutons à l'intérieur."
L'homme s'exécuta et revint voir le maître. "Votre problème est-il réglé ?

— Non, c'est encore pire !

— Avez-vous des chiens ?

— Oui, j'en ai plusieurs.

— Faites entrer tous vos chiens dans la maison."
Finalement, l'homme courut chez le maître et dit : "J'étais venu pour recevoir votre aide, mais vous avez rendu ma vie encore plus insupportable !"

Le maître lui répondit : "À présent, renvoyez toutes les poules, tous les moutons et tous les chiens à l'extérieur."

L'homme retourna chez lui et chassa tous les animaux de sa maison. Il y avait tant d'espace ! Il *retourna voir le maître. "Merci ! Merci ! dit-il. Vous avez résolu tous mes problèmes." »*

5. Soyez en expansion. La prochaine fois que vous verrez un jardin rempli de fleurs, observez les fleurs qui sont vivantes et comparez-les aux fleurs qui semblent mortes. Quelle est la différence ? Les fleurs séchées, les fleurs mortes ne poussent plus, alors que les fleurs vivantes poussent encore. La force universelle d'où toute chose émerge, celle qui a planifié votre venue à l'être et qui se trouve au commencement de toute vie, est perpétuellement en expansion et toujours en train de croître. Comme les sept visages de l'intention, en raison de son universalité, sa nature est forcément commune à la vôtre. En étant toujours en expansion sur le plan intellectuel, émotionnel et spirituel, vous vous identifiez à l'esprit universel.

En demeurant dans un état où vous n'êtes pas attaché à ce que vous aviez l'habitude de penser ou d'être, et en pensant à partir de la fin et en étant prêt à être guidé par Dieu, vous vous inscrivez dans la loi de la croissance et devenez réceptif au pouvoir de l'intention.

6. Soyez abondant. L'abondance de l'intention est illimitée. Il n'y a pas de rareté dans le monde universel et invisible de l'Esprit. Le cosmos est lui-même infini. Comment l'univers pourrait-il avoir une fin ? Quelle serait cette fin ? Un mur ? Quelle serait donc l'épaisseur de ce mur ? Et qu'y aurait-il de l'autre côté ? Tandis que vous songez à reprendre contact avec l'intention, sachez dans votre cœur que toute attitude reflétant un manque de conscience vous empêchera d'avancer. Un rappel est ici de mise. Vous devez harmoniser les attributs de l'intention avec les vôtres pour capitaliser sur ces pouvoirs à l'œuvre dans votre vie.

Le royaume de Dieu n'est qu'abondance. Imaginez Dieu en train de se dire : *Je ne peux plus produire d'oxygène aujourd'hui, je suis trop fatigué ; cet univers est assez grand comme cela, je crois que je vais ériger un mur et mettre un terme à son expansion.* Impossible ! Vous êtes issu d'une conscience qui était et est illimitée. Alors qu'est-ce qui vous empêche de rejoindre cette conscience infinie dans votre esprit et de vous accrocher à ces images sans vous soucier de ce qui se passe autour de vous ? Ce qui vous en empêche, c'est le conditionnement auquel vous avez été exposé durant votre vie, mais cela peut changer dès aujourd'hui, dans les minutes qui viennent si vous le désirez.

Lorsque votre façon de voir les choses se tourne vers l'abondance, c'est un peu comme si vous vous répétiez à vous-même encore et encore que vous ne connaissez aucune limite puisque vous émanez d'une réserve d'intention inépuisable. À mesure que cette image se solidifie dans votre esprit, vous vous mettez à suivre cette intention inflexible. Il n'y a pas d'autre possibilité. Nous devenons ce à quoi nous pensons, et comme nous le rappelait Emerson : « L'ancêtre de chaque action est une pensée. » Tandis que ces pensées de plénitude et d'abondance deviennent votre manière de penser, la force créatrice à laquelle vous êtes toujours relié se mettra à travailler de concert avec vous, en harmonie avec vos pensées, comme elle travaillait avec vous en harmonie avec vos pensées de rareté. Si vous pensez ne pas être capable de manifester cette abondance dans votre vie, vous verrez que l'intention acquiescera et vous *aidera* même à atteindre vos maigres espérances !

*
* *

Il semble que je sois arrivé ici-bas pleinement en contact avec les généreux attributs du monde spirituel dont je suis issu. Même si j'ai grandi au sein de différentes familles d'accueil, dans un environnement où les gens pensaient sans cesse à la pauvreté, j'étais pour ainsi dire le garçon le plus « riche » de l'orphelinat. J'ai toujours cru que je pouvais avoir comme les autres des pièces de monnaie dans ma poche. Je les imaginais tintant au fond de ma poche, et par conséquent je me conformais à cette image. J'ai ramassé des bouteilles vides, déblayé des entrées, porté des sacs d'épicerie, vidé des chaudières de leur charbon, nettoyé des cours, peint des clôtures, gardé des enfants, livré des journaux et ainsi de suite. Et la force universelle de l'abondance m'a toujours épaulé en me fournissant diverses occasions de gagner de l'argent. Une tempête de neige était pour moi une véritable bénédiction. Tout comme les bouteilles jetées le long des routes et les vieilles dames qui avaient besoin qu'on les aide à porter leurs sacs d'épicerie jusqu'à leur voiture.

Aujourd'hui, cinquante ans plus tard, je jouis encore mentalement de cette abondance. Je ne me suis jamais retrouvé sans plusieurs emplois en même temps, même si j'ai connu plusieurs crises économiques au cours de ma vie. Je gagnai beaucoup d'argent à l'époque où j'étais instituteur, en mettant sur pied une école de conduite après mes heures de classe. Plus tard, afin d'augmenter mon revenu de professeur à l'université St. John, j'entrepris de donner des conférences à Port Washington, dans l'État de New York, tous les lundis soir pour une trentaine de résidants, et bientôt cette série de rencontres du lundi soir se transporta dans l'auditorium de l'école secondaire où se rassemblaient à présent plus de mille personnes. Chaque conférence était enregistrée par un membre de l'équipe, et ces cassettes me menèrent à l'esquisse de mon premier livre intitulé *Vos zones erronées*.

Parmi l'assistance se trouvait la femme d'un agent littéraire de New York qui incita ce dernier à me téléphoner au sujet de mon livre. Cet homme, Arthur Pine, devint un véritable père pour moi et m'aida à prendre contact avec le milieu de l'édition new-yorkais. Et cette histoire de pensée sans limites s'est répétée encore et encore. Je vis ce livre *en commençant par la fin* devenir un outil pour tous les habitants du pays et poursuivis sur ma lancée en visitant toutes les grandes villes d'Amérique pour le faire connaître.

L'Esprit universel m'a toujours aidé à transposer mes pensées d'abondance illimitée dans ma vie. Les bonnes personnes apparurent comme par magie. J'eus un coup de chance juste au bon moment. L'aide dont j'avais besoin se manifesta comme par enchantement. Et d'une certaine manière, je continue encore aujourd'hui à ramasser des bouteilles vides, à déblayer des entrées et à porter des sacs d'épicerie pour de vieilles dames. Ma vision du monde n'a pas changé, mais mon terrain de jeu est beaucoup plus grand. Il s'agit essentiellement de développer une image mentale de l'abondance, de penser de façon illimitée et d'être ouvert aux messages que l'intention nous envoie lorsque nous sommes en contact avec elle, puis de manifester notre gratitude et notre émerveillement une fois que nous avons compris le fonctionnement de l'univers. Chaque fois que je vois une pièce de monnaie par terre, je m'arrête, la ramasse et la mets dans ma poche en disant à haute voix : « Merci, mon Dieu, pour ce symbole de l'abondance qui ne cesse d'affluer dans ma vie. » Jamais je ne me suis dit : « Pourquoi seulement un sou, mon Dieu ? Vous savez que j'ai besoin de beaucoup plus que ça. »

Aujourd'hui, je me suis levé à quatre heures du matin en sachant que mon travail allait compléter ce que j'avais déjà envisagé en imagination. Les mots me viennent aisément, et je reçois des lettres envoyées par l'abondance manifeste de l'intention me pressant de lire tel livre ou de parler à telle personne en particulier, et je sais que tout cela fonctionne dans une unité parfaite et dans l'abondance. Le téléphone sonne et les mots que j'ai besoin d'entendre résonnent dans le creux de mon oreille. Je me lève pour boire un verre d'eau et mes yeux s'arrêtent sur un livre qui dort dans ma bibliothèque depuis vingt ans, mais cette fois, je ressens le besoin de l'ouvrir. Tandis que je le feuillette, je me retrouve à nouveau guidé par la volonté de l'esprit qui m'aide et m'assiste tant que je suis en harmonie avec lui. Et cela continue encore et encore, et je me mets à penser à ces mots poétiques de Jelaluddin Rumi, vieux de huit siècles : « Vendez votre perspicacité et achetez un peu de perplexité. »

7. Soyez réceptif. L'esprit universel est prêt à répondre à tous ceux qui reconnaissent leur véritable relation avec lui. Il reproduira toutes les conceptions de lui-même que vous élaborerez. En d'autres termes, il est réceptif à tous ceux qui demeurent en harmonie avec lui et qui le vénèrent. La question est donc de savoir dans quelle mesure vous êtes réceptif au pouvoir de l'intention. Demeurez en contact avec lui et vous recevrez tout ce dont son pouvoir est capable. Croyez que vous êtes séparé de l'esprit universel (c'est impossible, mais l'ego y croit dur comme fer) et vous demeurerez éternellement déconnecté.

L'esprit universel est de nature pacifique. Il n'est réceptif ni à la force, ni à la violence. Il fonctionne à son propre rythme, laissant le temps à toutes choses d'émaner une à une. Il n'est jamais pressé puisqu'il est hors du temps. Il est toujours dans un éternel présent. Essayez pour voir de vous mettre à quatre pattes pour hâter la croissance d'un petit plant de tomate. L'esprit universel fonctionne dans la sérénité, et vos tentatives de hâter ou de forcer la floraison de cette nouvelle vie ne peuvent que la détruire. Être réceptif veut dire permettre à votre « partenaire supérieur » de gérer votre vie pour vous. *J'accepte d'être guidé et aidé par la force même qui m'a créé, je me débarrasse de mon ego et je fais confiance à cette sagesse qui avance à son propre rythme. Je ne formule aucune demande.* C'est ainsi que crée le tout-puissant champ de l'intention. C'est ainsi que vous devez penser pour reprendre contact avec votre Source. Vous méditez parce que cela vous permet de prendre conscience de votre relation avec Dieu. En étant serein, calme et réceptif, vous vous modelez à l'image de Dieu, et vous retrouvez le pouvoir de votre Source.

Ce chapitre, comme tout ce livre d'ailleurs, ne parle pas d'autre chose. Il s'agit de puiser dans l'essence de l'Esprit d'où toute chose s'origine, d'émuler les attributs de la force créatrice de l'intention et de manifester dans votre vie tout ce que vous désirez, pour autant que vos désirs soient cohérents avec l'esprit universel qui est créativité, bonté, beauté, expansion, abondance et sereine réceptivité.

*
* *

Une jolie Indienne née en 1923 et portant le nom de Shri Mataji Nirmala Devi, arriva sur terre dans un état d'éveil complet et vécut dans l'ashram du Mahatma Gandhi qui la consultait régulièrement sur des questions de spiritualité. Elle passa sa vie à travailler pour la paix et découvrit une méthode grâce à laquelle tous les êtres humains peuvent se réaliser. Elle enseigne le Shaja Yoga, et n'a jamais demandé un sou pour son enseignement. Elle insiste sur les points suivants qui résument parfaitement ce chapitre sur l'importance d'entrer en contact avec l'intention :

• *Vous ne pouvez découvrir le sens de votre vie si vous n'êtes pas en contact avec le pouvoir qui vous a créé.*

• *Vous n'êtes pas ce corps, vous n'êtes pas cet esprit, vous êtes l'Esprit… il n'y a pas de plus grande vérité.*

• *Vous devez connaître votre Esprit… car sans lui, vous ne pouvez connaître la vérité.*

• *La méditation est la seule façon de croître. Il n'y a pas d'autre voie. Car lorsque vous méditez, vous êtes dans le silence. Vous êtes dans un état de conscience libre de toute pensée. C'est alors que se produit l'accroissement de votre conscience.*

Entrez en contact avec le pouvoir qui vous a créé, sachez que vous êtes ce pouvoir, communiez intimement avec ce pouvoir, et méditez pour permettre *l'accroissement de votre conscience*. Voilà, en effet, une excellente définition d'un être complètement réalisé, rien de moins.

Cinq suggestions pour mettre en pratique les idées présentées dans ce chapitre

1. *Pour réaliser vos désirs, harmonisez-les avec votre discours intérieur.* Concentrez votre bavardage intérieur sur de bonnes nouvelles et de bons résultats. Votre discours intérieur est le reflet de votre imagination, et votre imagination est le lien qui vous unit à l'Esprit. Si votre discours intérieur est en conflit avec vos désirs, votre voix intérieure

prendra le dessus. Donc, si vous harmonisez vos désirs avec votre discours intérieur, vos désirs finiront par se réaliser.

2. *Pensez en commençant par la fin.* J'entends par là que vous assumiez en vous la sensation que votre souhait est exaucé et que vous gardiez précieusement en vous cette image malgré les obstacles qui se présentent. Vous finirez par agir conformément à cette pensée de la fin, et l'Esprit créateur collaborera alors avec vous.

3. *Pour atteindre un état de perfection, vous devez faire preuve d'une intention inflexible.* Cela vous permettra de vous accorder à l'intention inflexible de l'esprit créateur universel. Par exemple, si j'ai l'intention d'écrire un livre, je garde en tête l'image du livre complété et je refuse de laisser disparaître cette intention. Dès lors, rien ne peut m'empêcher d'aller au bout de mon intention. Certaines personnes disent que j'ai beaucoup de discipline, mais je sais qu'il n'en est rien. L'inflexibilité de mon intention ne permet à rien d'autre de s'exprimer, si ce n'est sa propre réalisation. Je suis poussé, incité, propulsé et pour ainsi dire attiré par une puissance mystique vers mon lieu d'écriture. Toutes mes pensées, de jour comme de nuit, se portent vers cette image, et je ne manque jamais d'être émerveillé en voyant comment tout finit par s'arranger.

4. *Inscrivez les sept visages de l'intention sur des cartes de 6 cm sur 10 cm.* Faites-les ensuite imprimer et placez-les à des endroits stratégiques où vous les verrez tous les jours. Elles vous rappelleront

qu'il faut demeurer dans la communauté de l'esprit à l'origine de toute chose. Vous voulez établir un lien de camaraderie entre vous et l'intention, et ces sept cartes, une fois disposées dans votre environnement immédiat, y veilleront.

5. *Ayez toujours en tête l'idée de la divine abondance. Si d'autres pensées surgissent, remplacez-les par la pensée de la divine abondance.* Rappelez-vous tous les jours que l'univers ne connaît pas l'avarice ; rien ne peut lui manquer. Il n'est qu'abondance, et comme l'a si bien exprimé saint Paul : « Dieu vous offre toutes ses faveurs en abondance. » Répétez ces idées sur l'abondance jusqu'à ce que vous ayez l'intime conviction de leur vérité.

Cela conclut notre section sur les étapes pour entrer en contact avec l'intention. Mais avant que vous ne fassiez ce saut périlleux dans l'inconcevable, je vous incite fortement à examiner tous les obstacles que vous vous êtes imposés à vous-même au fil des ans, obstacles qui doivent à présent être surmontés et éradiqués afin que vous puissiez réapprendre à vivre dans le pouvoir de l'intention qui a été placé dans votre cœur avant même que celui-ci ne soit formé. Comme le disait William Penn : « Ceux qui ne seront pas gouvernés par Dieu seront gouvernés par des tyrans. » N'oubliez pas, en poursuivant votre lecture, que ces tyrans sont souvent des pierres d'achoppement jetées sur votre chemin par votre moi inférieur.

❁

CHAPITRE QUATRE

LES OBSTACLES

« EST-CE QUE LE FAIT D'ÊTRE CERTAIN QU'UNE
CHOSE EST TELLE, FAIT QU'ELLE L'EST VRAIMENT ?
IL RÉPONDIT : "TOUS LES POÈTES LE CROIENT. À
UNE ÉPOQUE OÙ L'IMAGINATION EST REINE, UNE
TELLE CERTITUDE PEUT DÉPLACER LES MONTA-
GNES ; MAIS PLUSIEURS SONT INCAPABLES DE LA
MOINDRE CERTITUDE." »

William Blake, *Le Mariage du Ciel et de l'Enfer*

Cet extrait du livre de William Blake *Le Mariage du Ciel et de l'Enfer* est à la base de ce chapitre sur la façon de surmonter les obstacles qui se dressent entre nous et le pouvoir illimité de l'intention. Blake nous dit que les poètes ont une imagination inépuisable et qu'ils possèdent par conséquent une capacité illimitée à rendre les choses telles qu'ils les imaginent. Il nous rappelle également que peu de gens sont capables d'une telle conviction.

Au chapitre précédent, je vous ai suggéré diverses façons d'entrer en contact avec l'intention. J'ai volontairement arrangé les chapitres dans cet ordre afin que vous lisiez d'abord sur ce que vous êtes capable de faire avant d'examiner les barrières que vous avez érigées et qui vous empêchent de connaître le bonheur de retrouver votre intention. Lorsque j'étais conseiller d'éducation et thérapeute, j'encourageais mes clients à considérer d'abord ce qu'ils voulaient manifester dans leur vie, puis à s'accrocher fermement à cette pensée dans leur imagination. À cette seule condition, j'acceptais d'examiner avec eux les obstacles auxquels ils faisaient face. Mes clients ignoraient souvent la présence de ces obstructions, même quand ils en étaient les auteurs. Apprendre à identifier comment vous créez vos propres obstacles est une expérience extraordinairement éclairante si vous êtes prêt à explorer cet aspect de votre vie. Il vous est donc possible de découvrir les obstacles qui vous empêchent d'avoir quelque certitude.

Ce chapitre sera consacré à trois aspects de votre vie qui pourraient, à votre insu, vous empêcher de prendre contact avec le pouvoir de l'intention. Nous examinerons *votre discours intérieur*, *votre niveau d'énergie* et *votre suffisance*. Lorsqu'elles sont mal assorties, ces trois catégories peuvent créer une barrière quasiment insurmontable entre vous et l'intention. En les prenant une à la fois, vous aurez l'occasion de prendre conscience de ces blocages et d'explorer différentes avenues pour les surmonter.

Une émission de télévision appelée *The Match Game* est diffusée depuis des décennies à travers le pays. Le but du jeu consiste à deviner les pensées et les futures réponses de l'autre membre de votre équipe, généralement un conjoint ou un membre de votre famille. Une question ou une affirmation est proposée à l'un des partenaires, accompagnée de plusieurs choix de réponses. Plus vos réponses concordent, plus vous accumulez de points. Le vainqueur, parmi les différents couples en compétition, est celui qui obtient le plus de réponses correspondantes.

J'aimerais à présent jouer à ce petit jeu avec vous. Dans ma version, je vous demanderai de vous accorder avec l'Esprit universel de l'intention. Tandis que nous passerons en revue les trois catégories d'obstacles qui vous empêchent d'entrer en contact avec l'intention, je décrirai les domaines qui ne correspondent pas, et ferai des suggestions pour créer un accord parfait. Rappelez-vous que votre capacité à activer le pouvoir de l'intention dans *votre* vie dépend de votre harmonie avec la Source créatrice de *toute* vie. Accordez-vous avec cette Source, et vous serez pareil à cette dernière et au pouvoir de l'intention. Si vous échouez... le pouvoir de l'intention vous échappera.

Votre discours intérieur – Correspond, correspond pas ?

Nous pouvons remonter jusqu'à l'Ancien Testament pour trouver une allusion à notre dialogue intérieur. Par exemple, *l'homme est ce qu'il pense*. En général, nous associons l'idée de devenir ce que nous pensons à nos pensées positives. En d'autres termes, pensez de manière positive et vous obtiendrez des résultats positifs. Mais nos pensées créent également des pierres d'achoppement qui produisent à leur tour des résultats négatifs. Vous trouverez ci-dessous quatre façons de penser qui peuvent vous empêcher d'atteindre et de prendre contact avec l'Esprit créateur et universel de l'intention.

1. Penser à ce qui manque dans votre vie. Pour harmoniser votre intention, vous devez d'abord vous surprendre en train de penser à ce qui vous *manque*, puis vous tourner vers l'intention. Pensez non pas *voici ce qui manque dans ma vie*, mais *voici ce que j'ai l'intention de rendre manifeste et d'attirer dans ma vie*. Sans l'ombre d'un doute, sans hésitation et sans explication ! Voici quelques suggestions pour vous aider à briser cette habitude de concentrer vos pensées sur ce qui vous manque. Jouez à mon petit jeu, et accordez vos pensées avec celles de la *force créatrice*.

Désaccord : Je n'ai pas assez d'argent.
Accord : J'ai l'intention d'attirer une abondance illimitée dans ma vie.

Désaccord : Mon partenaire est grognon et ennuyeux.
Accord : J'ai l'intention de me concentrer sur ce que j'aime chez mon partenaire.

Désaccord : Je ne suis pas aussi séduisant que j'aimerais l'être.
Accord : Je suis parfait aux yeux de Dieu, une divine manifestation du processus de création.

Désaccord : Je n'ai pas assez d'énergie et de vitalité.
Accord : Je fais partie des flux et reflux de la Source illimitée de toute vie.

Ce jeu ne porte pas sur des affirmations sans réel contenu. C'est une façon de vous harmoniser au pouvoir de l'intention et de prendre conscience de ce que vous pensez et mettez de l'avant. Si vous passez votre temps à penser à ce qui vous manque, c'est ce que vous mettrez de l'avant dans votre vie. Par conséquent, surveillez votre discours intérieur et harmonisez vos pensées avec ce que vous désirez et ce que vous avez l'intention de créer.

2. Penser aux circonstances qui entourent votre vie. Si vous êtes dans une situation désagréable, il ne faut surtout pas y penser. Cela peut sembler paradoxal, mais ce jeu consiste à vous accorder avec l'Esprit de la création. Vous devez apprendre à votre imagination (qui est en fait l'esprit universel circulant en vous) à se détourner de ce que vous ne voulez pas pour se concentrer sur ce que vous voulez. Toute l'énergie mentale que vous dépensez pour vous plaindre de *ce qui est* – à tous ceux qui acceptent de vous écouter – agit comme un aimant qui attirera dans votre vie encore plus de choses désagréables. Vous et vous seul pouvez surmonter cet obstacle, car c'est vous qui l'avez placé sur le chemin qui mène à l'intention. Adaptez votre discours intérieur afin qu'il corresponde aux circonstances que vous avez l'intention de rendre manifestes dans votre vie. Prenez l'habitude de penser *en commençant par la fin* en jouant à mon petit jeu et en vous alignant sur le champ de l'intention.

Voici quelques exemples d'un dialogue intérieur en *accord* et en *désaccord* avec l'intention quant aux circonstances qui entourent votre vie :

Désaccord : Je déteste l'endroit où je vis ; il me donne la chair de poule.

Accord : Je peux voir en imagination notre nouvelle demeure, et j'ai l'intention d'y vivre d'ici six mois.

Désaccord : Lorsque je me regarde dans la glace, le fait d'être myope et en mauvaise forme me dégoûte.

Accord : Je place ce dessin représentant ce à quoi je veux ressembler ici près de mon miroir.

Désaccord : Je déteste mon travail et le fait de ne pas être apprécié.

Accord : Je suis mon intuition et mes impulsions pour créer l'emploi de mes rêves.

Désaccord : Je déteste le fait d'être si souvent malade et d'avoir tout le temps le rhume.

Accord : Je jouis d'une santé divine. J'ai l'intention d'adopter de saines habitudes et d'attirer le pouvoir qui renforcera mon système immunitaire de toutes les façons possibles.

Vous devez apprendre à assumer la responsabilité des circonstances qui entourent votre vie tout en vous gardant d'éprouver de la culpabilité. Ces circonstances ne sont pas la conséquence d'une dette karmique ou quelque punition. Ces circonstances, y compris votre santé, vous appartiennent. Elles sont apparues dans votre vie d'une manière ou d'une autre ; alors assumez le fait que vous y avez contribué. Votre discours intérieur est votre propre création, et c'est lui qui attire dans votre vie toutes ces circonstances que vous redoutez. Prenez contact avec votre intention, utilisez votre discours intérieur pour demeurer concentré sur ce que vous avez l'intention de créer, et vous recouvrerez le pouvoir de votre Source.

3. Penser à ce qui a toujours été. Lorsque votre discours intérieur se concentre sur la façon dont les choses ont toujours été, vous agissez conformément à ces pensées, et la force créatrice universelle continue à produire ce qui a toujours été. Pourquoi ? Parce que votre imagination est une partie intégrante de ce qui a imaginé votre existence. Cette force, c'est la force créatrice, et vous l'utilisez contre vous dans votre discours intérieur.

Imaginez l'Esprit absolu qui dirait : « *Je ne peux plus créer la vie ; les choses n'ont pas fonctionné comme je le pensais par le passé. J'ai commis tant d'erreurs, et j'y pense sans arrêt !* » L'Esprit serait-il aussi créatif s'il pensait ainsi ? Comment pourriez-vous reprendre contact avec le pouvoir de l'intention si vos pensées, qui sont responsables de la formation de vos intentions, se concentraient sur un passé que vous avez en horreur ? La réponse est évidente, tout comme la solution. Modifiez vos pensées lorsque vous vous surprenez en train de penser à *ce qui a toujours été*, et adaptez votre discours intérieur afin qu'il reflète ce que vous avez *l'intention de rendre manifeste*. Pour gagner des points à ce jeu, vous devez faire équipe avec l'Esprit absolu.

Désaccord :	J'ai toujours été pauvre ; j'ai grandi dans le manque et la précarité.
Accord :	J'ai l'intention de vivre dans la prospérité, la richesse et l'abondance.
Désaccord :	Nous nous disputons tout le temps, mon conjoint et moi.
Accord :	Je m'efforcerai d'être serein et je ne laisserai personne me démoraliser.
Désaccord :	Mes enfants ne m'ont jamais respecté.
Accord :	J'ai l'intention d'inculquer à mes enfants le respect de la vie, et je les traiterai de la même façon.

Désaccord : Je ne peux m'empêcher d'être comme je suis ; c'est ma nature, j'ai toujours été ainsi.

Accord : Je suis une création divine capable de penser comme mon Créateur. J'ai l'intention de remplacer mes sentiments d'échec par des sentiments d'amour et de bonté. C'est mon choix.

Un *accord* reflète l'existence d'un rapport entre vous et l'Esprit d'où toute chose tire son origine. Un *désaccord* représente une interférence que vous avez produite pour vous empêcher de vous accorder avec l'intention. Toute pensée qui vous fait reculer est un empêchement à la manifestation de vos désirs. Les gens qui fonctionnent à un niveau supérieur comprennent que si vous n'avez pas de scénario, vous n'avez pas à vous montrer à la hauteur de celui-ci. Purgez votre scénario de tous les éléments qui vous incitent à vous concentrer sur *ce qui a toujours été*.

4. Penser à ce qu'« ils » veulent pour vous. La liste des gens qui ont une opinion sur ce que vous devriez faire est probablement fort longue. Ces personnes, souvent des parents à vous, vous disent comment vous devez penser, ce que vous devez croire, où vous devez vivre, comment vous devez organiser votre vie et combien de temps vous devez passer en leur compagnie, en particulier lors d'occasions spéciales et durant vos vacances ! Heureusement, notre définition de l'amitié exclut la manipulation et la culpabilité que nous devons souvent endurer de la part de nos familles.

Un dialogue intérieur qui s'apitoie sur les attentes manipulatrices des autres est la garantie que ce genre de conduite continuera à s'immiscer dans votre vie. Si vos pensées sont tournées vers ce que les autres attendent de vous – même si leurs attentes vous répugnent – vous continuerez à vous conformer à ce qu'ils veulent et à ce qu'ils attendent de vous. Éliminer les obstacles signifie que vous avez décidé de modifier votre discours intérieur afin qu'il reflète ce que vous avez l'intention de créer et d'attirer dans votre vie. Vous devez faire preuve d'une foi inébranlable, et vous engager à ne plus consacrer d'énergie mentale à penser à la façon dont les autres voudraient que vous viviez votre vie. Ce n'est pas une tâche facile, mais vous apprécierez le changement une fois que vous aurez décidé d'emboîter le pas.

Exercez-vous à vous surprendre en train de penser à ce que les autres attendent de vous, et demandez-vous : *Est-ce que cette attente correspond à ce que j'attends de moi ?* Si ce n'est pas le cas, prenez conscience de ce qu'il y a d'absurde dans le fait d'être vexé ou frustré par les attentes des autres quant à la façon dont vous devriez gérer votre vie. En vous posant cette question, vous verrez si vos attentes correspondent à celles des autres et deviendrez imperméable à leurs critiques, tout en mettant fin à cette habitude insidieuse d'attirer dans votre vie des choses que vous ne voulez pas. Mais mieux encore, quand ces censeurs se rendront compte que leurs jugements et leurs critiques sont inutiles, ils cesseront simplement de vous importuner. En détournant votre attention de ce que les autres veulent et attendent de vous et en vous concentrant sur la façon dont vous voulez vivre votre vie, vous ferez d'une pierre « trois coups ».

Voici quelques exemples qui vous aideront à gagner :

Désaccord :	Ma famille me porte sur les nerfs. Elle ne me comprend pas et ne m'a jamais compris.
Accord :	J'aime ma famille ; elle ne voit pas les choses comme moi et je ne m'attends

pas qu'elle le fasse. Je lui envoie tout mon amour et je suis totalement concentré sur mes propres intentions.

Désaccord : Cela me rend malade de toujours vouloir plaire à tout le monde.

Accord : J'ai un but et je fais ce que j'ai accepté de faire au cours de cette existence.

Désaccord : Les gens à qui je rends service sont si peu reconnaissants qu'il m'arrive parfois de pleurer.

Accord : Je fais ce que je fais parce que c'est ma mission et ma destinée de le faire.

Désaccord : Peu importe ce que j'ai fait ou ce que je fais, j'ai l'impression d'avoir toujours tort.

Accord : Je fais ce que mon cœur me dit de faire, et je le fais avec amour, bonté et beauté.

Votre niveau d'énergie – Correspond, correspond pas ?

Les scientifiques vous diront que l'énergie se mesure en termes de vitesse et par l'amplitude des ondes qu'elle crée. L'amplitude de l'onde est soit basse ou haute, lente ou rapide. Toutes les autres choses que nous attribuons aux situations visibles dans notre monde sont en fait un jugement imposé à ces fréquences vibratoires. Cela étant dit, j'aimerais exprimer ici un jugement personnel : *l'énergie supérieure est meilleure que l'énergie inférieure*. Pourquoi ? Parce que vous avez entre les mains un livre écrit par un homme qui soutient la guérison, l'amour, la bonté, la santé, l'abondance, la beauté, la compassion et toute autre expression similaire, et parce que ces expressions sont toutes associées à des énergies supérieures et plus rapides.

L'impact de ces fréquences sur les fréquences inférieures peut également être mesuré, et vous pouvez à cet égard avoir un énorme impact sur votre vie en éradiquant les facteurs énergétiques qui empoisonnent votre relation avec l'intention. En vous hissant aux plus hauts échelons de l'échelle vibratoire, vous modifiez votre fréquence énergétique afin qu'elle atteigne les fréquences les plus élevées et les plus rapides, là où votre niveau énergétique correspond à la plus haute de toutes les fréquences, celle de l'Esprit créateur de l'intention. C'est Albert Einstein qui observa que « rien ne se produit à moins que quelque chose ne bouge ».

Tout dans cet univers est un mouvement d'énergie. L'énergie supérieure qui est plus rapide dissout et convertit l'énergie inférieure qui est plus lente. En gardant cela à l'esprit, j'aimerais que vous vous perceviez, vous-même et toutes vos pensées, comme un système *énergétique*. Vous avez bien lu : vous êtes un système énergétique, non pas un ensemble d'os, de sécrétions et de cellules, mais bien une multitude de systèmes énergétiques englobés dans un système énergétique interne composé de pensées, de sentiments et d'émotions. Ce système énergétique que vous êtes peut être mesuré et étalonné. Chaque pensée qui vous habite peut être étalonnée sur le plan énergétique, de même que son impact sur votre corps et votre environnement. Plus votre énergie est élevée, plus vous êtes en mesure de neutraliser et de convertir les énergies inférieures qui vous affaiblissent, et d'influencer positivement tous ceux qui vivent dans votre entourage immédiat et même dans votre milieu.

L'objectif de cette section est de vous faire prendre conscience de votre propre niveau énergétique et de la fréquence des pensées que vous utilisez régulièrement dans votre vie de tous les jours. Vous pouvez devenir très habile dans l'art de hausser votre niveau d'énergie et de neutraliser les expressions qui affaiblissent ou inhibent votre lien avec l'intention. En bout de ligne, votre objectif est de vous accorder parfaitement avec la plus haute de toutes les fréquences. Vous trouverez ci-dessous un aperçu des cinq niveaux d'énergie avec lesquels vous devez travailler, de la fréquence la plus basse et la plus lente à la plus élevée et la plus rapide.

1. Le monde matériel. Les substances solides sont constituées d'une énergie si lente qu'elle correspond approximativement à la façon dont nous percevons le monde des limites. Tout ce que nous voyons et touchons est en fait une énergie si lente qu'elle semble fondue en une masse solide. Nos yeux et nos doigts ne disent pas autre chose, et c'est ainsi que nous percevons le monde physique.

2. Le monde du son. Nous percevons rarement les ondes sonores avec nos yeux, mais nous pouvons néanmoins les sentir. Ces ondes invisibles sont, elles aussi, hautes ou basses, rapides ou lentes. C'est à ce niveau d'énergie *sonore* que nous pouvons entrer en contact avec la plus haute des fréquences en pratiquant la méditation Japa ou en répétant le son de Dieu (pour plus d'information, consultez mon livre *Getting in the Gap*).

3. Le monde de la lumière. La lumière se déplace plus rapidement que le monde matériel et plus rapidement que le son, pourtant cette substance appelée lumière n'est formée d'aucune particule connue. Ce que

notre œil perçoit comme étant la couleur rouge correspond en fait à une fréquence vibratoire particulière,
comme la couleur violette correspond à une fréquence
vibratoire encore plus rapide et plus élevée. Lorsqu'on
introduit de la lumière dans une pièce obscure, l'obs-
curité devient lumière. Cela peut avoir des implications
étonnantes. Par exemple, quand une énergie inférieure
est confrontée à une énergie supérieure, elle est auto-
matiquement convertie en énergie supérieure.

4. Le monde de la pensée. La pulsation de nos pensées se déroule à une fréquence extrêmement élevée qui
dépasse la vitesse du son et même celle de la lumière.
La fréquence de nos pensées peut être mesurée, et leur
impact sur notre corps et notre environnement peut
également faire l'objet d'un calcul. C'est encore une fois
les mêmes règles qui s'appliquent. Les fréquences supérieures neutralisent les fréquences inférieures ; les
énergies les plus rapides convertissent les énergies les
plus lentes. Le docteur David Hawkins, un collègue
pour qui j'ai énormément d'admiration, a écrit un livre
auquel je fais souvent allusion, intitulé *Power vs. Force*
(« Le pouvoir contre la force »). Dans ce livre remarquable, le Dr Hawkins décrit en détail les pensées associées aux fréquences inférieures, ainsi que les émotions
qui les accompagnent, et comment il est possible de les
neutraliser et de les convertir en les exposant à des fréquences plus élevées et plus rapides. Je vous encourage
fortement à lire ce livre, et je présenterai quelques-unes
de ses découvertes dans la section concernant la façon
d'augmenter vos niveaux énergétiques (p. suivante).
Chacune de vos pensées peut faire l'objet d'un calcul
qui déterminera si elle renforce ou affaiblit votre capacité à reprendre contact avec l'énergie la plus élevée et
la plus rapide de l'univers.

5. Le monde de l'Esprit. Voici l'ultime énergie. Ces fréquences supersoniques sont si rapides qu'elles rendent impossible l'existence du désordre, de la discorde et même de la maladie. Ces énergies sont les sept visages de l'intention, les énergies de la création sur lesquelles nous reviendrons à moult occasions dans ces pages. Lorsque vous les reproduisez en vous, vous reproduisez la même qualité créatrice de la vie qui vous a donné le jour. Ce sont les qualités que nous retrouvons dans la créativité, la bonté, l'amour, la beauté, l'expansion, la sereine abondance et la réceptivité. Ce sont les plus hautes énergies de l'Esprit universel. Vous êtes issu de cette énergie et pouvez vous harmoniser avec elle sur le plan énergétique en vous débarrassant des énergies vibratoires inférieures qui obstruent vos pensées et vos émotions.

Voici ce que déclara le prix Nobel de physique Max Planck, au moment de recevoir son prix pour ses recherches sur l'atome : « Ayant consacré toute ma vie à la plus rationnelle des sciences, à l'étude de la matière, je peux vous dire que les résultats de mes recherches m'ont conduit à cette conclusion : il n'y a pas de matière en tant que telle ! Toute la matière tire son origine et n'existe qu'en vertu d'une force qui fait vibrer les particules de l'atome et maintient ensemble ce petit système solaire miniature… Nous devons donc supposer qu'il existe derrière cette force un esprit conscient et intelligent. Cet esprit est la matrice de toute matière. » C'est avec cet esprit que je vous conseille vivement de vous accorder.

Augmenter votre niveau d'énergie

Chacune de vos pensées possède une énergie qui peut soit vous renforcer, soit vous affaiblir. De toute évidence, il convient d'éliminer les pensées qui vous affaiblissent, puisque ces pensées sont des obstacles qui vous empêchent de vous accorder avec la Source suprême de l'intention. Prenez un moment pour réfléchir à cette observation d'Anthony de Mello dans *One Minute Wisdom* (« Une minute de sagesse ») :

> *Pourquoi tout le monde est-il heureux sauf moi ?*
> « Parce qu'ils ont appris à voir la beauté et la bonté en toute chose », répondit le Maître.

> *Pourquoi ne vois-je pas la beauté et la bonté*
> *en toute chose ?*
> « Parce que tu ne peux voir à l'extérieur de toi ce que tu n'arrives pas à voir en toi. »

Cet échec est la conséquence de la façon dont vous avez choisi de traiter les gens et les choses autour de vous. Vous projetez sur le monde ce que vous voyez à l'intérieur de vous, et vous ne pouvez extérioriser ce que vous êtes incapable de voir en vous. Si vous étiez convaincu d'être une expression de l'Esprit universel de l'intention, c'est ce que vous verriez autour de vous. Vous auriez augmenté votre niveau d'énergie au-delà de tout ce qui pourrait nuire à votre lien avec le pouvoir de l'intention. *Il n'y a que le désaccord entre vos propres émotions qui puisse vous priver de toutes les bonnes choses que la vie vous réserve !* Si vous comprenez cette simple observation, vous maîtriserez ces interférences qui vous masquent l'intention.

Vos pensées, vos émotions et votre corps sont tous associés à une vibration. Je vous demande donc d'augmenter leurs fréquences afin qu'elles soient suffisamment élevées pour vous permettre de prendre contact avec le pouvoir de l'intention. Cela peut sembler simpliste, mais j'espère que vous essaierez d'augmenter votre niveau d'énergie de façon à éliminer les obstacles qui vous empêchent de connaître la perfection dont vous faites partie. *Vous ne pouvez rien régler en condamnant ceci ou cela.* Vous ne feriez qu'ajouter à l'énergie destructrice qui imprègne déjà toute votre vie. Lorsque vous réagissez aux énergies inférieures que vous rencontrez en ayant recours à vos propres énergies inférieures, vous contribuez à créer une situation qui attirera encore plus d'énergie inférieure dans votre vie. Par exemple, si quelqu'un exprime de la haine envers vous et que votre réaction consiste à le *haïr parce qu'il vous hait*, vous participez à la création d'un champ d'énergie inférieure qui influencera tous ceux qui y entreront. Si le fait d'être entouré de gens colériques vous met en colère, vous tentez de remédier à une situation en la condamnant, ce qui est inutile et vain.

Laissez ces énergies débilitantes auxquelles les gens ont recours autour de vous. Personne ne peut vous atteindre si vous fonctionnez à un niveau supérieur d'énergie. Pourquoi ? Parce que les énergies supérieures qui sont plus rapides neutralisent et convertissent les énergies inférieures qui sont plus lentes, et non l'inverse. Si vous avez l'impression que les énergies inférieures des gens autour de vous vous démoralisent, c'est uniquement parce que vous vous maintenez à leur niveau d'énergie.

Votre intention est peut-être d'être mince et en bonne santé. Vous savez que l'Esprit créateur universel vous a d'abord créé sous la forme d'une petite cellule de tissu humain microscopique qui ne devait jamais être malade, obèse ou repoussante… mais amour, bonté et beauté. C'est ce que le pouvoir de l'intention a prévu que vous deveniez. Mais voyez : *vous ne pouvez attirer la séduction dans votre vie en haïssant ce que vous avez accepté de devenir.* Pourquoi ? Parce que la haine crée un contrepoids de haine qui annihilera tous vos efforts. Voici comment le Dr Hawkins décrit ce phénomène dans *Power vs. Force* :

> Le simple fait d'être bon envers soi-même et toutes les formes de vie est la plus puissante force transformationnelle. Elle ne produit ni contrecoup, ni inconvénient et ne conduit jamais à la confusion ou au désespoir. Elle stimule notre véritable pouvoir sans rien demander en retour. Mais pour atteindre ces sommets, une telle bonté ne peut tolérer aucune exception et ne doit jamais être mise en œuvre dans l'espoir d'une récompense égoïste. Et son effet est aussi profond que subtil. [Remarquez que la bonté est l'un des sept visages de l'intention.]

Il ajoute plus loin :

> Les êtres nuisibles perdent leur capacité de nuire lorsque nous les traînons vers la lumière et attirons à nous cette force dont nous émanons.

Le message du Dr Hawkins est clair en ce qui concerne l'importance de se débarrasser des obstacles associés aux énergies inférieures. Nous devons nous élever nous-mêmes aux niveaux d'énergie où nous devenons la lumière que nous recherchons, où nous sommes la joie que nous désirons, où nous sommes l'amour qui nous manque, où nous sommes l'abondance illimitée dont nous avons tant besoin. En étant cela, nous l'attirons à nous. En condamnant son absence, nous nous assurons que la condamnation et la discorde continueront à régner sur nos vies.

Si vous vous attendez à connaître la rareté, l'angoisse, la dépression, l'absence d'amour ou l'incapacité à attirer ce que vous désirez, prenez le temps d'examiner comment vous en êtes arrivé là. Les énergies inférieures attirent les énergies inférieures. Ces énergies se manifestent parce que vous avez fait appel à elles, même si vous l'avez fait de manière subconsciente. Elles vous appartiennent et vous en êtes l'unique propriétaire. Toutefois, si vous augmentez volontairement votre niveau d'énergie en prenant conscience de votre environnement immédiat, vous prendrez rapidement contact avec l'intention, tout en éliminant ces pierres d'achoppement que vous vous êtes vous-même imposées. Tous les obstacles se situent dans le bas du spectre énergétique.

Miniprogramme pour augmenter les vibrations de votre énergie

Voici quelques suggestions pour hisser votre champ d'énergie à un seuil vibratoire plus élevé et plus rapide. Cela vous aidera à atteindre le double objectif d'éliminer les barrières énergétiques et de permettre au pouvoir de l'intention de travailler avec vous et en vous.

Prenez conscience de vos pensées. Toutes vos pensées ont un impact sur vous. En passant le plus rapidement possible d'une pensée affaiblissante à une pensée tonifiante, vous haussez votre vibration énergétique tout en vous renforçant, vous et votre champ d'énergie immédiat. Par exemple, si je me rends compte que je suis en train de dire quelque chose à l'une de mes adolescentes pour lui faire honte de sa conduite, je m'arrête et me rappelle que la condamnation n'est jamais la solution à nos problèmes. J'entreprends alors d'étendre mon amour et ma compréhension en lui demandant comment elle se sent par rapport à ce comportement qui va à l'encontre des buts qu'elle recherche et comment elle entend remédier à la situation. Ce changement d'attitude augmente le niveau d'énergie et mène à une discussion productive.

Augmenter le niveau d'énergie afin que nous puissions tous deux entrer en contact avec le pouvoir de l'intention ne prend qu'une fraction de seconde ; il suffit que je me rende compte que mes pensées produisent une énergie inférieure pour passer aussitôt à un niveau supérieur. Nous sommes tous capables d'activer cette présence et le pouvoir de l'intention en devenant conscients de nos pensées.

Prenez l'habitude de méditer tous les jours. Même si vous n'y consacrez que quelques instants pendant que vous attendez à un feu rouge, cette pratique demeure essentielle. Prenez le temps de faire silence, et répétez le nom de Dieu comme s'il s'agissait d'un mantra. La méditation vous permettra de prendre consciemment contact avec votre Source et d'amener le pouvoir de l'intention à vous assister dans vos efforts pour développer une réceptivité en harmonie avec celle de la force créatrice.

Prenez conscience des aliments que vous mangez. Certains aliments sont faibles en énergie, d'autres possèdent une énergie élevée. Les aliments traités avec des produits chimiques toxiques vous affaibliront même si vous ignorez qu'ils renferment des toxines. Les aliments artificiels comme les édulcorants sont des produits à faible énergie. En général, les aliments alcalins comme les fruits, les légumes, les noix, le soya, les pains sans levure et les huiles d'olive vierges sont riches en énergie et renforceront vos muscles, tandis que les aliments acides, comme les céréales à base de farine, la viande, les produits laitiers et les sucres sont faibles en énergie et vous affaibliront. Toutefois, comme il ne s'agit pas d'une règle absolue, vérifiez comment vous vous sentez après avoir mangé certains aliments. Si vous vous sentez faible, léthargique et fatigué, vous pouvez être sûr que vous avez contribué à faire de votre corps un système à faible énergie, système qui attirera encore plus d'énergie inférieure dans votre vie.

Éloignez-vous des substances à faible teneur énergétique. J'ai décrit au premier chapitre comment j'ai appris qu'une sobriété totale était absolument essentielle pour moi si je voulais atteindre le niveau de conscience que je recherchais et pour lequel j'étais prédestiné. L'alcool, comme presque toutes les drogues légales ou illégales, abaisse le niveau d'énergie de votre corps et vous affaiblit. De plus, ces drogues vous placent dans une situation où vous continuerez à attirer encore plus d'énergies incapacitantes dans votre vie. Le simple fait de consommer des substances à faible teneur énergétique vous amènera à rencontrer régulièrement des gens ayant eux aussi un bas niveau d'énergie. Ils vous proposeront d'acheter ces substances pour vous, de faire la fête jusqu'à ce que vous planiez, et vous inciteront à recommencer dès que votre corps se sera remis des ravages provoqués par ces substances.

Prenez conscience du niveau d'énergie de la musique que vous écoutez. Les vibrations musicales stridentes et les martèlements répétitifs à fort volume abaissent votre niveau d'énergie et vous affaiblissent, vous et votre capacité à prendre consciemment contact avec l'intention. De même, les paroles exprimant la haine, la douleur, l'angoisse, la peur et la violence sont associées à des énergies inférieures qui envoient des messages incapacitants à votre subconscient et favorisent l'infiltration d'autres énergies similaires dans votre vie. Si vous voulez attirer de la violence, alors écoutez des paroles exprimant cette violence et accordez à la musique violente une place importante dans votre vie. Si vous voulez vivre dans la paix et l'amour, alors écoutez des vibrations musicales supérieures et des paroles qui reflètent ce que vous désirez.

Prenez conscience des niveaux d'énergie de votre demeure. Les prières, les peintures, les cristaux, les statues, les citations spirituelles, les livres, les magazines, la couleur de vos murs et même la disposition de vos meubles créent une énergie dans laquelle vous baignez une bonne partie de votre vie. Même si cela peut sembler bête ou absurde, je vous conseille vivement de transcender vos idées reçues et de demeurer ouvert à toutes les possibilités. L'art ancien du *feng shui* est une pratique vieille de milliers d'années, léguée par nos ancêtres chinois. Cet art décrit différentes façons d'augmenter le champ d'énergie de nos maisons et de nos lieux de travail. Prenez conscience de la façon dont les environnements à haute teneur énergétique renforcent nos vies et éliminent les barrières qui nous empêchent d'entrer en contact avec l'intention.

Réduisez votre exposition aux très faibles énergies associées à la télévision commerciale et à la télévision par câble. En Amérique, un enfant est témoin de douze mille simulations de meurtre avant d'atteindre l'âge de quatorze ans ! Les journaux télévisés semblent insister pour introduire dans votre demeure tout ce qu'il y a de laid et de mauvais dans le monde, et bien souvent, en laissant de côté ce qu'il y a de meilleur. Ces nouvelles sont un flot continu de négativité qui envahit votre milieu de vie et invite d'autres énergies similaires à se greffer à votre existence. Cette violence, qui est devenue le principal ingrédient de nos divertissements télévisuels, sera entrecoupée de temps en temps par le spot publicitaire d'un énorme cartel pharmaceutique nous rappelant qu'il suffit de prendre l'une de ses pilules pour trouver le bonheur ! Les téléspectateurs se font dire qu'ils ont besoin de toutes sortes de médicaments à faible teneur en énergie pour surmonter les différentes maladies physiques et mentales qui affligent le genre humain.

J'en suis venu à la conclusion que les émissions de télévision offrent la plupart du temps un flot continu d'énergie inférieure. C'est l'une des raisons pour lesquelles j'ai décidé de consacrer une bonne partie de mon temps et de mes efforts à soutenir les chaînes de télévision publique, et ainsi à remplacer les messages négatifs où tout n'est que désespoir, violence, grossièreté et manque de respect par des principes supérieurs en accord avec le principe de l'intention.

Augmentez votre champ d'énergie à l'aide de photographies. Vous aurez peut-être du mal à le croire, mais les photographies sont une forme de reproduction énergétique, porteuses d'une énergie qui leur est propre. Si vous avez des doutes, vérifiez par vous-même en plaçant à des endroits stratégiques, dans votre maison, à votre lieu de travail, dans votre automobile et même dans la poche d'un vêtement ou dans votre portefeuille, des photographies prises dans des moments de bonheur, d'amour et de réceptivité. Disposez dans votre environnement des photographies de paysages, d'animaux ou représentant des expressions de joie et d'amour, et laissez leur énergie irradier votre cœur et vous envelopper de leur fréquence supérieure.

Prenez conscience des niveaux d'énergie de vos connaissances, amis et parents proches et éloignés. Vous pouvez augmenter vos propres niveaux d'énergie en pénétrant dans le champ d'énergie des personnes qui vivent dans l'intimité de la conscience spirituelle. Côtoyez des gens indépendants, qui font appel à votre lien avec l'intention, capables de voir ce qu'il y a de grand en vous, se sentant en contact avec Dieu et dont la vie est une célébration de la présence de l'Esprit. Rappelez-vous que l'énergie supérieure neutralise et convertit l'énergie inférieure ; alors entourez-vous de gens énergisants en contact avec l'Esprit et interagissez avec eux, car ils vivent leur vie comme ils sont censés la vivre. Demeurez dans le champ d'énergie de ces personnes et votre colère, votre haine, vos peurs et votre dépression s'évanouiront, transformées comme par magie en une expression supérieure de l'intention.

Surveillez vos activités et les endroits que vous fréquentez. Évitez les lieux associés à une énergie inférieure où il y a des abus d'alcool, de la consommation de drogue et des comportements violents, ainsi que les rassemblements religieux ou ethniques favorisant l'exclusion et l'expression de préjugés venimeux. Tous ces événements vous encouragent à vous accorder avec une énergie inférieure débilitante. Promenez-vous plutôt dans la nature, appréciez sa beauté, faites du camping, de la randonnée en montagne, de la natation et délectez-vous de ses splendeurs. Assistez à des conférences sur la spiritualité, inscrivez-vous à des cours de yoga, donnez ou faites-vous donner un massage, visitez un monastère ou un lieu réservé à la méditation, et engagez-vous à aider les gens dans le besoin en rendant visite à des personnes âgées ou à des enfants malades à l'hôpital. Toute activité possède son champ d'énergie. Fréquentez des lieux où le champ d'énergie reflète les sept visages de l'intention.

Posez des gestes de bonté, sans rien demander en retour. De façon anonyme, offrez une aide financière aux moins nantis, et faites-le par bonté de cœur, sans même attendre un merci en retour. Apprenez à vous montrer bon en laissant de côté cet ego qui espère toujours se faire dire à quel point il est merveilleux. Cela est essentiel pour reprendre contact avec l'intention, car l'Esprit créateur universel répond aux gestes de bonté en demandant en retour : *Que puis-je faire pour vous ?*

Ramassez des détritus qui traînent par terre, jetez-les dans un récipient approprié et n'en dites rien à personne. En fait, pourquoi ne pas consacrer quelques heures à nettoyer des dégâts dont vous n'êtes pas responsable ? Tout acte de bonté se répercutera sur vous, votre entourage et votre environnement, et vous fera ressembler un peu plus à la bonté inhérente au pouvoir de l'intention. Ces petits gestes auront sur vous un effet énergisant et contribueront à ramener ce genre d'énergie dans votre vie.

Le poignant récit de Ruth McDonald, intitulé « Le Valentin », est une excellente illustration de ce type de don. Le petit garçon symbolise cet apprentissage de la bonté auquel je viens de faire allusion.

C'était un petit garçon fort timide et peu populaire auprès des autres enfants de sa classe de première année. Un soir, à l'approche de la Saint-Valentin, le petit garçon demanda à sa mère, qui en fut ravie, de s'asseoir et de noter le nom de tous ses camarades de classe afin qu'il puisse leur envoyer à chacun un valentin. Lentement, il énuméra de mémoire chacun des noms et sa mère les nota sur un bout de papier. Le pauvre n'arrêtait pas de s'en faire tant il avait peur d'oublier quelqu'un.

Armé d'un cahier rempli de valentins à découper, d'une paire de ciseaux, de crayons et de colle, il se mit consciencieusement à la tâche. Lorsqu'il eut terminé, sa mère inscrivit les noms sur un bout de papier et regarda son petit garçon les recopier laborieusement. La pile de valentins se mit à grossir, tout comme sa propre satisfaction.

C'est alors que sa mère commença à s'inquiéter. Les autres enfants fabriqueraient-ils des valentins pour lui ? Tous les après-midi, il rentrait si vite à la maison pour reprendre son travail qu'il était probable que les autres enfants qui flânaient en chemin aient oublié jusqu'à son existence. S'il fallait qu'il se rende à la fête avec ses trente-sept témoignages d'amour sous le bras et que personne ne se soit souvenu de lui ! Elle songea à glisser quelques valentins parmi ceux qu'il avait fabriqués pour s'assurer qu'il en recevrait au moins quelques-uns. Mais le petit garçon veillait si jalousement sur son trésor et les recomptait avec tant d'amour qu'il lui était impossible d'en ajouter un seul. Elle se résigna donc à faire comme toutes les mères et attendit patiemment la suite.

Puis le jour de la Saint-Valentin arriva, et elle le regarda s'éloigner péniblement dans la rue enneigée, une boîte de biscuits en forme de cœur dans une main, et un sac d'épicerie contenant les trente-sept témoignages de son labeur tenu fermement dans l'autre. Elle le regarda partir le cœur brûlant. « Je vous en supplie, mon Dieu, pria-t-elle. Faites qu'il en reçoive au moins quelques-uns ! »

Durant l'après-midi, ses mains s'affairèrent à gauche et à droite, mais son cœur était avec son petit garçon. Vers quinze heures trente, elle prit son tricot et alla s'asseoir, par un hasard savamment calculé, dans un fauteuil qui donnait sur la rue.

Finalement, il apparut, seul. Son cœur chavira. Il remontait la rue en marchant de temps en temps à reculons pour échapper au vent. Elle plissa les yeux pour mieux apercevoir son visage. Si seulement nous pouvions protéger nos enfants contre la cruauté de la vie ! Elle déposa son ouvrage et alla à sa rencontre.

« Quelles jolies joues roses ! dit-elle. Tiens, laisse-moi défaire ton écharpe. Est-ce que les biscuits étaient bons ? »

Il tourna vers elle un visage rayonnant de joie et de satisfaction. « Tu sais quoi ? dit-il. Je n'ai oublié personne. Personne ! »

Soyez spécifique lorsque vous exprimez vos intentions pour élever votre niveau d'énergie et créer ce que vous désirez. Placez vos affirmations à des endroits stratégiques où vous les remarquerez et les lirez tout au long de la journée. Par exemple : *J'ai l'intention d'attirer l'emploi que je désire. J'ai l'intention d'être en mesure d'acheter la voiture dans laquelle je me vois déjà d'ici le 30 du mois prochain. J'ai l'intention de consacrer deux heures par semaine aux défavorisés. J'ai l'intention de me guérir de cette fatigue persistante.*

Les affirmations écrites possèdent une énergie qui leur est propre, et elles vous aideront à élever votre niveau d'énergie. J'utilise moi-même cette technique. Lynn Hall, de Toronto, m'a envoyé une magnifique plaque que je regarde tous les jours. Dans sa lettre, elle me disait : « Voici un cadeau fabriqué uniquement pour vous, qui, je l'espère, saura traduire l'expression de ma plus sincère gratitude. Votre présence dans ma vie a été une véritable bénédiction. Cela dit, je suis convaincue que les sentiments ici exprimés sont universels et parleront à toutes les âmes qui auront eu comme moi la chance de vous connaître. Que la lumière et l'amour que vous répandez autour de vous vous reviennent sous la forme d'une joyeuse abondance, docteur Dyer. » Sur cette magnifique plaque où cette femme a gravé son âme, on peut lire :

L'Esprit
A trouvé
En vous
Une grande voix.
Pleine de vérités émouvantes,
Et de joyeuses splendeurs.

L'Esprit
A trouvé
En vous
Une source de révélation,
Résonante
Et réfléchie.

L'Esprit
A trouvé
En vous
Une source de célébration,
D'une étendue et d'une portée
Infinies.

À tous ceux
Qui se sont éveillés
À la grâce
De vos dons –

L'Esprit
A trouvé
Des ailes
Et une lumière.

Je lis ces mots tous les jours pour me rappeler que je suis lié à l'Esprit, et pour permettre aux mots de passer de mon cœur directement dans le vôtre. J'espère ainsi agir en fonction de mes intentions et vous aider à faire de même.

Ayez aussi souvent que possible des pensées de miséricorde en tête. Lors d'un test musculaire, le fait d'entretenir des pensées de vengeance vous affaiblit, alors que des pensées de miséricorde vous renforcent. La vengeance, la colère et la haine sont associées à des énergies extrêmement faibles qui vous empêchent de vous harmoniser aux attributs de la force universelle. Le simple fait de pardonner en pensée à quelqu'un qui vous a mis en colère – sans aucune provocation de votre part – vous élèvera jusqu'au niveau de l'Esprit et vous aidera à mettre en œuvre vos intentions individuelles.

Vous pouvez ou bien servir l'Esprit avec vos pensées ou bien utiliser ces mêmes pensées pour vous en dissocier. Associez-vous aux sept visages de l'intention, et vous entrerez en contact avec ce pouvoir. Dissociez-vous-en, et votre ego et l'idée de votre propre importance prendront le dessus.

Voici le dernier obstacle que vous devrez surmonter avant d'établir un contact avec l'intention.

*
* *

L'idée de votre propre importance

Dans *Le Feu du dedans*, Carlos Castaneda rapporte les paroles d'un maître sorcier : « L'homme n'a pas de plus grand ennemi que l'idée de sa propre importance. Le fait d'être offensé par les actions et les méfaits de ses semblables l'affaiblit. En étant suffisants, nous nous condamnons à être continuellement offensés par quelqu'un ou quelque chose. » Cette idée est le principal obstacle à votre réussite, car il n'est que trop facile ici de se dissocier de l'intention.

À la base, l'idée de votre propre importance contribue à vous donner le sentiment que vous êtes spécial. Nous aborderons donc sans plus tarder ce concept d'unicité. Il est essentiel que vous ayez une bonne image de vous-même et l'impression que vous êtes unique. Toutefois, cela pose problème lorsque vous vous trompez sur ce que vous êtes vraiment en vous identifiant à votre corps, à vos succès et à votre profession. Vous vous mettez alors à considérer les gens qui ont accompli moins de choses que vous comme des êtres inférieurs, et le sentiment de votre propre supériorité fait en sorte que vous êtes constamment offensé par quelqu'un ou quelque chose. Cette erreur d'identification est à la source de la plupart de vos problèmes, comme elle est à la source de la plupart des problèmes de l'humanité. Le fait d'avoir le sentiment d'être spécial nous rend suffisant. Castaneda a décrit plus tard dans sa vie, plusieurs années après sa première incursion dans le monde de la sorcellerie, à quel point ce sentiment est futile. « Plus j'y pense, et plus je m'interroge et nous observe, moi et mes semblables, plus j'ai la conviction que quelque chose nous rend incapables de toute activité, de toute action et de toute pensée qui n'a pas le moi comme point central. »

En vous concentrant sur votre moi, vous entretenez l'illusion que vous êtes votre corps, une entité complètement séparée des autres. Ce sentiment d'être coupé des autres favorise davantage la compétition que la coopération. En bout de ligne, cette idée ne peut s'accorder avec l'Esprit, et devient rapidement un énorme obstacle à votre prise de contact avec le pouvoir de l'intention. Pour renoncer à l'idée de votre propre importance, vous devez d'abord prendre conscience de son imprégnation dans votre vie. L'ego n'est qu'une *idée* représentant ce que vous *pensez* être. Aucune intervention chirurgicale ne pourra vous en débarrasser ! Cette idée que vous vous faites de la personne que vous croyez être continuera toujours à éroder vos chances de prendre contact avec l'intention.

Sept étapes pour vous défaire de l'emprise de votre ego

Voici sept suggestions qui vous aideront à transcender l'idée de votre propre importance. Elles ont été élaborées pour éviter que vous ne vous identifiiez à tort à votre ego.

1. Cessez d'être constamment offensé. Le comportement des gens qui vous entourent n'excuse pas votre immobilisme, car ce qui vous offense vous affaiblit. Si vous cherchez des occasions d'être offensé, vous en trouverez à tous les coins de rue. C'est le travail de votre ego qui tente de vous convaincre que le monde n'est pas tel qu'il devrait être. Mais vous pouvez apprendre à apprécier la vie en vous accordant à l'Esprit universel de la Création. Vous ne pourrez jamais prendre contact avec l'intention si vous êtes tout le temps vexé. Bien sûr, je vous encourage à éradiquer les horreurs de notre monde, horreurs qui émanent d'ailleurs d'une identification massive avec l'ego, mais demeurez serein. Dans *Un Cours en miracles*, on nous rappelle que « la paix vient de Dieu, et que celui qui vit en Dieu ne saurait vivre autrement que dans la paix ». En étant offensé, vous créez la même énergie destructrice qui vous a offensé en premier lieu, et cette énergie ne peut que mener à de nouvelles attaques, à des contre-attaques et finalement à la guerre.

2. Cessez de toujours vouloir gagner. L'ego adore nous diviser en gagnants et en perdants. La poursuite de la victoire est une manière infaillible d'éviter tout contact conscient avec l'intention. Pourquoi ? Parce qu'on ne peut pas toujours gagner. Il y aura toujours quelqu'un de plus rapide, de plus chanceux, de plus jeune, de plus fort et de plus intelligent ; et vous aurez alors à nouveau l'impression d'être inutile et insignifiant.

Vous n'êtes pas vos succès et vos victoires. Peut-être aimez-vous la compétition, peut-être prenez-vous plaisir à vivre dans un monde où la victoire est essentielle, mais vous n'êtes pas obligé d'en faire l'objet de vos pensées. Il n'y a pas de perdant dans un monde où nous partageons tous la même énergie. Tout ce que vous pouvez dire se résume à ceci : aujourd'hui j'ai atteint un certain niveau de performance par rapport à celui des autres. Mais demain est un autre jour ; les compétiteurs ne seront plus les mêmes et les circonstances auront changé. Vous serez toujours cette présence infinie confinée dans un corps qui sera alors plus vieux d'un jour (ou d'une décennie). Débarrassez-vous de ce *besoin* de victoire en refusant d'admettre que perdre est le contraire de gagner. C'est ce que craint l'ego. Que votre corps ne se comporte pas en *vainqueur*, cela n'a tout simplement aucune importance quand on ne s'identifie pas exclusivement à son ego. Soyez observateur, notez ce qui se passe, et profitez du moment sans ressentir le besoin de remporter un trophée. Demeurez serein, et branchez-vous sur l'énergie de l'intention. Et par une ironie du sort, même si vous risquez de ne pas le remarquer, les victoires s'accumuleront d'autant plus que vous ne les rechercherez plus.

3. Cessez de toujours vouloir avoir raison. L'ego est la source de nombreux conflits et discordes, car celui-ci vous incite à montrer aux autres qu'ils ont tort. Lorsque vous manifestez de l'hostilité, vous vous coupez du pouvoir de l'intention. L'Esprit créateur est bon, aimant et réceptif ; il ne connaît ni la colère, ni le ressentiment, ni l'amertume. En vous libérant du besoin d'avoir toujours raison lorsque vous discutez avec des amis ou votre conjoint, vous dites à votre ego : *Je ne suis plus ton esclave. Je veux me montrer bon, et je rejette ce besoin d'avoir toujours raison. En fait, je vais donner à cette personne la chance de se sentir mieux en reconnaissant qu'elle a raison et en la remerciant de m'avoir montré où se trouve la vérité.*

En vous débarrassant de votre besoin d'avoir raison, vous renforcez votre lien avec le pouvoir de l'intention. Mais restez sur vos gardes, car l'ego n'abandonne pas facilement. J'ai vu des personnes qui préféraient mourir plutôt que renoncer à leur besoin d'avoir raison. J'ai vu des gens mettre fin à des relations pourtant harmonieuses en s'accrochant à leur besoin d'avoir raison. Je vous encourage fortement à vous libérer de ce besoin égocentrique. La prochaine fois que vous vous disputerez avec quelqu'un, arrêtez-vous et demandez-vous : *Est-ce que je veux avoir raison ou est-ce que je veux être heureux ?* Chaque fois que vous choisissez de répondre à votre interlocuteur en demeurant joyeux et spirituel, le lien qui vous unit à l'intention s'en trouve renforcé, et ce choix va tôt ou tard améliorer votre relation avec le pouvoir de l'intention. La Source universelle se mettra à collaborer avec vous afin de créer la vie que vous êtes censé vivre.

4. Libérez-vous de votre besoin de supériorité. La véritable noblesse ne consiste pas à se sentir supérieur aux autres, mais à se sentir supérieur à ce que vous étiez par le passé. Concentrez-vous sur votre croissance personnelle, tout en demeurant conscient que personne sur cette planète n'est supérieur à qui que ce soit. Nous sommes tous issus de la même force créatrice. Nous avons tous pour mission de rendre manifeste notre essence, et nous avons accès à tout ce dont nous avons besoin pour remplir notre destinée. Mais rien de tout cela n'est possible quand vous vous considérez comme supérieur aux autres. C'est un vieux dicton, mais il demeure néanmoins vrai : *Nous sommes tous égaux aux yeux de Dieu*. Libérez-vous de votre besoin de vous sentir supérieur en prenant conscience de la présence de Dieu en chacun. Ne jugez pas les autres selon leur apparence, leurs réalisations, leurs possessions ou toute autre manifestation de l'ego. Si vous projetez des sentiments de supériorité, vous en recevrez également en retour, et ce va-et-vient ne peut mener qu'à du ressentiment et tôt ou tard à de l'hostilité. Ces sentiments deviennent le véhicule qui vous emporte encore plus loin de l'intention. *Un Cours en miracles* aborde ce besoin de se sentir spécial et supérieur : *L'idée d'unicité nous amène à faire constamment des comparaisons. Elle se fonde sur les manques observés chez les autres, et se maintient en les recherchant et en mettant en évidence tous les manques que nous pouvons percevoir.*

5. Libérez-vous de votre besoin d'en avoir toujours plus. Le mantra de l'ego est *toujours plus*. Peu importe ce que vous accomplirez ou acquerrez, votre ego insistera pour dire que ce n'est pas suffisant. Vous serez continuellement à la poursuite de quelque chose et vous éliminerez du même coup toute possibilité d'y arriver. Pourtant, vous y êtes déjà arrivé, puisque la façon dont vous utilisez le moment présent ne dépend que de vous. Ironiquement, c'est souvent quand vous arrêtez d'en vouloir toujours plus que vous obtenez ce que vous désirez. Et n'étant plus l'esclave de ce besoin, il vous sera beaucoup plus facile d'en faire profiter les autres, car vous aurez alors pris conscience que vous n'avez pas besoin de grand-chose pour être satisfait et en paix avec vous-même.

La Source universelle est satisfaite d'elle-même et ne cherche jamais à s'accaparer ses créations pour son propre profit personnel. Cette source toujours en expansion crée et laisse aller. En vous libérant du besoin de votre ego d'en avoir toujours plus, vous vous unissez à cette Source. Vous créez, vous attirez à vous, puis vous laissez aller, sans jamais rien demander de plus en retour. En appréciant tout ce qui se présente, vous assimilez cette extraordinaire leçon enseignée par saint François d'Assise : « Donner, c'est recevoir. » Laissez entrer l'abondance dans votre vie pour vous accorder à votre Source et vous assurer que cette énergie continuera à circuler en vous.

6. Cessez de vous identifier à vos accomplissements. Ce concept peut sembler difficile si vous pensez que vous *êtes* ce que vous avez accompli. *Dieu est l'auteur de toutes les musiques, de toutes les chansons, de tous les immeubles. Dieu est la source de tous vos accomplissements*. J'entends d'ici votre ego protester. Néanmoins, gardez cette idée à l'esprit. Tout émane de la Source ! Et cette Source et vous ne faites qu'un ! Vous n'êtes ni ce corps, ni la somme de ses réussites. Vous êtes l'observateur. Soyez attentif et montrez-vous reconnaissant pour les dons qui vous ont été accordés, pour la motivation qui vous permet de réussir ce que vous entreprenez et pour tout ce que vous avez accumulé au fil des ans. Mais prenez conscience que tout le mérite revient au pouvoir de l'intention, ce pouvoir qui vous a donné la vie et dont vous êtes la matérialisation. En fait, moins vous ressentirez le besoin de vous attribuer du mérite et plus vous serez en contact étroit avec les sept visages de l'intention, plus vous serez libre d'accomplir ce que vous désirez et plus vous connaîtrez de succès. C'est en vous attachant à vos accomplissements et à la croyance que vous en êtes le seul responsable que vous perdez la sérénité et la reconnaissance de votre Source.

7. Libérez-vous de votre réputation. Votre réputation ne réside pas en vous. Elle réside dans l'esprit des gens qui vous entourent. Vous n'avez par conséquent aucun contrôle sur celle-ci. C'est pourquoi, si vous parlez devant trente personnes, vous aurez trente réputations différentes. Se connecter à l'intention signifie écouter votre cœur et vous comporter sur la foi de ce que votre voix intérieure vous révèle quant à la raison de votre présence ici-bas. Si la façon dont les autres vous perçoivent vous inquiète plus que de raison, vous vous coupez de l'intention et acceptez d'être guidé par ces opinions. Cette inquiétude est le fruit de votre ego, une illusion qui s'est immiscée entre vous et le pouvoir de l'intention. Il n'y a rien que vous ne puissiez faire, à moins de vous débrancher du pouvoir de la Source et de vous convaincre que votre but est de prouver aux autres à quel point vous êtes habile et supérieur et de consacrer toutes vos énergies à vous bâtir une réputation enviable parmi les autres ego. Faites ce que votre voix intérieure vous dit de faire, car cette voix est toujours en contact avec votre Source et lui est toujours reconnaissante. Gardez le cap, ne vous préoccupez pas des résultats et prenez la responsabilité de ce qui réside en vous : votre caractère. Laissez les autres débattre de votre réputation ; cela ne vous regarde pas. Ou pour reprendre le titre d'un livre bien connu : *What You Think of Me is None of My Business!* (« Ce que vous pensez de moi ne me regarde pas ! »)

Cela conclut notre examen des trois principaux obstacles à notre prise de contact avec l'intention : *vos pensées, votre énergie*, et *l'idée de votre propre importance*. Voici cinq suggestions pour surmonter ces obstacles et établir un contact permanent avec le pouvoir de l'intention.

Cinq suggestions pour mettre en pratique les idées présentées dans ce chapitre

1. *Surveillez votre dialogue intérieur*. Remarquez quelle proportion de votre discours intérieur tourne autour de ce qui vous manque, des circonstances négatives de la vie, du passé et des opinions des autres. Plus vous serez conscient de la nature de votre discours intérieur, plus vite vous pourrez passer des processus de pensée qui vous font dire : *Je ne supporte pas qu'il me manque telle ou telle chose*, à des affirmations du genre : *J'ai l'intention d'attirer ce que je veux et d'arrêter de penser à ce qui me déplaît*. Ce nouveau dialogue intérieur deviendra le lien qui vous unira à l'intention.

2. *Dissipez vos doutes et vos pensées déprimantes*. Remarquez les moments où vous n'êtes plus une partie de votre nature supérieure. Rejetez les

pensées qui vous rendent incapable de vous accorder à l'intention. *Demeurez fidèle à la lumière* est un excellent conseil. Récemment, un ami à moi, qui est aussi professeur, apprit que je traversais une période difficile et m'écrivit : « N'oublie pas, Wayne, le soleil brille au-dessus des nuages. » Soyez fidèle à la lumière qui est toujours là pour vous.

3. *Méfiez-vous des énergies inférieures.* Rappelez-vous que toute chose, y compris vos pensées, possède une fréquence énergétique que vous pouvez étalonner pour déterminer si elle vous renforce ou vous affaiblit. Quand vous vous surprenez soit à entretenir des pensées de basse énergie, soit à vous immerger dans une énergie faible et anémiante, prenez la décision d'introduire une vibration de niveau supérieur dans cette situation débilitante.

4. *Parlez à votre ego et faites-lui comprendre qu'il n'aura aucun contrôle sur vous aujourd'hui.* Dans la chambre de mes enfants à Maui, j'ai fait encadrer l'observation suivante afin qu'ils puissent la voir tous les matins au réveil. Même s'ils s'en amusent et me taquinent à son sujet, ils ont saisi l'essentiel du message et le partagent avec nous chaque fois qu'un membre de la famille (moi y compris) est contrarié.

Bonjour,
Ici Dieu.
Je m'occuperai de tous vos problèmes aujourd'hui.
Je n'ai pas besoin de votre aide,
Alors passez une miraculeuse journée.

5. *Voyez les obstacles comme des occasions de faire circuler le pouvoir de votre inflexible intention.* Par inflexible, j'entends *avoir l'intention de demeurer en contact avec ma Source et ainsi d'avoir accès au pouvoir de l'intention.* Cela signifie que vous êtes en paix, que vous êtes détaché des circonstances, que vous vous voyez comme un observateur et non comme une victime et que vous acceptez de tout confier à votre Source, sachant que vous recevrez les conseils et l'aide dont vous avez besoin.

*
* *

Vous venez de passer en revue les trois principaux obstacles qui vous empêchent de prendre contact avec le pouvoir de l'intention, ainsi que les diverses suggestions que je préconise pour les éliminer. Au chapitre suivant, je vous expliquerai comment vous pouvez influencer les gens autour de vous en élevant votre niveau d'énergie à la plus haute fréquence spirituelle et en vivant dans la proximité de l'intention. En effet, lorsque vous êtes en contact avec l'intention, peu importe où vous allez, tous ceux que vous rencontrez sont touchés par l'énergie que vous irradiez. En devenant vous-même le pouvoir de l'intention, vous verrez vos rêves se réaliser comme par magie, mais aussi comment votre seule présence peut produire d'extraordinaires répercussions sur le champ énergétique de vos semblables.

❁

CHAPITRE CINQ

Votre impact sur les autres lorsque vous êtes en contact avec l'intention

> « C'est l'une des plus belles compensations de cette vie qu'aucun homme ne puisse en aider sincèrement un autre sans s'aider lui-même... Aide-toi et le ciel t'aidera. »
>
> Ralph Waldo Emerson

En étant de plus en plus en harmonie avec les sept visages de l'intention, vous découvrirez que vous influencez les autres de plusieurs façons. La nature de cet impact est extrêmement importante pour tous ceux qui cherchent à utiliser le pouvoir de l'intention. Vous vous mettrez à voir chez les autres ce que vous ressentez à l'intérieur de vous. Cette nouvelle façon de voir permettra aux gens qui vous côtoient d'éprouver un sentiment de réconfort et de sérénité en votre présence, et d'être indirectement les aimables complices de votre lien avec l'intention.

Comme vous le verrez dans le texte suivant, le poète Hafiz affirme qu'il ne veut rien de vous, même si vous êtes une « épave écumante » et une victime potentielle. Il ne voit en vous que votre valeur divine, et il en sera de même pour vous une fois que vous aurez repris contact avec le pouvoir de l'intention.

Le bijoutier

Si un homme naïf et désespéré
Apporte une pierre précieuse
Au seul bijoutier de la ville
Dans l'espoir de la vendre,
Les yeux du bijoutier
Se mettront à jouer un petit jeu,
Comme la plupart des yeux de ce monde quand ils
vous regardent.

Le visage du bijoutier demeurera calme.
Il ne veut pas révéler la vraie valeur de la pierre,
Mais emprisonner cet homme dans la peur
et l'avidité
Tandis qu'il calcule
La valeur de la transaction.

Mais quelques instants auprès de moi, mon cher,
Vous montreront que Hafiz ne veut rien de vous, rien
du tout.
Lorsque vous êtes assis devant un Maître tel que moi,
Même si vous êtes une épave écumante,
Mes yeux se mettent à chanter de joie,
Car ils voient votre Valeur Divine.

Hafiz

Vous recevez ce que vous désirez pour les autres

En passant en revue les attributs de l'intention universelle et en faisant simultanément le vœu de devenir

ces attributs, vous commencerez à percevoir la signification de ce que vous désirez pour les autres. Si vous
désirez qu'ils vivent en paix, on vous accordera cette
paix. Si vous souhaitez qu'ils soient aimés, vous serez
aimé. Si vous ne voyez que beauté et dignité chez les
autres, il en sera de même pour vous en retour. Vous
ne pouvez rien donner, si ce n'est le contenu de votre
cœur, et vous ne pouvez rien attirer, si ce n'est ce que
vous offrez aux autres. Cela est extrêmement important. Votre influence – qu'elle s'exerce sur des inconnus,
des membres de votre famille, des collègues de travail
ou des voisins – témoigne de la force qui vous unit au
pouvoir de l'intention. Pensez à vos relations personnelles en termes de sainteté et d'impiété.

Une relation sainte facilite l'accès à un niveau d'énergie
supérieur pour toutes les personnes impliquées. Une relation impie maintient le niveau d'énergie des personnes
impliquées au plus bas. Vous découvrirez votre propre
potentiel d'excellence lorsque vous vous mettrez à voir la
perfection inhérente à toute relation. Quand vous aurez
reconnu la sainteté des gens qui vous entourent, vous les
traiterez comme de divines expressions du pouvoir de
l'intention, sans rien attendre d'eux en retour. L'ironie est
qu'ils deviendront alors les co-créateurs de tous vos désirs. Ne leur demandez rien, n'attendez rien d'eux et n'entretenez aucune espérance, et ils vous rendront votre
bonté. Exprimez des demandes, insistez pour qu'ils vous
satisfassent, considérez-les comme des êtres inférieurs et
voyez-en eux des serviteurs, et vous recevrez le même
traitement. Il vous appartient de prendre conscience de
ce que vous désirez vraiment pour les autres et de déterminer si vous entretenez des relations saintes ou des relations impies avec les gens que vous côtoyez.

La relation sainte. L'une des choses que j'ai découvertes en travaillant sur moi au fil des ans est que je ne

pourrai jamais atteindre ma propre perfection si je suis incapable de voir et d'honorer cette même perfection chez les autres. Votre capacité à vous voir comme une expression temporaire de l'intention et de vous reconnaître dans les autres est l'une des caractéristiques d'une relation sainte. C'est la capacité à célébrer et à honorer en chacun ce moment où nous ne faisons qu'un.

Dans une relation impie, vous croyez être séparé des autres. Vous croyez qu'ils sont là principalement pour satisfaire les envies de votre ego et vous aider à obtenir ce qui manque à votre vie. Quelle que soit la nature de ces relations, l'idée de séparation et les risques de manipulation créent une barrière entre vous et le pouvoir de l'intention. Les signes d'une relation impie sont extrêmement clairs : les gens deviennent susceptibles, craintifs, hostiles et distants, et évitent votre compagnie.

En modifiant vos habitudes de penser et en réduisant les demandes de votre ego afin d'élever vos vibrations énergétiques, vous pourrez établir des relations saintes et respectueuses avec les autres qui vous apparaîtront dès lors comme des êtres complets. Quand vous êtes capable de célébrer les différences, quand vous les trouvez intéressantes et agréables, cela démontre que vous vous identifiez de moins en moins à votre ego. La relation sainte est une façon de s'harmoniser avec la Source créatrice universelle et d'acquérir une joyeuse sérénité. Toute relation – même s'il s'agit d'une simple rencontre sans lendemain – abordée sous l'angle de la sainteté est la rencontre avec un aspect de vous-même et la découverte d'un lien stimulant avec le pouvoir de l'intention.

Récemment, alors que je me trouvais dans un supermarché, je demandai à un commis surexcité travaillant au comptoir des fruits de mer s'il savait où je pourrais trouver du saumon fumé. Malgré la frustration qu'il manifestait par son comportement, je me vis en contact avec lui. L'homme qui se trouvait à côté de moi avait entendu ma question et remarqué l'attitude frénétique du commis. Il esquissa un sourire, se dirigea vers une autre section du magasin et revint avec un paquet de saumon fumé. Il m'avait apporté exactement ce que je cherchais ! Pure coïncidence ? Je ne le crois pas. Quand je me sens en contact avec les autres et que j'irradie l'énergie d'une relation sainte, les gens réagissent avec bonté et se donnent même du mal pour m'aider avec mes intentions.

Voici un autre exemple. Un jour, je dus changer de ligne aérienne à cause d'un problème mécanique qui avait provoqué l'annulation de mon vol. Les employés de la ligne aérienne de mon patelin me connaissent et n'hésitent jamais à me venir en aide. J'ai d'ailleurs toujours mis en pratique ma conception d'une relation sainte avec les employés au comptoir, à la réception des bagages, à bord de l'avion, et ainsi de suite. Mais ce jour-là, on m'envoya à l'autre bout de l'aéroport avec sept boîtes remplies de livres et de cassettes afin de les faire enregistrer par une autre compagnie d'aviation. Tandis que mon assistante, Maya, et moi nous nous dirigions péniblement vers le comptoir de l'autre ligne aérienne en poussant un chariot chargé de bagages et de boîtes de livres, l'agent responsable de l'accueil des passagers annonça que sa compagnie aérienne n'acceptait que deux items par client, et que j'allais donc devoir laisser trois boîtes à l'aéroport. J'avais droit à deux boîtes, et Maya à deux autres. *C'est le règlement.*

Voilà une situation où une relation sainte avec un inconnu est plus susceptible d'être utile à la réalisation de vos intentions qu'une relation impie. Plutôt que de rétorquer à l'agent que son travail était de répondre à mes besoins, je choisis de me joindre à elle en me transportant dans un lieu où nous ne faisions qu'un. Je lui fis comprendre que je n'étais pas du tout offusqué par ce règlement, et que je comprenais qu'il n'était pas facile pour elle de gérer l'arrivée inattendue de tous ces gens. Je pris ensuite conscience du lien qui nous unissait et lui exprimai mes propres sentiments de frustration à l'égard de ces trois boîtes supplémentaires que j'allais devoir abandonner. Pour finir, je l'invitai à assister gratuitement à une conférence que je donnais en ville le mois suivant. Notre conversation et tous nos échanges furent guidés par ma propre intention d'en faire une relation sainte.

L'énergie de cette interaction passa rapidement de très faible à très forte. Nous avions su nous lier et nous reconnaître dans l'autre, et c'est en affichant le plus charmant des sourires qu'elle enregistra mes trois boîtes. Je n'oublierai jamais ce qu'elle me confia en me tendant mon laisser-passer pour l'embarquement : « Lorsque vous êtes arrivé avec toutes ces boîtes sur votre chariot, j'étais déterminée à interdire leur chargement à bord de l'appareil, mais après avoir passé quelques instants avec vous, je les aurais transportées moi-même jusqu'à l'avion si cela avait été nécessaire. Ce fut un plaisir de faire votre connaissance. Merci de faire affaire avec nous, et j'espère que vous songerez à notre ligne aérienne lors de vos prochains déplacements ».

Voilà deux exemples fort simples de ce qui peut arriver lorsque vous passez consciemment d'une relation impie dominée par l'ego à une expérience qui met en valeur votre lien avec le pouvoir de l'intention. Je vous encourage fortement à établir une relation sainte avec votre Source, la communauté mondiale, vos voisins, vos connaissances, votre famille, le règne animal, notre planète et vous-même. Comme dans les exemples de l'homme du supermarché qui m'apporta le saumon fumé que je recherchais et de l'agent de la ligne aérienne qui m'aida à réaliser mon intention, vous pourrez, vous aussi, apprécier le pouvoir de l'intention à travers des relations saintes. *Tout est affaire de relation.*

Seuls, nous ne pouvons rien faire

Quand vous rencontrez quelqu'un, traitez cet événement comme s'il s'agissait d'une rencontre sainte. C'est à travers les autres que nous découvrons qui nous sommes et que nous apprenons à nous aimer. Car voyez-vous, on ne peut rien accomplir sans les autres. *Un Cours en miracles* résume parfaitement cette idée :

Seuls, nous ne pouvons rien faire,
Mais ensemble, nos esprits fusionnent pour devenir
*   quelque chose*
Dont le pouvoir dépasse grandement
Le pouvoir de ses parties.
Seuls, nous ne pouvons trouver le Royaume,
Et vous qui êtes ce Royaume,
Vous ne pourrez vous trouver sans l'aide des autres.

Lorsque vous éliminez de vos pensées et de vos actions l'idée que vous êtes séparé des autres, vous commencez aussitôt à sentir que vous êtes lié à tout le monde et à toute chose. Vous commencez à sentir que vous faites partie d'un ensemble qui vous permet de vous moquer de toute pensée de séparation. Ce sentiment d'union avec le monde est désormais en vous et vous aide à traiter toutes vos interactions en vous basant sur l'idée d'égalité. En reconnaissant que les autres sont aussi des co-créateurs, vous vous accordez avec votre Source et entrez dans un état de grâce. Si vous vous percevez comme un être inférieur ou supérieur, cela veut dire que vous êtes coupé du pouvoir de l'intention. Vous ne pourrez satisfaire vos désirs avant d'avoir accepté d'entrer en contact avec les autres et de recevoir leur soutien.

La façon dont vous interagissez avec votre équipe de soutien universel est très importante, car la façon dont vous voyez les autres est une projection de la façon dont vous vous voyez vous-même. Par conséquent, le fait de voir les autres comme des êtres inutiles signifie que vous êtes en train d'ériger un barrage entre vous et vos alliés potentiels. Voyez les autres comme des êtres faibles et vous attirerez aussitôt des énergies faibles. Le fait de toujours voir les autres comme des êtres malhonnêtes, paresseux, coupables et ainsi de suite, peut signifier que vous avez besoin de vous sentir supérieur. Le fait de toujours voir les autres d'un œil critique est peut-être une façon pour vous de compenser pour quelque chose qui vous effraie. Mais il n'est pas nécessaire que vous compreniez ce mécanisme psychologique. Si vous avez l'habitude de voir les autres comme des ratés, il suffit que vous remarquiez que cette habitude est la preuve de ce que vous attirez dans votre vie.

Il est important de considérer ces interactions comme des rencontres placées sous le sceau de la sainteté, car elles mettent en mouvement un modèle d'attraction d'énergie. Dans une relation sainte, vous attirez la collaboration d'énergies supérieures. Dans une relation impie, vous attirez aussi des énergies, mais vous attirez des énergies inférieures et encore plus de relations impies. En apportant une énergie spirituelle supérieure à tous ceux que vous rencontrez, vous dissipez autour de vous les énergies inférieures. Lorsque les énergies de la bonté, de l'amour, de la réceptivité et de l'abondance sont au cœur d'une relation, vous apportez l'élixir de la Création spirituelle et l'amour du Créateur à vos semblables. Ces forces ont un impact sur tous ceux qui vous entourent.

Les bonnes personnes apparaissent comme par magie. Les bonnes idées surgissent de nulle part. Le téléphone sonne et quelqu'un vous donne l'information que vous cherchiez depuis des mois. Des inconnus vous suggèrent des avenues qui vous paraissent pleines de bon sens. Comme je le disais plus tôt, ces coïncidences sont semblables à des angles qui coïncident et s'emboîtent parfaitement. Traitez les autres comme des co-créateurs et fondez en eux de divines espérances. Ne dites pas des gens qu'ils sont « ordinaires », à moins bien sûr que vous ne souhaitiez voir se manifester encore plus de choses ordinaires dans votre monde.

De l'ordinaire à l'extraordinaire

La célèbre nouvelle de Tolstoï, *La Mort d'Ivan Ilitch*, est l'une de mes œuvres littéraires préférées. Tolstoï décrit Ivan Ilitch comme un homme exclusivement motivé par les attentes des autres et incapable de réaliser ses propres rêves. Le deuxième chapitre de cette passionnante nouvelle débute ainsi : « Le récit de la vie d'Ivan Ilitch est des plus simples et des plus ordinaires, et par conséquent des plus terribles. » Pour Tolstoï, vivre une vie *ordinaire* est donc une chose terrible. Je suis tout à fait de son avis !

Si vous espérez avant tout être une personne normale, commune, conformiste et ordinaire, vous serez sensible aux fréquences ordinaires, et vous attirerez plus de choses ordinaires et normales dans votre vie. Par ailleurs, votre impact sur les autres, en tant qu'allié potentiel dans la co-création de vos intentions, penchera toujours du côté de l'ordinaire. Le pouvoir de l'intention entre en scène quand vous vous synchronisez avec la force créatrice universelle, qui est tout, sauf ordinaire. Voilà le pouvoir responsable de toutes les créations. Ce pouvoir est constamment en expansion, et il pense et crée en termes d'abondance illimitée. Lorsque vous vous branchez sur cette énergie supérieure pour résonner en harmonie avec l'harmonie, vous devenez comme un aimant qui attire davantage de cette énergie dans votre monde. Vous aurez également ce genre d'impact sur tous ceux qui sont en contact avec vous.

L'un des meilleurs moyens pour transcender l'ordinaire et entrer dans le royaume de l'extraordinaire consiste à dire *oui* plus souvent et à cesser presque complètement de dire *non*. J'appelle cela *dire oui à la vie*. Dites oui à vous-même, à votre famille, à vos enfants, à vos collègues de travail et à votre travail. L'ordinaire dit : *Non, je ne crois pas que vous serez capable. Non, cela ne fonctionnera pas. Non, j'ai essayé, et personne n'y est jamais arrivé. Non, selon moi, c'est impossible.* En pensant *non*, vous attirez davantage de *non*, et vous influencez négativement ceux que vous pourriez aider et ceux sur qui vous pourriez compter. Je vous encourage encore une fois à adopter l'attitude du poète Hafiz.

> Je laisse rarement le mot Non
> S'échapper de mes lèvres
> Car il est clair dans mon âme
> Que Dieu a crié Oui ! Oui ! Oui !
> À tous les lumineux mouvements de l'Existence

Dites *oui* à tout le monde, aussi souvent que possible. Lorsque quelqu'un vous demande la permission d'essayer quelque chose, avant de dire *non*, demandez-vous si vous souhaitez que cette personne continue à mener une vie ordinaire. La semaine dernière, lorsque mon fils Sands me demanda la permission de faire du surf dans un secteur où il n'était jamais allé, ma première réaction fut de penser *Trop dangereux, tu ne connais pas cette plage, tu pourrais te blesser*, et ainsi de suite. Mais après mûre réflexion, je décidai de l'accompagner dans cette nouvelle aventure. Finalement, mon *oui* eut un impact positif sur sa vie et sur la mienne.

Faire du mot *oui* votre mantra vous permet d'étendre ce *oui* à l'extérieur de vous-même et d'attirer plus de *oui* dans votre vie personnelle. *Oui* est le souffle de la Création. Pensez à la goutte de pluie qui se fond dans la rivière au moment où celle-ci devient rivière. Pensez à la rivière qui se fond dans l'océan au moment où celle-ci devient océan. Dans ces moments, vous pouvez presque entendre un chuchotement : *oui*... En fusionnant chaque fois que cela est possible avec le *oui* de la force universelle de la Création, vous devenez vous-même cette force de la Création. Voilà l'impact que vous aurez sur les autres. Plus jamais de *non* trop ordinaires dans votre vie. Passons à l'extraordinaire.

Être ordinaire, c'est être coincé dans une ornière, comme Ivan Ilitch. Pendant que vous êtes dans l'ornière, vous attirez des gens semblables à vous, et votre impact réciproque contribuera à vous maintenir dans vos ornières. Il ne sert à rien de se plaindre, de chercher à qui revient la faute, d'exprimer des souhaits et d'espérer des jours meilleurs. La force universelle de l'intention ne se plaint jamais ; elle crée et offre ses options de grandeur. Elle ne juge personne, et ne se contente pas d'exprimer le souhait que les choses aillent mieux. Elle est trop occupée à créer de la beauté pour perdre son temps avec de telles balivernes. En élevant votre propre niveau d'énergie pour vous sortir de vos ornières mentales, vous aurez un effet positif sur tous ceux qui n'en sont pas encore sortis. Mieux encore, vous les aiderez à produire le même effet sur les autres et vous trouverez en eux des alliés qui vous aideront à réaliser vos propres intentions. Prenez conscience de votre identification avec ce qui est normal et ordinaire, et commencez à vibrer à une plus haute fréquence énergétique ; vous pourrez ainsi vous hisser dans les extraordinaires dimensions de la pure intention.

Comment votre énergie influence les autres

Quand vous vous sentez en contact et en harmonie avec votre intention, vous remarquez aussitôt que les gens vous traitent de manière bien différente. Prenez note de ces réactions, car elles concernent directement votre aptitude à réaliser vos intentions individuelles. Par ailleurs, plus vous entrez facilement en résonance avec les fréquences de la Source créatrice universelle, plus vous êtes en mesure d'avoir un impact important sur les autres et d'annuler leurs énergies inférieures. Ces gens se mettront alors à graviter autour de vous, vous apportant sérénité, joie, amour, beauté et abondance. Dans la section suivante, je vous expliquerai comment, selon moi, vous influencez les autres lorsque vous vibrez en harmonie avec l'intention et dans quelle mesure cet impact est différent quand vous êtes dominé par l'attitude séparatiste de votre ego.

Voici de quelles façons vous influencerez ceux qui vous entourent :

Votre présence incite au calme. Lorsque vous coïncidez avec votre intention, vous avez une influence calmante sur les autres. Les gens ont tendance à se sentir plus sereins, moins menacés et plus à leur aise. Le pouvoir de l'intention est le pouvoir de l'amour et de la réceptivité. Il n'exige rien de personne, ne juge pas et encourage les autres à se sentir libres d'être eux-mêmes.

Comme les gens sont plus calmes en votre présence, ils ont aussi tendance à se sentir en sûreté en vertu des fréquences énergétiques que vous irradiez. Leurs impressions sont renforcées par l'énergie de votre amour et de votre réceptivité qui les amène à se porter vers vous et à demeurer à vos côtés. Comme l'écrivait Walt Whitman : « Nous convainquons par notre seule présence. »

Si, au contraire, vous nivelez par le bas en apportant préjugés, hostilité, colère, haine et dépression, vous suscitez ce même niveau d'énergie s'il est présent chez les gens avec qui vous interagissez. Ces énergies inférieures agissent comme un repoussoir lorsqu'elles sont confrontées à des énergies similaires. Le choc de leur rencontre intensifie les fréquences inférieures à ce niveau et crée un champ énergétique où toute exigence est perçue comme l'expression d'un sentiment d'infériorité ou d'hostilité.

L'action de l'intention n'est jamais dirigée *contre* quelqu'un ou quelque chose. Elle est pareille à la gravité qui ne fait rien bouger d'elle-même, et qui est elle-même immobile. Pensez que votre influence sur les autres sera semblable à celle de la gravité, sans ressentir le besoin de faire bouger les choses ou d'attaquer qui que ce soit. Les gens qui se sentent grandis par votre présence deviennent rapidement des âmes sœurs. Mais cela n'est possible qu'à la condition qu'ils se sentent en sûreté plutôt qu'attaqués, compris plutôt que jugés, calmes plutôt que harcelés.

Votre présence donne de l'énergie aux autres. Je me rappelle être sorti un jour d'une séance de deux heures avec un maître spirituel en ayant l'impression que je venais de conquérir le monde sur les plans spirituel et émotionnel. Cette sainte femme, qui prit ma tête entre ses mains avant de plonger son regard divin et sans ego dans le mien, s'appelait Mère Meera. Je ressentis à la suite de cette rencontre une telle énergie que je ne pus fermer l'œil cette nuit-là. Je voulais revivre ce que cet être joyeux m'avait offert par sa seule présence.

Lorsque vous mettez les autres en présence des fréquences de l'intention, ils ressentent aussitôt un regain d'énergie du simple fait de se trouver près de vous. Vous n'avez pas à dire un mot. Vous n'avez pas à faire quoi que ce soit. À elle seule, votre énergie de l'intention fera en sorte que les gens qui entreront dans votre champ se sentiront mystérieusement revigorés. Lorsque vous commencerez à exprimer consciemment les sept visages de l'intention, vous remarquerez que les autres vous parleront de l'impact que vous avez sur eux. Ils voudront vous aider à réaliser vos propres rêves. Ils se sentiront pleins d'énergie et s'offriront pour vous aider. Ils vous offriront même de financer la réalisation de vos rêves en mettant de l'avant de nouvelles idées énergisantes. Pour ma part, à mesure que je prenais conscience du pouvoir de l'intention, on m'a souvent dit que j'influençais les gens qui m'approchaient simplement en allant manger avec eux au restaurant. Les gens m'ont dit qu'ils se sentaient plus confiants, plus déterminés et plus inspirés au sortir de notre rencontre. Et pourtant, je n'avais rien fait. Ils avaient ressenti l'impact du champ d'énergie supérieure que nous avions partagé.

Votre présence permet aux autres d'avoir une meilleure opinion d'eux-mêmes. Avez-vous remarqué que vous avez une meilleure opinion de vous-même lorsque vous êtes en présence de certaines personnes ? Leur énergie compatissante possède la très agréable propriété de vous renvoyer une meilleure image de vous-même. Vous influencerez, vous aussi, les autres avec cette énergie compatissante à mesure que vous développerez votre relation avec l'intention. Les gens sentiront que vous vous souciez d'eux, que vous les comprenez et que vous vous intéressez à eux en tant qu'individus uniques. Grâce à votre lien avec l'intention, vous aurez moins tendance à vous mettre de l'avant dans toutes les conversations et à utiliser les autres pour faire mousser votre ego.

À l'inverse, la compagnie des gens dédaigneux et indifférents vous influence de manière bien différente. Si c'est là le genre d'énergie que vous dégagez, il est fort probable qu'ils vous quittent en ayant l'impression qu'ils ne valent pas grand-chose, à moins que leur lien avec l'intention soit assez fort pour surmonter l'impact d'une énergie aussi basse. Ces pensées et ces comportements associés à des énergies extrêmement basses sont faciles à reconnaître si tout sujet de conversation devient pour vous une occasion de parler de vous-même. Tout comportement similaire à cette démonstration d'énergie dominée par l'ego est très désagréable pour ceux qui vous entourent. Vous leur donnez alors l'impression qu'ils sont insignifiants et sans importance, et vous les amenez à entretenir une mauvaise image d'eux-mêmes s'il s'agit d'une habitude répétée au sein d'une relation intime.

Votre présence donne aux autres l'impression de faire partie d'un tout. Le fait d'être en présence d'une personne émettant des fréquences supérieures vous donne l'impression d'être en contact avec la nature, le genre humain et l'intention. En élevant vos fréquences vibratoires, votre influence invite les autres à faire partie de la même équipe. Les gens se sentent alors unis et disposés à s'entraider pour réaliser un objectif commun.

Le contraire de ce sentiment d'unité est un sentiment de polarisation et de séparation. Les énergies inférieures sont exigeantes et se repoussent les unes les autres. Par conséquent, elles vont inévitablement mener à une situation où il y aura des gagnants et des perdants.

L'énergie de l'antagonisme, des préjugés et de la haine produit une contre-force qui implique la défaite de l'une des deux parties. Quand vous avez un ennemi, vous devez établir un système de défense, et le fait de devoir vous défendre devient alors la nature même de votre relation. Ce besoin de s'opposer et de polariser les forces en présence met en place les conditions préalables à la guerre. La guerre est toujours une erreur coûteuse, surtout qu'il est possible de l'éviter en demeurant en contact avec l'intention et en basant vos relations sur une énergie supérieure qui permettra à ceux que vous rencontrerez de sentir qu'ils ne font qu'un avec vous, avec les autres, avec la nature et avec Dieu.

Votre présence fait comprendre aux autres qu'ils ont un but dans la vie. Lorsque vous vous situez au niveau des énergies spirituelles supérieures, vous apportez aux autres une chose quasiment inexplicable. En effet, lorsqu'ils se déploient dans un espace d'amour, d'acceptation, d'accueil et de bonté, votre présence et votre comportement deviennent un catalyseur qui fait comprendre aux autres qu'ils ont un *but* dans la vie.

En demeurant dans les énergies supérieures de l'optimisme, du pardon, de la compréhension, de la révérence envers l'Esprit, de la créativité, de la sérénité et de la joie, vous irradiez ces énergies et convertissez les énergies inférieures en vibrations supérieures. Les gens que vous influencez involontairement se mettent alors à sentir la tranquille révérence et la sérénité qui vous habitent. Vous atteignez ainsi votre but – qui consiste à servir les autres et par le fait même à servir Dieu – et en prime, vous vous créez de futurs alliés.

Des milliers de personnes m'ont confié que le simple fait d'assister à une conférence ou à une causerie où il est essentiellement question d'espoir, d'amour et de bonté, est une motivation suffisante pour prendre l'engagement de poursuivre leur but. Lorsque j'assume le rôle de conférencier lors d'un tel événement, j'entre toujours par l'arrière afin d'avoir le temps de me gorger de cette énergie d'espoir, d'optimisme et d'amour. Je peux littéralement sentir l'énergie collective irradiée par l'auditoire. J'ai l'impression d'être emporté par une douce vague de plaisir, comme si une chaude averse me réchauffait l'intérieur. Voilà une énergie issue de l'intention, une énergie dont le puissant pouvoir de motivation peut aider les gens à sentir qu'ils ont un but et qu'il y a toujours de l'espoir.

Votre présence amène les autres à établir des relations personnelles authentiques en toute confiance. En introduisant les autres aux sept visages de l'intention, vous permettez à la confiance d'être présente parmi vous. Vous remarquerez alors que les autres ont tendance à s'ouvrir et à se confier à vous, et qu'ils le font volontiers. Cela reflète la qualité de la confiance que vous inspirez. Dans la sphère de l'énergie supérieure, les gens vous font confiance et désirent partager leurs histoires avec vous. En étant étroitement en contact avec l'intention, vous ressemblez davantage à Dieu, et à qui, sinon à Dieu, pouvons-nous confier nos secrets en toute confiance ?

Récemment, lors d'une expédition matinale d'observation des baleines, une femme qui ne me connaissait ni d'Ève, ni d'Adam se mit à me raconter l'histoire de ses relations infructueuses et me confia qu'elle éprouvait un fort sentiment d'insatisfaction. Durant notre conversation, étant plongés dans un champ d'énergie qui incitait et encourageait cette femme à me faire confiance, celle-ci prit le risque de s'ouvrir à un parfait inconnu. (Cela s'est souvent reproduit depuis que je vis conformément aux principes des sept visages de l'intention.) Comme le disait saint François d'Assise : « Il ne sert à rien d'aller prêcher de par le monde si nous ne faisons pas ce que nous prêchons. » Vous finirez par découvrir qu'en portant cette énergie en vous, même des inconnus feront tout en leur pouvoir pour vous accepter et vous aider à réaliser vos propres intentions.

En émettant des fréquences inférieures, vous obtiendrez exactement l'inverse. Si l'énergie de votre méfiance se manifeste d'elle-même par des manières brusques, mesquines, dictatoriales, supérieures et exigeantes, les autres seront tentés de ne pas vous aider à obtenir ce que vous voulez. En fait, l'émission d'énergies inférieures donne souvent aux autres l'envie d'interférer avec vos propres intentions. Pourquoi ? Parce que vos énergies inférieures contribuent à créer une contre-force qui mènera au conflit, à l'apparition de gagnants et de perdants, et finalement à l'émergence d'ennemis ; et tout cela parce que vous ne voulez pas demeurer en contact avec les visages de l'intention.

Votre présence incite les autres à faire de grandes choses. Lorsque vous êtes en contact avec l'Esprit et que vous reflétez sereinement cette prise de conscience, vous devenez une source d'inspiration pour les autres. D'une certaine façon, c'est l'un des plus puissants effets que vous puissiez produire sur les autres en étant en contact avec l'intention. Le mot *inspiration* (in-spiritus) signifie « l'esprit agissant en vous ». Le fait que l'esprit agisse en vous signifie donc que votre présence les inspire davantage qu'elle ne les informe. Vous n'inspirerez jamais personne en exigeant bruyamment que les autres écoutent ce que vous avez à dire.

Au cours de toutes ces années où j'ai enseigné, écrit, donné des conférences et produit des cassettes et des vidéos, j'ai observé qu'il y avait un double processus à l'œuvre. Quand j'entreprends quelque chose, j'ai toujours l'impression d'avoir un but, d'être inspiré et en contact avec l'Esprit universel, et du coup, des milliers et même des millions de personnes trouvent l'inspiration. Le second facteur est le nombre important de gens qui m'ont aidé dans mon travail. Ils m'envoient du matériel, m'écrivent des récits inspirants que j'utilise dans mes ouvrages, et deviennent littéralement mes co-créateurs. Quand vous inspirez les autres par votre seule présence, vous utilisez le pouvoir originel de l'intention pour le bénéfice de tous ceux que vous approchez, vous y compris. Je vous recommande de tout cœur d'adopter cette façon d'être, car je suis certain que vous pouvez vous aussi inspirer les autres par votre seule présence.

Votre présence rend les gens plus sensibles à la beauté. Lorsque vous êtes en contact avec l'intention, vous voyez de la beauté partout et en toute chose parce que vous irradiez cette même beauté. Votre perception du monde change alors de façon spectaculaire. Au plus haut niveau d'énergie de l'intention, vous voyez ce qu'il y a de beau en chacun, qu'il soit jeune ou vieux, riche ou pauvre, pâle ou foncé, sans distinction. Tout est perçu d'un point de vue qui favorise l'appréciation plutôt que la critique. Quand vous leur apportez ce sentiment d'appréciation pour la beauté, les gens sont enclins à se voir comme vous les voyez, et à mesure qu'ils assimilent cette énergie supérieure de la beauté, ils commencent à se sentir plus attirants et à développer une meilleure image d'eux-mêmes. Or, quand les gens se sentent beaux, ils agissent de belle manière. Votre conscience de la beauté les amène à voir le monde autour d'eux de la même façon. L'avantage est, encore une fois, double. Premièrement, vous aidez les autres à mieux apprécier la vie et à être heureux en les plongeant dans un monde de beauté. Deuxièmement, ces gens qui viennent de retrouver une nouvelle estime d'eux-mêmes vous aideront à réaliser vos propres intentions. La beauté se propage ainsi d'une personne à l'autre du simple fait de votre présence quand vous êtes en contact avec l'intention.

Votre présence propage la santé plutôt que la maladie. Votre lien avec votre Source vous aide à vous concentrer sur ce que vous avez l'intention de rendre manifeste dans votre vie, au lieu de la gaspiller pour des choses que vous ne voulez pas. Cette aptitude ne vous permet pas de vous plaindre de vos souffrances ou même de penser à la maladie, à la douleur ou à tout autre problème physique. Votre énergie est entièrement consacrée à créer de l'amour et à répandre la perfection dont vous êtes issu. Cela inclut votre corps et toutes les croyances que vous entretenez à son sujet. Vous savez dans votre cœur que votre corps est un système miraculeux. Vous avez une grande admiration pour son extraordinaire capacité à se guérir lui-même et à fonctionner sans intervention de votre part. Vous savez que votre corps physique est inspiré par une force divine qui fait battre son cœur, digérer ses aliments et pousser ses ongles, et que cette même force est ouverte à une abondance de santé qui ne connaît pas de limite.

Lorsque vous mettez les autres en présence d'une saine appréciation du miracle que représente votre corps, vous dissipez leurs efforts pour demeurer dans la contemplation de la maladie, de la mauvaise santé et de la détérioration physique. En fait, plus votre champ énergétique est élevé, plus vous êtes en mesure de produire un effet positif sur les autres grâce à votre propre énergie curative. (Voir chapitre treize pour un examen plus détaillé du lien entre guérison et intention.) Prenez conscience du fait que vous pouvez grandement influencer la guérison et la santé de ceux qui vous entourent simplement en les mettant en présence de votre énergie et de votre lien avec l'intention. Il émane de vous une véritable énergie !

*
* *

Dans l'espoir que vous reconnaîtrez l'importance d'élever votre niveau d'énergie, je vais à présent conclure ce chapitre en vous donnant un aperçu de l'impact que nous avons sur notre civilisation quand nos niveaux d'énergie sont synchronisés avec la Source de notre Création. Vous devrez pour cela faire preuve d'ouverture d'esprit et accepter de me suivre même si cela peut sembler un peu exagéré ; toutefois, je sais qu'il en est ainsi, et je m'en voudrais de ne pas vous en parler. Cela va peut-être sembler étrange ou même bizarre à ceux qui sont incapables de voir que nous sommes tous liés sur cette planète, et que nous pouvons donc, même si cela échappe à nos sens, nous influencer les uns les autres à distance.

Votre impact sur la conscience de l'humanité

Il y a de cela plusieurs années, je participais avec l'une de mes filles à un long programme nature pour l'aider à régler plus efficacement certains dilemmes auxquels sont confrontées les adolescentes. La dernière chose que lui confia le conseiller du camp fut : « N'oublie jamais que tes pensées et tes actions affectent les autres. » Mais cet impact ne se réduit pas à celui que nous pouvons avoir sur nos amis, notre famille, nos voisins et nos collègues de travail. Je crois que nous influençons toute l'humanité. Par conséquent, en lisant cette section, gardez à l'esprit *que vos pensées et vos actions affectent tout le monde*.

Dans *Power vs. Force*, le Dr David Hawkins écrit : « Dans cet univers où tout est étroitement lié, chaque amélioration que nous apportons dans notre sphère privée améliore le monde dans son ensemble. Nous participons tous au niveau de conscience collective de l'humanité, et donc tout perfectionnement finit par nous revenir. Nous contribuons tous à notre force morale commune par nos efforts pour améliorer notre sort. Il est scientifiquement prouvé que ce qui est bon pour vous est bon pour moi. » Le Dr Hawkins appuie ses remarques et ses conclusions sur vingt-neuf années de recherches scientifiques, que je vous invite à consulter si vous en avez envie. Je vais brièvement résumer certaines de ses conclusions et vous expliquer en quoi elles concernent l'impact que vous avez sur les autres lorsque vous êtes en contact avec l'intention.

Essentiellement, tout individu ou tout groupe d'individus peut être étalonné en fonction de son niveau d'énergie. En général, les gens qui dégagent une énergie inférieure sont incapables de faire la différence entre la vérité et le mensonge. On peut leur dire quoi penser, qui haïr et qui tuer ; et on peut les rassembler en troupeau pour leur faire adopter une mentalité de groupe sur la base de détails insignifiants, comme par exemple, le côté de la rivière où ils sont nés, les croyances de leurs parents et de leurs grands-parents, la forme de leurs yeux et des centaines d'autres facteurs liés à leur apparence et à une identification totale avec le monde matériel. Hawkins nous dit que près de quatre-vingt-sept pour cent de l'humanité affichent un niveau d'énergie collectif qui l'affaiblit. En effet, plus nous montons dans l'échelle des fréquences vibratoires, moins nous y rencontrons de gens. Les niveaux supérieurs sont représentés par les grands hommes et les grandes femmes qui ont su donner naissance à des pratiques spirituelles ayant été adoptées par la multitude à travers les âges. Ils sont associés à la divinité et ont mis en branle des champs d'énergie attractifs qui ont influencé toute l'humanité.

Sous le niveau d'énergie de la pure illumination se trouvent les niveaux d'énergie associés à une expérience appelée transcendance, conscience de soi ou conscience de Dieu. C'est le niveau des saints et des saintes. Juste sous ce niveau, nous retrouvons un lieu de pure joie, portant le sceau de cet état de compassion. Ceux qui atteignent ce niveau ont davantage le désir de mettre leur conscience au service de la vie elle-même plutôt qu'au service de certains individus en particulier.

Sous ces niveaux suprêmement élevés, où peu de gens résident de façon permanente, se trouvent les niveaux de l'amour inconditionnel, de la bonté, de l'acceptation de tous, de la beauté, et à un niveau plus limité mais néanmoins profond, des sept visages de l'intention tels qu'ils sont décrits dans les chapitres précédents. Sous les niveaux d'énergie qui nous renforcent, nous découvrons les niveaux d'énergie inférieure de la colère, de la peur, du chagrin, de l'apathie, de la culpabilité, de la haine, des préjugés et de la honte ; autant de réactions qui nous affaiblissent et nous influencent de façon à inhiber notre lien avec le niveau d'énergie universel de l'intention.

J'aimerais que vous acceptiez ici de faire un saut dans l'inconnu avec moi, car nous allons à présent aborder quelques-unes des conclusions du Dr Hawkins tirées de son second livre, intitulé *The Eye of the I*. Grâce à un test kinésiologique très précis permettant de départager vérité et mensonge, le Dr Hawkins est parvenu à estimer le nombre de gens ayant une énergie égale ou inférieure au niveau qui nous affaiblit. J'aimerais que vous examiniez ses découvertes et ses conclusions relativement à l'impact qu'elles pourraient avoir sur notre civilisation. Selon le Dr Hawkins, il est crucial que chacun d'entre nous prenne conscience qu'il est important d'élever notre fréquence vibratoire afin qu'elle corresponde à l'énergie de la Source universelle, ou, en d'autres termes, afin de prendre contact avec le pouvoir de l'intention.

L'un des aspects les plus fascinants de cette recherche est sans contredit l'idée de contre-balancement. Les gens qui dégagent une énergie élevée contrebalancent les effets négatifs des gens ayant une énergie plus basse. Mais comme quatre-vingt-sept pour cent de l'humanité se situent à une fréquence affaiblissante, ce processus ne peut s'effectuer de personne à personne. Une seule personne en contact avec l'intention, comme je l'ai décrit plus tôt, peut avoir une énorme influence sur plusieurs personnes circulant dans les sphères inférieures de l'énergie. Plus vous montez dans l'échelle qui mène à la véritable illumination et à la connaissance de la conscience de Dieu, plus vous pouvez contrebalancer une grande quantité d'énergies vibratoires négatives. Voici quelques données fascinantes issues des recherches du Dr Hawkins sur lesquelles vous devriez vous pencher pour mieux comprendre l'impact que vous pouvez avoir sur l'humanité simplement en atteignant les échelons supérieurs de l'intention.

• *Un individu qui vit et vibre en accord avec l'énergie de l'optimisme et le désir de ne pas juger les autres va contrebalancer la négativité de 90 000 personnes résidant aux plus bas niveaux d'énergie.*

• *Un individu qui vit et vibre en accord avec l'énergie de l'amour et du respect pour tout ce qui vit va contrebalancer la négativité de 750 000 personnes résidant aux plus bas niveaux d'énergie.*

• *Un individu qui vit et vibre en accord avec l'énergie de l'illumination, de la félicité et de la paix infinie va contrebalancer la négativité de dix millions de personnes résidant aux plus bas niveaux d'énergie (environ vingt-deux sages correspondant à cette définition seraient vivants aujourd'hui).*

• *Un individu qui vit et vibre en accord avec l'énergie de la grâce, du pur esprit qui transcende le corps, dans un monde sans dualité et de complète unité, va contrebalancer la négativité de soixante-dix millions de personnes résidant aux plus bas niveaux d'énergie (environ dix sages correspondant à cette définition seraient vivants aujourd'hui.)*

Voici deux statistiques surprenantes présentées par le Dr Hawkins dans son étude de vingt-neuf ans sur les déterminants cachés du comportement humain :

1. Un seul avatar vivant au plus haut niveau de conscience au cours de cette période historique où l'utilisation du titre *Seigneur* est appropriée, comme dans Seigneur Krishna, Seigneur Bouddha ou Seigneur Jésus-Christ, contrebalancerait la négativité collective de toute *l'humanité* dans le monde d'aujourd'hui.

2. La population humaine s'autodétruirait si elle n'était pas contrebalancée par ces champs d'énergie supérieure.

L'implication de ces données est immense pour la découverte de nouvelles façons d'améliorer la conscience humaine et de nous élever nous-mêmes au niveau de cette énergie de l'intention qui a voulu notre existence. En élevant votre fréquence vibratoire, ne serait-ce que légèrement, pour atteindre un lieu où vous pratiquerez régulièrement la bonté, l'amour et la réceptivité, et où vous verrez la beauté et l'infini potentiel de bonté présents en vous et chez les autres, vous contrebalancez quelque part dans le monde la négativité de 90 000 personnes vivant aux niveaux inférieurs de la honte, de la colère, de la haine, de la culpabilité, du désespoir, de la dépression et ainsi de suite.

Je ne peux m'empêcher de penser à la façon dont John F. Kennedy géra la crise des missiles cubains dans les années 1960. Kennedy était entouré de conseillers qui le pressaient d'utiliser l'arme nucléaire si cela devenait nécessaire. Néanmoins, sa propre énergie et celle de quelques collègues en qui il avait confiance et qui croyaient comme lui en la possibilité d'un règlement pacifique, parvinrent à contrebalancer l'énergie négative de la vaste majorité de ceux qui préconisaient l'attaque et le bellicisme. Une seule personne en contact avec une haute énergie spirituelle peut faire comprendre au monde que la guerre est un choix de dernier recours. Cela vaut également pour vous. Introduisez l'énergie de l'intention dans un conflit, même dans une chicane de famille, et votre seule présence suffira à neutraliser et à convertir les énergies antagonistes qui vous entourent.

Je l'ai moi-même expérimenté dans un environnement hostile où de jeunes gens sous l'influence de la drogue et de l'alcool se préparaient à se battre encouragés par les cris de la foule. Ce jour-là, je passai simplement entre les deux belligérants en fredonnant un hymne – « *Surely the Presence of God is in This Place* » (« Dieu est certainement présent à cet endroit ») – et cette énergie parvint à elle seule à détendre l'atmosphère et à élever le niveau d'énergie pour susciter un sentiment de paix.

À une autre occasion, je m'approchai d'une femme qui s'en prenait violemment à son petit garçon de deux ans en lui lançant toutes sortes d'épithètes haineuses au beau milieu de l'épicerie. J'entrai discrètement dans leur champ d'énergie, sans rien dire, mais en irradiant le désir de voir apparaître l'énergie de l'amour, et cela neutralisa aussitôt les énergies inférieures de la haine. Pensez qu'il est important de prendre conscience de l'impact que vous avez sur les autres et rappelez-vous qu'en élevant votre propre niveau d'énergie pour atteindre un état où vous êtes en harmonie avec l'intention, vous devenez un instrument et un outil de paix. Cela fonctionne peu importe où vous vous trouviez. Alors contribuez, vous aussi, à contrebalancer la négativité humaine que vous rencontrez dans votre vie de tous les jours.

Cinq suggestions pour mettre en pratique les idées présentées dans ce chapitre

1. *Prenez conscience de l'importance de faire de toutes vos relations des relations divines*. Une relation sacrée n'est pas fondée sur une religion. Une relation divine met l'accent sur le dévoilement de l'Esprit présent en chacun de nous. Vos enfants sont des êtres spirituels qui se sont incarnés *à travers vous*, et non *pour vous*. Votre relation amoureuse peut reposer sur l'idée que vous voulez pour votre partenaire ce que vous voulez pour vous-même. Si vous voulez être libre, accordez cette

liberté à tous ceux que vous aimez. Si vous voulez connaître l'abondance, désirez que les autres en fassent eux aussi l'expérience. Si vous voulez être heureux, désirez le bonheur des autres encore plus que le vôtre et faites-leur savoir. Plus la sainteté sera au cœur de vos relations, plus vous serez étroitement lié à l'intention.

2. *Lorsque vous êtes confronté à un dilemme moral concernant la conduite à adopter envers les autres, demandez-vous simplement :* <u>Que ferait le Messie</u> ? Ce questionnement vous ramènera à la sérénité de l'intention. Le Messie représente les sept visages de l'intention, incarnés dans un être spirituel porteur d'une expérience humaine. Ce faisant, vous honorez le Christ en vous et en chacun d'entre nous. Exercez-vous à vouloir pour les autres ce que vous désirez pour vous-même en essayant de ressembler au Christ plutôt qu'à un chrétien, à Mahomet plutôt qu'à un musulman, et à Bouddha plutôt qu'à un bouddhiste.

3. *Suivez à la trace les jugements que vous portez contre vous-même et contre les autres.* Faites un effort conscient pour adopter des pensées et des sentiments de compassion. Bénissez en silence les mendiants que vous croisez au lieu de les traiter de paresseux et de boulets. Ces pensées de compassion élèveront votre niveau d'énergie et vous permettront de demeurer plus facilement en contact avec l'intention. Montrez de la compassion envers tous ceux que vous rencontrez, envers l'humanité, envers le royaume des animaux, envers notre planète et le cosmos. En retour, la Source universelle de toute vie vous accordera la

même compassion et vous aidera à manifester vos propres intentions. C'est la loi de l'attraction. Émettez de la compassion, vous en recevrez en retour ; émettez de l'hostilité et des jugements de valeur, vous recevrez la même chose en retour. Surveillez vos pensées, et quand vous verrez qu'elles ne portent plus le sceau de la compassion, chassez-les !

4. *Peu importe ce que les autres désirent, souhaitez ardemment qu'ils l'obtiennent afin de disperser cette énergie dans l'univers et d'agir sur la base de ce niveau de conscience spirituelle.* Essayez de sentir ce qui leur ferait plaisir, puis dirigez la haute énergie de l'intention vers eux en concentrant cette énergie vers l'extérieur, surtout lorsque vous êtes en leur présence. Cela vous aidera à créer un champ doublement efficace pour la manifestation de ces intentions.

5. *Soyez conscient du fait qu'en entretenant des pensées et des émotions en harmonie avec les sept visages de l'intention, vous contrebalancez la négativité collective d'au moins 90 000 personnes, et peut-être de millions de personnes.* Rien à faire. Personne à convertir. Aucun but à atteindre. Il suffit que vous éleviez votre propre niveau d'énergie au niveau des fréquences de la bonté, de l'amour, de la beauté, de l'expansion, de l'abondance infinie et de la réceptivité. En prenant cette habitude, vous élèverez votre niveau d'énergie à un niveau où votre présence aura un impact positif sur l'humanité. Dans *Autobiographie d'un Yogi*, Swami Sri Yukteswar confie à Paramahansa Yogananda : « Plus l'autoréalisation d'un homme

est profonde, plus ses subtiles vibrations spirituelles influencent l'univers, et moins il est lui-même affecté par le flux phénoménal. »

Votre devoir envers la famille humaine est de demeurer en contact avec l'intention. Dans le cas contraire, il se peut que vous soyez, en ce moment même, en train de déprimer quelqu'un en Bulgarie !

*
* *

Ces paroles du Mahatma Gandhi résument parfaitement ce chapitre sur l'influence que nous pouvons avoir sur l'univers en demeurant en contact avec l'intention : « Nous devons être le changement que nous voulons voir à l'œuvre dans le monde. » En devenant nous-mêmes ce changement, nous prenons contact avec la partie éternelle de nous-mêmes issue de l'infini. Cette idée d'entrer en contact avec l'infini et de saisir comment celle-ci affecte notre capacité à comprendre et à utiliser le pouvoir de l'intention est extrêmement mystérieuse. Ce sera le sujet du dernier chapitre de la première partie de ce livre. Nous explorons l'infini avec un corps et un esprit ayant un commencement et une fin dans le temps, et pourtant je sais que ce *Je* qu'ils abritent a toujours été et existera toujours.

❀

CHAPITRE SIX

INTENTION ET INFINI

« L'ÉTERNITÉ NE RÉSIDE PAS DANS QUELQUE AU-DELÀ... NOUS Y SOMMES DÉJÀ. SI VOUS NE LA TROUVEZ PAS ICI-BAS, VOUS NE LA TROUVEREZ NULLE PART. »

Joseph Campbell

J'aimerais à présent que vous vous prêtiez à un petit exercice. Posez ce livre et dites tout haut : *Je ne suis pas d'ici*. Laissez la signification de ces mots s'imprégner en vous. Que signifient-ils ? Ils signifient que vous vivez *dans* ce monde, mais que vous n'êtes pas *de* ce monde. On vous a appris que vous êtes un corps constitué de molécules, d'os, de tissus, d'oxygène, d'hydrogène et d'azote. Vous vous reconnaissez dans cette personne portant tel nom, et vous vous identifiez à la somme de vos accomplissements et de vos possessions. Ce *moi* possède également quelques informations terrifiantes. Il sait qu'avec un peu de *chance* il est destiné à devenir vieux, à tomber malade et à perdre tout ce qu'il en est venu à aimer. Puis à mourir. Voilà en résumé ce que le monde vous a offert jusqu'à présent, un ensemble de croyances qui vous a probablement laissé pantois et sidéré devant l'absurdité de ce que nous appelons la vie. Pour faire contrepoids à cette triste perspective qui inspire peur et même terreur, j'aimerais ici introduire un concept qui éliminera pour de bon toutes vos craintes. Je voudrais que vous sachiez que vous n'êtes pas obligé de souscrire à l'idée que vous êtes seulement un ensemble d'os et de tissus destiné à vieillir et à disparaître.

Vous êtes issu d'un champ universel de Création que j'ai appelé l'*intention*. D'une certaine façon, cet esprit universel est totalement impersonnel. Il n'est que pur amour, beauté et créativité, toujours en expansion et renfermant une abondance illimitée. Vous émanez de cet esprit universel. Et comme j'aime à le répéter, *universel signifie partout et en tout temps*. Autrement dit, il fait référence à quelque chose d'*infini*. Pourvu que vos souhaits soient en accord avec le mouvement ascendant de ce principe éternel, rien dans votre nature ne vous retient de les réaliser pleinement. Cependant, leur réalisation ne vous apportera aucune satisfaction si vous permettez à votre ego de s'opposer au mouvement ascendant, toujours en expansion et toujours réceptif, de l'esprit infini de l'intention. La vie elle-même est éternelle, et vous êtes le rejeton de ce *rien* infini appelé la vie. Votre capacité à entrer en contact avec l'éternel et à vivre dans l'ici et le maintenant déterminera la pérennité de votre lien avec l'intention.

La vie est éternelle

Nous vivons tous sur une scène où se croisent plusieurs infinis. Regardez à l'extérieur ce soir et vous contemplerez l'espace infini. Certaines étoiles sont si éloignées que nous mesurons la distance qui les sépare de la terre en années-lumière. Au-delà de ces étoiles se trouvent une infinité de galaxies qui s'étirent pour donner naissance à quelque chose que nous appelons l'éternité. L'espace que vous occupez est en effet infini. Son étendue est si vaste que nous ne pouvons l'appréhender *de visu*. Nous sommes au cœur d'un univers infini, n'ayant ni commencement ni fin.

À présent, lisez attentivement la phrase suivante : *Si la vie est infinie, alors ceci n'est pas la vie.* Relisez-la à nouveau et pensez que la vie est vraiment infinie. Nous pouvons l'observer dans tout ce que nous examinons avec un peu d'attention. Par conséquent, nous devons conclure que la vie, celle de notre corps, qui englobe la somme de nos accomplissements et de nos possessions, qui, sans exception, naît de la poussière et retourne à la poussière, n'est pas elle-même la vie. Saisir la véritable essence de la vie peut radicalement changer votre vie pour le mieux. Il s'agit d'un spectaculaire changement d'attitude qui élimine la peur de la mort (comment peut-on avoir peur de quelque chose qui n'existe pas ?) et vous met en contact de façon permanente avec la Source infinie de la Création qui a *voulu* tout ce qui existe dans le monde de l'Esprit infini et dans le monde de la finitude. Apprenez à apprivoiser le concept d'infinité et à vous voir vous-même comme un être infini.

Dans ce monde limité où tout a un commencement et une fin, le pouvoir de l'intention conserve néanmoins sa nature infinie étant donné qu'il est éternel. Tout ce que votre expérience vous révèle comme n'étant pas éternel n'est tout simplement pas la vie. Ce n'est qu'une illusion créée par votre ego pour se forger une identité différente de sa Source infinie. Ce changement d'attitude qui vous amène à vous voir comme un être spirituel infini porteur d'une expérience humaine, et non l'inverse – c'est-à-dire, un humain faisant à l'occasion des expériences spirituelles – est pour certains d'entre vous une chose terrifiante. Je vous encourage à affronter ces peurs et à le faire sans plus tarder ; il en résultera la création d'un lien permanent avec l'abondance et la réceptivité de la Source universelle qui a donné à la Création sa forme temporaire.

Votre peur de l'infini

Nous savons tous que notre corps est mortel, et pourtant, comme nous ne pouvons imaginer ce que représente la mort pour *nous-mêmes*, nous agissons comme si elle n'existait pas. C'est un peu comme si nous nous disions : *Tout le monde va mourir sauf moi*. Cette attitude est attribuable à ce que Freud a observé chez l'humain. Notre mort étant inimaginable, nous la nions et vivons notre vie comme si nous n'allions pas mourir un jour... car la terreur que nous inspire notre propre anéantissement est littéralement insupportable. En m'asseyant pour écrire ce chapitre, j'ai confié à un ami que mon but était de permettre à mon lecteur de se débarrasser une fois pour toutes de sa peur de la mort. Si j'y suis parvenu, même à une échelle réduite, j'aimerais beaucoup que vous m'en fassiez part.

À sept ans, je vivais avec mon frère aîné, David, dans une famille d'accueil au 231, Townhall Road, Mt. Clemens, Michigan. Les gens qui s'occupaient de nous pendant que ma mère s'efforçait de réunir sa famille s'appelaient M. et Mme Scarf. Je m'en souviens comme si c'était hier. J'étais assis avec David sur la véranda à l'arrière de la maison. Mme Scarf sortit tenant deux bananes dans ses mains. Des larmes ruisselaient sur son visage. Elle nous donna à chacun une banane en disant : « M. Scarf est mort ce matin. » C'était la première fois que je voyais appliquer le concept de mort à un être humain. Avec toute la naïveté d'un petit garçon de sept ans, je lui demandai, espérant ainsi soulager sa douleur évidente : « Quand reviendra-t-il ? » Mme Scarf répondit d'un mot que je n'oublierai jamais. Elle répondit simplement : « Jamais. »

Je montai dans ma chambre m'étendre sur ma couchette, pelai ma banane et tentai de comprendre le sens de ce mot *jamais*. Que signifie vraiment « être mort pour toujours » ? Je pouvais m'imaginer un millier d'années ou même un milliard d'années-lumière, mais ce mot, *jamais*, était si écrasant, n'ayant jamais de fin, que j'eus mal au cœur. Qu'ai-je fait pour assimiler cette idée incompréhensible ? C'est simple, j'ai cessé d'y penser pour reprendre ma vie de petit garçon de sept ans vivant en famille d'accueil. C'est exactement le propos de Castaneda lorsqu'il dit que nous sommes des corps destinés à la mort, mais qui se comportent comme si ce n'était pas le cas. Et c'est ce qui nous perd.

Votre propre mort. Il existe essentiellement deux points de vue concernant le dilemme que représente votre propre mort. Le premier affirme que nous sommes des corps physiques qui viennent au monde, vivent quelque temps, se détériorent, vieillissent, puis meurent et sont anéantis pour toujours. Cette première perspective, que vous l'adoptiez consciemment ou non, est bien sûr terrifiante pour tout être vivant. À moins que vous embrassiez le second point de vue, il est tout à fait compréhensible de craindre la mort ou encore de la désirer si vous détestez ou craignez la vie. Le second point de vue affirme simplement que vous êtes éternel, que vous êtes une âme infinie temporairement incarnée dans un être de chair et de sang. Ce second point de vue soutient que seul votre corps physique va mourir, que vous êtes une création parfaite et entière, et que votre nature immatérielle émane de l'esprit universel de l'intention. Cet esprit universel était, est et sera toujours immatériel ; il incarne la pure énergie de l'amour, de la beauté, de la bonté et de la créativité, et il ne peut mourir puisqu'il est immatériel. Donc, plus de forme, plus de mort, plus de frontières, plus de détérioration, plus de chair, plus de possibilité de perte.

Lequel de ces points de vue vous apporte le plus grand réconfort ? Lequel des deux est associé à l'amour et à la paix ? Lequel évoque la peur et l'anxiété ? De toute évidence, l'idée de votre moi infini vous permettra de demeurer en bons termes avec l'infini. Savoir que vous êtes d'abord et avant tout un être infini, consciemment en contact avec sa Source, qui est elle-même éternelle et omniprésente, est assurément la perspective la plus réconfortante. En raison de sa nature infinie, l'Esprit est partout, et il s'ensuit qu'il occupe tous les points de l'espace en même temps.

Par conséquent, l'Esprit, qui est entièrement présent en tout lieu, est également présent en vous. Rien ne pourra jamais, jamais vous en séparer. Vous apprendrez à vous moquer de cette idée absurde voulant que vous puissiez être séparé de l'esprit universel. L'Esprit est votre Source. Vous êtes cette Source. Dieu est l'esprit dans lequel vous vivez et pensez. Il est toujours en contact avec vous, même si vous ne croyez pas en Lui. Même un athée n'a pas besoin de croire en Dieu pour faire l'expérience de Dieu. La question n'est donc pas de savoir si votre corps va mourir, mais plutôt de quel côté de l'infini vous souhaitez vivre. Vous avez deux choix : soit vous vivez du côté *inactif* de l'infini, soit vous vivez du côté *actif* de l'infini. Dans les deux cas, vous avez rendez-vous avec l'infini, car on ne peut l'éviter.

Votre rendez-vous avec l'infini. Relisez la citation de Joseph Campbell présentée au début de ce chapitre. L'Éternité, c'est maintenant ! Ici même, à cet instant, vous êtes un être infini. Une fois que vous aurez surmonté votre peur de la mort, vous fusionnerez avec l'infini et ressentirez l'extraordinaire soulagement et réconfort que cette découverte peut apporter. Dans le monde matériel, nous avons l'habitude d'identifier tout ce qui existe en nous référant à un continuum spatio-temporel. Pourtant, l'infinité n'a aucune préférence pour le temps et l'espace. Vous n'êtes pas la somme des éléments qui composent votre corps ; vous ne faites qu'utiliser ces éléments. Vous vous situez en fait au-delà du temps et de l'espace, dans un plan où vous ne faites qu'un avec l'esprit universel infini. Si vous n'en avez pas encore pris conscience, c'est probablement parce que vous avez peur. Par chance, vous pouvez rencontrer l'infini même si vous êtes temporairement le passager de votre corps physique et même si celui-ci se plie servilement au temps et à l'espace. Mon but dans ce chapitre est justement de vous aider à prendre conscience de cette réalité et de vous inciter à agir en conséquence. Si vous acceptez de fusionner avec l'esprit universel, je vous assure que vous ne craindrez plus jamais la mort.

Examinons les deux éléments qui composent cette prison spatio-temporelle dans laquelle évolue notre corps et tout ce qu'il chérit. Le facteur spatial implique que nous ayons l'impression d'être séparés des autres et des objets qui nous entourent. Nous disons : ceci est *mon espace* tel que défini par mes frontières, et ceci est *votre espace*. Même votre âme sœur, celle que vous chérissez de tout votre cœur, vit dans un monde distinct du vôtre. Quelle que soit la proximité de vos deux corps, il y aura toujours une frontière entre vous. Dans l'espace, c'est ainsi, nous sommes coupés les uns des autres. Il est d'ailleurs extrêmement difficile d'imaginer un monde infini n'ayant ni espace, ni frontière, du moins, jusqu'à ce que nous rencontrions l'infini.

Le temps est aussi un facteur de séparation. Nous sommes séparés de tous les événements et de tous les souvenirs de notre passé. Tout ce qui est déjà arrivé est séparé de ce qui se produit présentement. L'avenir est également séparé de l'ici et du maintenant dans lequel nous vivons. Nous ne pouvons connaître l'avenir, et le passé est à jamais perdu. Par conséquent, nous sommes séparés de tout ce qui a été et de tout ce qui sera par cette mystérieuse illusion que nous appelons le temps.

Lorsque votre âme infinie a quitté votre corps, elle n'est plus sujette aux contraintes du temps et de l'espace. Aucune séparation ne peut plus interférer avec vous. Ce qui m'intéresse, ce n'est pas de savoir si vous croyez avoir un rendez-vous avec l'infini, mais plutôt de connaître le moment où vous choisirez de vous présenter à cet inévitable rendez-vous. Vous pouvez vous y rendre maintenant tandis que vous êtes encore en vie dans ce corps prisonnier de l'illusion de l'espace et du temps ou vous pouvez attendre d'être mort. Si vous décidez de rencontrer l'infini de votre vivant, c'est un peu comme si vous appreniez à mourir avant le temps. Une fois que vous aurez fait le saut du côté actif de l'infini, votre peur de la mort s'évanouira et vous rirez de cette folie qu'on appelle la mort.

Apprenez à comprendre votre véritable essence, à regarder la mort droit dans les yeux et à briser les chaînes de la peur. Vous ne mourrez pas. Annoncez-le. Méditez sur ce thème. Et envisagez les choses sous cet angle : *Si vous n'êtes pas un être infini, quel est donc votre but dans la vie ?* Il ne se résume sûrement pas à naître, à travailler, à accumuler des biens, à tout perdre, à tomber malade et à mourir. En vous éveillant à votre essence infinie et en demeurant en contact avec les sept visages de l'intention, vous vous libérez des limites imposées par votre ego. Vous accédez aux conseils et à l'assistance de l'esprit universel infini. Et finalement, votre peur de la mort est remplacée par un profond sentiment de sérénité. Je suis toujours touché par la façon dont les grands maîtres spirituels quittent ce plan terrestre dans la joie et la confiance. On les voit chasser leurs doutes, échapper à toutes leurs peurs et aller à la rencontre de l'infini avec grâce. Voici les dernières paroles de quelques personnages que j'admire depuis toujours :

L'heure dont j'ai longtemps souhaité la venue est enfin arrivée.

Thérèse d'Ávila

Soyons bons les uns pour les autres.

Aldous Huxley

Si c'est ça la mort, c'est plus facile que la vie.

Robert Louis Stevenson

C'en est fini pour moi de la terre ! Je suis content.

John Quincy Adams

Au ciel, j'entendrai.

Ludwig van Beethoven

Lumière, lumière, qu'on laisse entrer plus de lumière.

Johann Wolfgang von Goethe

Je m'en vais visiter ce pays que j'ai désiré voir toute ma vie.

William Blake

C'est très beau là-bas.

Thomas Edison

Ram, Ram, Ram [Dieu, Dieu, Dieu]

Mahatma Gandhi

Pourquoi ne pas rédiger tout de suite vos dernières paroles et entreprendre votre transition pour devenir cet être infini pendant que vous êtes encore dans votre corps ? Tandis que vous réfléchissez à votre rendez-vous avec l'infini, observez comment la plupart d'entre nous vivent leur vie. Nous savons que nous avons un corps qui va mourir, mais nous nous comportons comme si cela ne pouvait pas nous arriver. Ce point de vue est celui du côté inactif de l'infini, d'où nous ne voyons ni notre lien avec l'intention, ni notre capacité à demeurer en harmonie avec notre Esprit créateur. Examinons la différence essentielle entre le fait de vous présenter à votre rendez-vous avec l'infini pendant que vous êtes vivant ou de vous y présenter après votre mort. Dans le premier cas, vous vivrez du côté actif de l'infini, et dans l'autre, vous raterez une occasion unique en demeurant du côté inactif.

Le côté actif versus *le côté inactif de l'infini*

Du côté actif de l'infini, vous êtes parfaitement conscient que vous avez un corps qui va un jour mourir. De plus, vous savez en votre for intérieur que vous n'êtes pas ce corps, son esprit ou l'ensemble de ce qu'il a accompli ou accumulé au fil des ans. Du côté actif de l'infini, vous tenez fermement la poignée du tram dont j'ai parlé plus tôt, celle qui vous relie à l'intention et fait de vous l'observateur de vos expériences sensorielles. Cela peut vous sembler sans importance. Néanmoins, je vous assure qu'à partir du moment où vous aurez transféré votre conscience intime du côté actif de l'infini, vous remarquerez de plus en plus souvent qu'il se produit des choses miraculeuses dans votre vie quotidienne. Du côté actif de l'infini, vous êtes d'abord et avant tout un être spirituel infini faisant temporairement l'expérience d'une vie humaine, où toutes vos relations interpersonnelles sont vécues en accord avec ce principe. Du côté inactif de l'infini, c'est tout le contraire. Ici-bas, vous êtes d'abord et avant tout un être humain vivant à l'occasion des expériences spirituelles. Votre vie est guidée par votre peur de la mort, l'idée que vous êtes séparé des autres, le goût de la compétition et le besoin de dominer et de vaincre. Le côté inactif de l'infini vous isole du pouvoir de l'intention.

Voici quelques-unes des différences que l'on peut observer entre les gens qui vivent du côté actif de l'infini et ceux qui nient posséder une nature éternelle et qui optent pour le côté inactif de l'infini :

Le sens du destin. Du côté actif de l'infini, votre lien avec l'intention n'est plus perçu comme un choix, mais comme un appel auquel vous vous devez de répondre. Le côté inactif de l'infini vous amène à voir la vie comme un chaos, vain et insignifiant, alors que votre engagement du côté actif de l'infini vous amène à remplir une destinée que vous sentez gravée au plus profond de vous-même.

Quand je repense à ma vie, je me rends compte que le sentiment d'avoir un destin m'a habité dès mon plus jeune âge. Déjà enfant, je savais que je pouvais manifester dans ma vie l'abondance que je désirais tant. Pendant que je m'ennuyais à mourir dans des salles de classe où des professeurs blasés nous donnaient des cours tout aussi monotones les uns que les autres, je rêvais de m'adresser à d'immenses auditoires. Tout jeune, je fis le serment d'aller au bout de ma passion, car je savais que j'étais ici pour une raison bien précise. Rien ni personne n'aurait pu me faire dévier de mon chemin. J'ai toujours eu le sentiment d'être une âme infinie, parfois déguisée en mari, parfois en père de famille, en auteur, en conférencier ou en Américain de près de deux mètres, sur le point de devenir chauve. Parce que j'ai choisi de vivre du côté actif de l'infini, je sens que j'ai une destinée qui ne me laissera pas mourir avant d'être allé jusqu'au bout de ma partition.

Vous pouvez, vous aussi, faire ce choix. Débarrassez-vous de l'idée que vous êtes un corps voué à la mort, et cherchez plutôt à prendre conscience de votre moi immortel. Du côté actif de l'infini, vous trouvez un moi plus grand que nature, un moi dont seulement quelques parcelles se sont matérialisées dans votre corps actuel. Je vous garantis qu'en reconnaissant le fait que vous êtes un être infini, et par conséquent indestructible, votre lien avec l'intention et votre capacité à manifester vos désirs à l'intérieur des bornes de la Source universelle deviendront réalité. Il n'y a pas d'autre issue.

Ce sentiment d'avoir une destinée vous indique que vous avez choisi de jouer au jeu de la vie du côté actif de l'infini. Avant d'accéder à cette conviction, votre principale motivation dans la vie tournait autour de ce que vous désiriez posséder et de ce que vous désiriez faire. Du côté actif de l'infini, il est temps de faire ce que votre destin a prévu que vous feriez. Vous apitoyer sur vous-même en espérant que les choses s'arrangeront d'elles-mêmes, que la chance vous sourira ou que les autres se chargeront de tout à votre place n'est plus une attitude envisageable. Le sentiment d'avoir un destin vous permet de prendre conscience d'une donnée fondamentale : *Je suis éternel, et cela veut dire que je suis ici en provenance de l'univers infini de l'intention spirituelle pour accomplir un destin auquel je dois me conformer*. Vous commencez à formuler vos objectifs dans le langage de l'intention, à présent convaincu qu'ils se matérialiseront. Vous faites appel au pouvoir de l'intention pour garder le cap. L'intention ne peut échouer, car il n'y a pas d'échec dans le monde de l'infini.

Ce poème du XIIIe siècle vous encouragera peut-être à découvrir que vous avez un destin :

Vous êtes né avec un potentiel.
Vous êtes né pour la bonté et la confiance.
Vous êtes né avec des idéaux et des rêves.
Vous êtes né pour accomplir de grandes choses.

Vous êtes né avec des ailes.
Vous n'êtes pas fait pour ramper, alors ne le faites pas.
Vous avez des ailes.
Apprenez à les utiliser et envolez-vous.

Rumi

Si Rumi avait composé son poème à partir du côté inactif de l'infini, il aurait peut-être écrit le texte suivant :

Vous êtes un accident de la nature.
Vous êtes à la merci du hasard et de la chance.
On peut facilement vous intimider.
Vos rêves sont insignifiants.
Vous êtes fait pour vivre une vie ordinaire.
Vous n'avez pas d'ailes.
Alors oubliez le ciel et demeurez au sol.

Le sens du possible. La création repose sur l'éternelle *possibilité* que tout ce qui peut être pensé peut exister. Prenez par exemple quelques-unes de ces grandes inventions que nous considérons aujourd'hui pour acquises : avion, ampoule électrique, téléphone, télévision, télécopieur, ordinateur. Elles ont été imaginées par des individus qui ont choisi d'ignorer ceux qui les ridiculisaient et de demeurer concentrés sur ce qui est *possible* plutôt que sur ce qui est impossible. En d'autres termes, le sens du possible croît sur les terres fertiles du côté actif de l'infini.

Je conserve dans mon lieu d'écriture le merveilleux témoignage de quatre enfants qui ont refusé de laisser le mot *impossible* entrer dans leur cœur :

Eddie était né sans pieds, ni mains. À l'âge de cinq ans, il alla en Afrique du Sud et vit une montagne qu'il voulut escalader ; il l'escalada en trois heures. À l'âge de treize ans, il décida d'apprendre à jouer du trombone. Il ne voyait pas pourquoi il n'y parviendrait pas.

Eddie vit du côté actif de l'infini, en contact avec ce monde d'infinies possibilités.

Abby était très malade et avait désespérément besoin d'une transplantation cardiaque. Voyant sa mère en pleurs, elle lui dit : « Maman, ne pleure pas. Je vais aller mieux. » À la onzième heure, un cœur devint disponible, comme par miracle, et aujourd'hui Abby va mieux. L'intention d'Abby venait du monde des possibilités infinies, du côté actif de l'infini où les intentions deviennent réalité.

Stéphanie avait cinq ans lorsqu'elle contracta une méningite qui nécessita l'amputation de ses deux jambes. Aujourd'hui, à l'âge de douze ans, elle se promène à bicyclette et caresse des rêves beaucoup plus ambitieux que ceux de la plupart des adolescents qui possèdent leurs quatre membres. Son slogan est : *À la limite de mes possibilités*.

Après deux opérations à cœur ouvert alors qu'elle n'était encore qu'une petite fille, les médecins apprirent aux parents de Frankie qu'ils ne pouvaient plus rien faire pour elle. Frankie était désormais maintenue en vie grâce à un appareil de soutien vital. Lorsqu'on conseilla à ses parents de débrancher l'appareil, puisqu'elle n'avait aucune chance de survie et que cela ne faisait que prolonger ses souffrances, ceux-ci finirent par accepter. Mais Frankie s'accrocha à la vie. Elle se trouvait du côté actif du monde des possibilités infinies. La légende sous sa photo veut tout dire : *Vous ne pensiez pas vous débarrasser de moi aussi facilement, n'est-ce pas ?*

Le pouvoir de l'intention implique que vous demeuriez du côté actif des possibilités infinies. George Bernard Shaw, qui était toujours aussi inventif à quatre-vingt-dix ans, aurait dit un jour : « Vous voyez les choses et vous vous dites "Pourquoi ?" Mais je rêve de choses qui n'ont jamais existé, et je me dis "Pourquoi pas ?" » Pensez aux paroles de Shaw tandis que vous

vous exercez à demeurer du côté actif de l'infini et à voir les infinies possibilités qui nous sont offertes.

Le sens de l'émerveillement. Vous devez reconnaître que ce concept d'infinité est génial. Pas de début. Pas de fin. Partout à la fois. Libéré du temps. Et tout entier présent ici et maintenant. Le fait que vous, un être fini, fassiez partie de cet univers infini est stupéfiant. Cela défie toute description. Le côté actif de l'infinité ne peut que nous émerveiller. Lorsque vous êtes émerveillé, vous êtes dans un état de gratitude perpétuel. La façon la plus sûre d'être heureux et satisfait dans la vie consiste probablement à remercier et à célébrer votre Source pour *tout* ce qui vous arrive. Même lorsque vous êtes frappé par le malheur, vous pouvez être assuré que vous transformerez cette situation en bénédiction.

Du côté inactif de l'infini, vous prenez pour acquis que votre présence sur terre n'est que temporaire, et que vous n'avez par conséquent aucune obligation envers l'univers, votre planète et ses habitants. En niant votre nature infinie, vous traversez la vie en prenant pour acquis les miracles de tous les jours. Toutefois, en choisissant de vous familiariser avec votre nature éternelle, vous adoptez un point de vue fort différent. Vous êtes dans un état de gratitude perpétuel pour tout ce qui se présente à vous. Cet état de gratitude est la clé pour réaliser vos propres intentions individuelles. Sans cela, tous vos efforts, même les plus sincères, demeureront vains.

Le fait d'être dans un état de gratitude crée un champ magnétique au pouvoir attractif. En exprimant votre reconnaissance pour ce que vous avez connu, en bien comme en mal, vous contribuerez, grâce à ce magnétisme, à attirer davantage de bonnes choses dans votre vie. Parmi les gens que je connais, tous ceux qui ont du succès sont reconnaissants pour *tout* ce qu'ils ont. Ces remerciements ouvrent également la porte à d'autres bénédictions. C'est ainsi que fonctionne le côté actif de l'infini. Votre sens de l'émerveillement face aux miracles que vous observez autour de vous vous permet d'en voir et d'en vivre encore davantage. À l'inverse, l'ingratitude interrompt ce flot infini d'abondance et de santé. Une porte s'est refermée.

Le sens de l'humilité. Le côté actif de l'infini entretient un sentiment d'humilité. Lorsque votre âme accueille ce sentiment d'humilité, vous savez que vous n'êtes plus seul dans le monde, car vous sentez le cœur du pouvoir de l'intention qui bat en chacun de nous. Pour citer le Talmud : « Même si autrement vous êtes parfait, vous échouerez sans humilité. » Lorsque vous embrassez le côté actif de l'infini, vous contemplez quelque chose de si grand que votre petit ego prend des allures de nain. Vous observez ce que nous entendons par *toujours*, et votre petite vie vous apparaît alors comme une minuscule parenthèse au sein de l'éternité.

L'une des raisons qui explique la prévalence de la dépression et de l'ennui chez nos contemporains tient à notre incapacité à nous voir en contact avec quelque chose qui dépasse en taille et en importance notre pitoyable ego. Les jeunes gens qui se préoccupent principalement de leurs possessions, de leur apparence et de leur réputation – bref, de leur propre ego – ont un sens de l'humilité très peu développé. Lorsque vous n'avez qu'à penser à vous-même et à l'image que vous projetez, vous vous éloignez du pouvoir de l'intention. Si vous voulez sentir que vous avez un but dans la vie, soyez convaincu d'une chose : *Vous trouverez votre but en vous mettant au service des autres et en prenant contact avec quelque chose qui dépasse votre corps, votre esprit et votre ego.*

Je dis toujours à mes jeunes clients, et en particulier à ceux qui cherchent désespérément à obtenir l'approbation de leurs pairs, que plus ils chercheront leur accord, plus on les rejettera, car personne n'aime ce genre de comportement. Les gens qui reçoivent le plus d'approbation sont ceux qui s'en préoccupent le moins. Donc, si vous voulez vraiment recevoir l'approbation de vos pairs, arrêtez de penser à votre propre personne et essayez plutôt d'aider les gens qui vous entourent. Le côté actif de l'infini vous enseigne l'humilité, tandis que le côté inactif de l'infini vous amène à ne penser qu'à une seule chose : *moi, moi et encore moi*. Et tôt ou tard, cette attitude finit par vous bloquer l'accès à l'intention.

William Steckel a écrit quelque chose de remarquable sur l'humilité (citation reprise dans *L'Attrape-cœur* de J. D. Salinger) : « La marque de l'immaturité consiste à vouloir mourir noblement pour une cause alors que celle de la maturité consiste à vivre humblement pour en servir une. »

Le sens de la générosité. Si je demandais : *Pourquoi nous donnes-tu ta lumière et ta chaleur ?*, je crois que le soleil me répondrait : *C'est dans ma nature de le faire*. Nous devons être comme le soleil, et localiser et dispenser notre généreuse nature. Lorsque vous êtes du côté actif de l'infini, votre nature est de donner.

Plus vous vous donnez, même à petites doses, plus vous ouvrez grand votre porte à la vie. Ce n'est pas simplement une récompense pour votre générosité, c'est une habitude qui augmente également votre envie de donner et qui, par conséquent, vous rend davantage apte à recevoir. Lorsque vous êtes du côté inactif de l'infini, vous concevez votre vie en termes de rareté, et l'accumulation devient pour vous une façon de vivre. Votre envie d'être généreux, de même que l'inclination à réaliser vos intentions, ne peut survivre si vous pensez en ces termes. Si vous ne voyez pas que l'univers est infini, que les réserves sont infinies, que le temps est infini et que la Source est infinie, vous serez porté à la thésaurisation et à l'avarice. Paradoxalement, nous faisons l'expérience du pouvoir de l'intention à travers ce que nous sommes prêts à donner aux autres. L'intention est un champ d'énergie émergeant d'une réserve infinie. Que pouvez-vous donner si vous n'avez pas d'argent ? J'adore le conseil de Swami Sivananda et je vous encourage à méditer sur sa signification. Tout ce qu'il suggère ici, vous en avez en quantité infinie.

> *La meilleure chose à donner*
> *À votre ennemi : le pardon ;*
> *À un opposant : la tolérance ;*
> *À un ami : votre cœur ;*
> *À un enfant : le bon exemple ;*
> *À votre père : de la déférence ;*
> *À votre mère : une conduite qui la rendra fière de vous ;*
> *À vous-même : le respect ;*
> *À l'humanité : la charité.*

Faites du don une façon de vivre. C'est, après tout, ce que font la Source et la nature de toute éternité. J'ai entendu dire que les arbres courbaient sous le poids des fruits mûrs, que les nuages ployaient gorgés de douce pluie et que les âmes nobles s'inclinaient avec grâce. C'est ainsi qu'agissent les êtres généreux.

Un sens de la certitude. Votre Source infinie ne doute jamais. Elle sait et agit par conséquent en fonction de ce qu'elle sait. C'est ce qui vous arrivera lorsque vous vivrez du côté actif de l'infini. Tous vos doutes seront chassés de votre cœur pour toujours. En tant qu'être infini ayant temporairement forme humaine, vous vous identifierez principalement à votre nature spirituelle.

Ce sens de la connaissance que vous développez en vivant du côté actif de l'infini témoigne que vous ne pensez plus en termes de limite. *Vous* êtes la Source, et celle-ci est illimitée. Elle ne connaît pas de frontière ; elle est constamment en expansion et d'une abondance illimitée. Et il en va de même pour vous. En chassant vos doutes, vous prenez la décision de reprendre contact avec votre moi originel. C'est la marque de tous ceux qui vivent leur vie afin de se réaliser. L'une des principales qualités de ces gens en contact avec l'infini est de penser et d'agir comme s'ils possédaient déjà ce qu'ils souhaitent avoir. C'est l'un des dix secrets du succès et de la paix intérieure présentés dans le livre du même nom. Le pouvoir de l'intention est si étranger au doute que votre sens de la certitude verra ce que vous souhaitez acquérir comme si vous l'aviez déjà. Il n'y a tout simplement pas d'opinion contraire.

Voici ce que je conseille à tous ceux qui désirent accéder au pouvoir de l'intention : demeurez du côté actif de l'infini, où toute l'énergie créatrice est disponible en quantité inépuisable. Rêvez jour et nuit de ce que vous avez l'intention de faire et de ce que vous avez l'intention de devenir, et ces rêves deviendront les interprètes de vos intentions. Ne laissez pas le doute s'immiscer dans vos rêves et vos intentions, car les rêveurs sont les sauveurs de ce monde. Tout comme le monde visible est soutenu par l'invisible, les rêves de l'homme se nourrissent de la vision des rêveurs solitaires. Soyez donc l'un de ces rêveurs.

Un sens de la passion. Nous devons l'un des plus beaux mots de la langue française au grec : *enthousiasme*. Le mot *enthousiasme* signifie « Dieu à l'intérieur ». Il y a en vous une âme passionnée qui désire s'exprimer. C'est le Dieu en vous qui vous presse de donner un sens profond à ce que vous êtes censé être. N'oubliez jamais que tous vos actes peuvent être mesurés à l'aune de ce qui les a inspirés. Par conséquent, lorsque vos actions portent la marque des sept visages de l'intention, vous savez qu'elles sont engendrées par le Dieu qui habite en vous. Vous avez agi dans l'enthousiasme. Et c'est en émulant le pouvoir de l'intention que vous prendrez conscience de la passion que vous êtes censé ressentir et exprimer dans votre vie.

Ce qui est formidable dans le fait de se sentir passionné et enthousiaste, c'est le magnifique sentiment de joie et de bonheur qui l'accompagne. Rien ne me rend plus heureux que d'être assis à ma table de travail et de vous écrire du fond de mon cœur. C'est avec enthousiasme que je permets à la Source de toutes les intentions, à l'esprit universel de la créativité, d'exprimer ces enseignements à travers moi. Pour dire les choses simplement, je me sens bien, je suis de bonne humeur, et mon inspiration me remplit de joie. Si vous voulez vous sentir bien, regardez dans le miroir et dites à votre réflexion : *Je suis éternel ; cette image finira par disparaître, mais moi, je suis infini. Je suis ici temporairement pour une raison bien précise. Je ferai tout ce que j'ai à faire avec passion.* Prêtez ensuite attention à ce que vous ressentez tandis que vous fixez votre réflexion. La bonne humeur est un merveilleux dérivé de l'enthousiasme. C'est le propre du côté actif de l'infini, où absolument rien ne peut vous mettre de mauvaise humeur.

Le sens de l'appartenance. Dans un monde éternel, il vaut mieux se sentir à sa place ! Le côté actif de l'infini inspire non seulement un fort sentiment d'appartenance, mais aussi le sentiment que vous êtes en contact avec tous les êtres et toutes les choses qui peuplent le cosmos. Vous ne pouvez pas ne pas vous sentir à votre place, car votre présence ici est la preuve que la divine Source universelle a voulu que vous y soyez. Toutefois, lorsque vous vivez du côté inactif de l'infini, vous avez l'impression d'être coupé des autres. L'idée que tout cela est temporaire et que vous n'avez rien à voir avec l'infinie perfection de Dieu suscite en vous le doute, l'anxiété, le rejet, la dépression et plusieurs autres énergies inférieures dont il sera question dans les pages de ce livre. Il suffit de passer à la conscience de l'infini pour laisser derrière soi tous ces sentiments morbides. Comme l'enseignait Sivananda à ses disciples :

La vie est une. Le monde est une seule demeure.
Nous sommes tous membres de la même famille.
La création est un tout organique.
Personne n'est indépendant de ce tout.
L'homme fait son propre malheur en se séparant des autres.
Cette séparation est la mort.
La vie éternelle réside dans l'unité.

*
* *

Cela conclut notre chapitre sur les côtés actif et inactif de l'infini. Je vous encourage à vous répéter tous les jours, aussi souvent que possible, que vous avez une nature infinie. Cela peut vous sembler un changement de perspective de peu d'importance, mais je vous assure que le fait de demeurer du côté actif de l'infini et de vous le rappeler régulièrement vous placera en position de réaliser vos désirs. De toutes les citations que j'ai lues sur le sujet, cette observation de William Blake se démarque clairement des autres : « Si on nettoyait les portes de la perception, l'Homme verrait les choses telles qu'elles sont : infinies. » Et c'est exactement ce que nous tentons de faire : dépoussiérer le lien qui nous unit au champ de l'intention.

Cinq suggestions pour mettre en pratique les idées présentées dans ce chapitre

1. *Puisque vous savez à présent que vous avez rendez-vous avec l'infini et que vous laisserez un jour ce monde physique derrière vous, choisissez de le faire sans plus attendre.* En fait, pourquoi ne pas le faire tout de suite, aujourd'hui même ? Il n'y a pas de meilleur moment, et cela serait fait une fois pour toutes. Dites-vous simplement : *Je ne m'identifie plus à ce corps et à cet esprit, et je rejette désormais cette étiquette. Je suis un être infini. Je ne fais qu'un avec l'humanité. Je ne fais qu'un avec ma Source, et c'est ainsi que je choisis de me voir à partir de ce jour et pour toujours.*

2. *Répétez ce mantra tous les jours pour vous rappeler que Dieu ne voudrait et ne pourrait créer quelque chose qui ne dure pas : J'existe de toute éternité. Tout comme l'amour est éternel, de même est ma vraie nature. Je n'aurai plus jamais peur, car je suis éternel.* Ce genre d'affirmation vous aligne sur le côté actif de l'infini et chasse vos doutes quant à votre véritable identité supérieure.

3. *Pendant que vous méditez, réfléchissez aux deux conceptions de l'infini qui s'offrent à vous.* Vous êtes essentiellement, comme je l'ai dit plus tôt, un être humain qui vit des expériences spirituelles ou un être spirituel infini qui vit temporairement des expériences humaines. Laquelle de ces deux

conceptions vous donne le sentiment d'être aimé ? Laquelle vous inspire de la peur ? Donc, puisque l'amour est notre véritable nature et la Source de tout ce qui existe, rien de ce qui engendre la peur ne peut être réel. Voyez-vous, vous éprouvez ce sentiment d'amour envers votre propre personne dans la mesure où vous vous concevez comme un être infini. Vous pouvez donc lui faire confiance. En optant pour le côté actif de l'infini, vous aurez toujours le sentiment d'être en sécurité, aimé et en contact avec l'intention.

4. *Chaque fois que vous vous surprenez à ruminer des pensées de peur, de désespoir, d'inquiétude, de tristesse, d'anxiété, de culpabilité ou toute autre pensée associée à des énergies inférieures, arrêtez-vous un instant pour vous demander si ces idées ont un sens du côté actif de l'infini.* Le fait de savoir que vous êtes ici pour toujours et en contact permanent avec votre Source vous permettra de voir le monde sous un nouveau jour. Dans le contexte de l'infini, vivre autrement que dans l'appréciation et l'amour est une perte d'énergie vitale. Vous pouvez rapidement dissiper ces énergies inférieures et reprendre du même coup contact avec le pouvoir de l'intention en nettoyant, comme le suggère William Blake, vos portes de la perception et en voyant les choses telles qu'elles sont : *infinies*.

5. *Prenez le temps de penser aux gens que vous avez connus et aimés et qui sont à présent dans l'au-delà.* Le fait d'être conscient de votre nature infinie et de demeurer du côté actif de l'infini vous permet de sentir la présence de ces âmes qui ne peuvent mourir et qui ne sont donc pas mortes.

Dans *Anam Cara*, un livre sur la sagesse celtique, vous trouverez cette réflexion de John O'Donohue avec laquelle je suis non seulement d'accord, mais que je sais, pour l'avoir vécu personnellement, être vraie :

Je crois que nos amis les morts se préoccupent de nous et veillent sur nous… il est même possible de tisser des liens avec nos amis du monde invisible. Nous avons tort de pleurer les morts. Pourquoi devrions-nous avoir de la peine ? Ils vivent désormais dans un monde où il n'y a ni ténèbres, ni ombres, ni solitude, ni isolement, ni douleur. Ils sont chez eux. Ils sont auprès de Dieu, leur créateur.

Non seulement vous pouvez sentir la présence de ceux qui sont passés de l'autre côté et communiquer avec eux, vous pouvez également, en choisissant de vivre du côté actif de l'infini, mourir de votre vivant et vous débarrasser pour de bon des ombres et des ténèbres.

*
* *

Cela conclut la première partie de notre livre. La deuxième partie sera composée d'une série de chapitres sur les diverses façons de mettre en pratique dans votre vie ce nouveau lien avec l'intention. Comme pour la première partie, lisez les pages qui suivent en gardant à l'esprit qu'il est non seulement possible d'accomplir tout ce que vous pouvez imaginer, mais aussi que tout est possible du côté actif de l'infini.

À vous de me dire ce que cela exclut !

❁

DEUXIÈME PARTIE

COMMENT METTRE EN PRATIQUE CE QUE NOUS SAVONS SUR L'INTENTION

« Nous ne faisons qu'un, mais nous croyons le contraire. C'est pourquoi nous devons recouvrer notre unité originelle. Peu importe ce que nous devons être, nous devenons toujours ce que nous sommes. »

Thomas Merton

CHAPITRE SEPT

J'AI L'INTENTION :
DE ME RESPECTER EN TOUT TEMPS

« UN HOMME NE PEUT VIVRE CONFORTABLEMENT
SANS S'APPROUVER LUI-MÊME. »

Mark Twain

Commençons ce chapitre par une vérité toute simple : Vous n'êtes pas issu d'une particule de matière comme vous avez été amené à le croire. Le moment où vos parents vous ont conçu dans un élan de bonheur ne marque pas le début de votre existence. Vous n'avez pas de début. Comme toutes les autres particules, cette particule provenait du champ d'énergie universel de l'intention. Vous faites partie de l'esprit créateur universel, et vous devez être capable de sentir la présence de Dieu en vous et vous voir vous-même comme une création divine pour accéder au pouvoir de l'intention.

Accordez à cette idée toute l'attention qu'elle mérite – tout de suite – tandis que vous lisez ces lignes. Pensez à l'énormité de ce que vous êtes en train de lire. Vous faites partie de Dieu. Vous êtes une création qui vit et respire, issue de l'esprit universel de la Source créatrice. Vous êtes pareil à Dieu et Dieu est pareil à vous. Pour dire les choses simplement, en vous aimant et en vous faisant confiance, vous aimez et faites confiance à la sagesse qui vous a créé ; en refusant de le faire, vous tournez le dos à la sagesse infinie au profit de votre propre ego. Il est important ici de se rappeler qu'à chaque instant de votre vie vous avez le choix d'être l'hôte de Dieu ou l'otage de votre ego.

Hôte ou otage ?

Votre ego est cet ensemble de croyances dont nous avons discuté plus tôt dans ce livre, et qui vous définit sur la base de ce que vous avez accompli et accumulé au sens matériel. Votre ego est le seul responsable des sentiments de doute et de désaveu qui peut-être vous habitent. Quand vous choisissez de vivre en vous pliant aux plus bas standards de votre ego, vous devenez l'otage de ce même ego. Votre valeur, en tant que personne humaine, se mesure à l'aune de vos acquisitions et de vos accomplissements. Si vous avez peu de biens, vous ne valez pas grand-chose, et par conséquent vous ne méritez pas que les autres vous respectent. Si les autres ne vous respectent pas, et que votre valeur dépend de la façon dont les autres vous voient, vous ne pourrez jamais vous respecter vous-même. Vous devenez l'otage des énergies inférieures de l'ego, ces mêmes énergies qui vous font croire que le respect de soi passe par les autres.

Le fait que votre ego vous encourage à entretenir la croyance que vous êtes séparé des autres, séparé de ce qui manque à votre vie et, ce qui est beaucoup plus grave, séparé de Dieu, entrave encore davantage votre capacité à concrétiser l'intention de vous respecter vous-même. Cette croyance de l'ego nourrit l'impression que vous êtes en compétition avec les autres, et vous amène à évaluer votre propre valeur en fonction du nombre de fois où vous êtes déclaré vainqueur. Lorsque vous êtes l'otage de votre ego, vous ne pouvez vous respecter vous-même, car vous avez constamment l'impression d'être jugé pour vos échecs. Cette triste situation, conséquence de la négativité de votre ego, rend possible ce sentiment de rejet que vous éprouvez pour vous-même. Il vous emprisonne et vous prend en otage, ne vous donnant jamais la chance d'être l'hôte de votre véritable créateur.

Être l'hôte de Dieu signifie ne jamais perdre de vue votre véritable lien avec votre Source. C'est savoir qu'il vous est impossible d'être coupé de la Source qui vous a précédé. Personnellement, je prends un immense plaisir à être l'hôte de Dieu. En m'asseyant chaque matin à ma table de travail, je sens que je reçois des paroles et des idées du pouvoir de l'intention, pouvoir qui me permet de transposer ces mots sur la page blanche. Je sais que cette Source me fournira les mots dont j'ai besoin ; donc, je fais confiance à la Source qui m'a introduit dans le monde physique. Et je suis éternellement en contact avec cette Source.

Je n'aurais pu concrétiser mon intention d'écrire ce livre sans cette prise de conscience qui exclut tout manque de respect envers moi-même. J'en suis venu à la conclusion que je suis digne d'écrire ce livre et de le faire publier afin que vous puissiez aujourd'hui le lire. En d'autres termes, je respecte cette parcelle de Dieu que je suis moi-même. Je puise dans le pouvoir de l'intention, et le respect que j'éprouve pour ce pouvoir améliore du même coup mon estime de moi-même.

Donc, en vous aimant et en vous respectant, vous devenez l'hôte de Dieu *et* invitez l'énergie de la Création à pénétrer dans votre conscience et dans votre vie quotidienne, tandis que vous prenez contact avec le pouvoir de l'intention.

L'énergie de l'intention et l'estime de soi. Si vous pensez ne pas être digne d'être en bonne santé, prospère et aimé, vous créez alors un obstacle qui inhibera le flux d'énergie créatrice dans votre vie quotidienne. Rappelez-vous que tout dans l'univers est énergie. Plus les fréquences énergétiques sont élevées, plus vous vous approchez de l'énergie spirituelle. Plus les fréquences sont basses, plus vous rencontrez des problèmes de rareté. L'intention est elle-même un champ d'énergie unifié à l'origine de tout ce qui existe. Ce champ est le berceau des lois de la nature et l'espace intime de tous les êtres humains. C'est le champ de tous les *possibles*, et il est vôtre en vertu même de votre existence.

Le fait d'avoir un système de croyances qui nie votre lien avec l'intention est la seule façon pour vous de ne pas accéder au pouvoir de l'intention à partir du champ de l'infini. Si vous êtes convaincu que vous n'êtes pas digne de jouir du champ de tous les possibles, vous irradierez alors les énergies les plus basses. Pire encore, vous prendrez l'habitude d'attirer des énergies de ce genre et vous enverrez le message à l'univers que vous n'êtes pas digne de recevoir l'abondance illimitée de l'Esprit à l'origine de toute chose. Bientôt vos actions se mettront à refléter ce sentiment d'irrespect envers vous-même ; vous serez convaincu qu'il est impossible pour vous de recevoir le soutien affectif du champ de l'intention et vous bloquerez la source d'énergie qui irriguait votre vie. Pourquoi ? Parce que vous pensez ne pas en être digne. Or, cette marque d'irrespect envers vous-même est suffisante pour contrecarrer la réalisation de vos intentions.

La loi de l'attraction stipule que vous vous attirerez de l'irrespect si vous croyez ne pas être digne d'être respecté. Envoyer le message que vous ne méritez pas de réaliser vos rêves, c'est dire à la Source universelle : *Ne me donnez rien de ce que je désire, même si je suis sur le point de l'obtenir, car je ne crois pas en être digne*. La Source universelle réagira en interrompant le flux d'énergie, une réaction qui vous amènera à réaffirmer que vous croyez fermement en être indigne et à vous attirer encore plus d'irrespect de toutes les façons possibles. Vous serez irrespectueux envers votre corps en vous suralimentant et en l'empoisonnant avec des substances toxiques. Vous afficherez votre piètre estime de vous-même par le biais de votre posture, de vos vêtements, de votre laisser-aller et de la façon dont vous traitez les autres... et la liste continue.

L'antidote au sombre portrait que je viens de dresser consiste à vous engager à vous respecter vous-même et à sentir que vous méritez tout ce que l'univers peut vous offrir. Si *quelqu'un* a droit au succès et au bonheur, *tout le monde* y a droit, car nous sommes tous liés à l'intention. Pour le dire autrement, ne pas vous respecter, c'est faire preuve d'irrespect non seulement envers l'une des plus grandes créations de Dieu, mais envers Dieu luimême. Lorsque vous ne respectez pas votre Source, lorsque vous lui dites non, vous tournez le dos au pouvoir de l'intention. Le flux d'énergie qui vous permet de concrétiser vos intentions individuelles les plus arrêtées s'interrompt. De là, il ne vous sert plus à rien d'entretenir des pensées positives si ces pensées n'émanent pas du respect que vous éprouvez pour votre lien avec l'intention. La *source* de vos pensées doit être célébrée et aimée, et cela veut dire acquérir un sentiment de respect pour vous-même en harmonie avec la Source omnisciente de l'intelligence. Quelle est la source de vos pensées ? Votre *être*. Votre être est l'endroit d'où viennent vos pensées et vos actions. Lorsque vous manquez de respect à votre être, vous déclenchez une réaction en chaîne qui culminera dans la non-réalisation de vos intentions.

L'estime de soi devrait être pour vous quelque chose de naturel, comme elle l'est pour tous les animaux. Vous ne rencontrerez jamais de raton laveur qui se croit indigne de ce qu'il a l'intention d'obtenir. Si c'était le cas, ce raton mourrait de faim en agissant en accord avec la conviction qu'il ne mérite pas de trouver de la nourriture, un abri ou toute autre chose qu'un raton laveur puisse désirer. Il sait qu'il mérite le respect, qu'il n'a aucune raison de se dénigrer et qu'il peut vivre sa vie de raton laveur en parfaite harmonie avec sa Source. L'univers lui offre tout ce dont il a besoin, mais c'est lui qui attire ces provisions à l'intérieur de son monde.

Ce que vous pensez de vous-même reflète ce que vous pensez du monde

Comment voyez-vous le monde dans lequel vous vivez ? Que pensez-vous des gens en général ? Pensez-vous que le mal est en train de l'emporter sur le bien ? Le monde est-il rempli d'égocentriques et d'égoïstes ? Est-ce que les petits n'ont jamais la chance de prendre les devants ? Nos dirigeants et nos gouvernants sont-ils tous corrompus et indignes de confiance ? La vie est-elle injuste ? Est-il possible d'avoir de l'avancement si vous n'avez pas de relations privilégiées ?

Toutes ces attitudes sont reliées à la façon dont vous envisagez votre propre relation au monde. Si vos pensées reflètent un point de vue pessimiste, c'est ainsi que vous vous sentez à l'intérieur de vous. Si vos pensées reflètent un point de vue optimiste, c'est également ce que vous éprouvez à l'égard de votre propre vie. Quelle que soit votre attitude à l'égard du monde en général, elle témoigne toujours du respect que vous avez pour votre capacité à réaliser ce que vous avez l'intention de faire. Une attitude pessimiste suggère fortement que vous ne souscriviez pas à l'idée qu'il est possible d'accéder au pouvoir de l'intention afin de créer son propre bonheur.

Je me rappelle avoir entendu cette conversation peu de temps après les événements du 11 septembre 2001 à New York. Un grand-père discutait avec son petit-fils et lui expliquait la chose suivante : « Il y a deux loups qui hurlent à l'intérieur de moi. Le premier loup est rempli de colère, de haine, de rancune et essentiellement de vengeance. Le second est rempli d'amour, de bonté, de compassion et même de miséricorde.

— Lequel des deux va gagner selon toi ? demanda le petit garçon.

— Celui des deux que je nourrirai », répondit le grand-père.

Il y a toujours deux façons d'envisager l'état de notre monde. Nous pouvons voir la haine, les préjugés, les mauvais traitements, les famines, la pauvreté et le crime et conclure que ce monde est horrible. Nous pouvons nourrir le loup qui hurle et ne voir que les choses qui nous font horreur. Mais cela ne fera que nous amener à assimiler ces choses que nous trouvons si méprisables. Ou nous pouvons observer le monde d'un point de vue où règnent l'estime de soi et l'amour de soi et constater tout ce qui s'est amélioré depuis que nous sommes au monde : les progrès accomplis en matière d'intégration raciale, la chute de nombreuses dictatures, la diminution du taux de criminalité, le démantèlement d'horribles régimes d'apartheid, la montée des groupes environnementaux et le désir de milliards de gens de voir disparaître les armes nucléaires et les armes de destruction massive. Nous pouvons nous rappeler que, pour chaque geste malfaisant, nous pouvons compter un million d'actes de bonté, et de là, nourrir le second loup en gardant espoir en l'humanité. Si vous vous percevez vous-même comme une création divine, cela entrera dans votre vision du monde, et les prophètes de malheur n'auront plus aucune influence sur vous et votre estime de vous-même.

Quand vous avez une vision sinistre du monde, vous n'êtes pas réceptif à ceux qui pourraient vous aider à aller au bout de vos propres intentions individuelles. Pourquoi vos semblables vous aideraient-ils si vous trouvez leur conduite méprisable ? Pourquoi la force universelle serait-elle attirée par ce qui la repousse ? Comment un monde aussi corrompu pourrait-il prêter main-forte à quelqu'un ayant d'aussi nobles intentions ? La réponse à toutes ces questions est plus qu'évidente. Vous attirez dans votre vie ce que vous ressentez à l'intérieur de vous. Si vous sentez que vous ne méritez pas d'être respecté, vous attirerez l'irrespect. Cette piètre estime de vous-même est la conséquence de l'exceptionnelle érosion du lien qui vous unit au champ de l'intention. Ce lien doit être nettoyé et purifié, et c'est dans votre propre esprit que cela doit se faire.

J'ai choisi de consacrer le premier chapitre de la seconde partie sur l'application de l'intention au *respect de soi* pour une raison fort simple : si vous n'avez pas une haute estime de vous-même, vous court-circuitez tout le processus de l'intention. Sans un respect de soi inébranlable, le processus de l'intention opère aux niveaux les plus bas. Le champ universel de l'intention est amour, bonté et beauté, comme tout ce qu'il introduit dans le monde matériel. Ceux qui souhaitent reproduire l'impact de l'esprit créateur universel doivent donc être en harmonie avec l'amour, la bonté et la beauté. Si vous montrez de l'irrespect envers une création de Dieu, vous manquez aussi de respect à cette force créatrice. Vous êtes l'une de ces créations. En ne vous respectant pas, vous abandonnez, vous laissez tomber ou vous souillez à tout le moins votre lien avec le pouvoir de l'intention.

Il est important que vous preniez conscience du fait que votre vision du monde dépend du respect que vous avez pour vous-même. Croyez à l'infinité des possibilités, et vous élargirez vos propres possibilités. Défendez l'idée que les êtres humains peuvent vivre en paix et être réceptifs les uns aux autres, et vous serez en paix et réceptif aux possibilités de la vie. Gardez à l'esprit que nous avons tous accès à l'abondance et à la prospérité de l'univers, et vous verrez cette abondance se manifester dans votre vie. Votre estime de vous-même doit reposer sur la reconnaissance de ce lien sacré. Ne laissez rien ébranler cette divine fondation. Vous contribuerez ainsi à purifier votre lien avec l'intention, et prendrez conscience que le fait de vous respecter ou non dépend entièrement de vous. Cela n'a rien à voir avec ce que les autres peuvent penser de vous. Le respect de soi provient du soi, et de rien d'autre.

Respect de soi : le rôle du soi. La plus grande erreur que nous puissions sans doute faire, une erreur qui nous fait perdre tout respect de nous-mêmes, est de considérer que les opinions des autres sont plus importantes que nos propres opinions. Le respect de soi ne dépend que d'une chose : du soi. Ce *soi* tire son origine du champ universel de l'intention qui a voulu votre présence ici-bas, en vous faisant passer de l'état d'une entité informe et illimitée à celui d'une substance physique composée de molécules. Si vous êtes incapable de vous respecter, vous affichez d'une certaine façon votre mépris pour le processus de la Création.

Les gens ne manqueront jamais de vous juger. Si vous leur permettez de miner votre respect de vous-même, cela veut dire que vous valorisez davantage leurs opinions que les vôtres, et donc que vous renoncez à vous-même. Vous tenterez alors de reprendre contact avec le champ de l'intention sur la base d'attitudes associées aux énergies inférieures du jugement, de l'hostilité et de l'anxiété. Vous vous mettrez à tourner en rond dans une mare de basses vibrations qui vous forceront à attirer dans votre vie toujours plus d'énergies inférieures. N'oubliez pas que les énergies les plus hautes neutralisent et convertissent les énergies les plus basses. La lumière chasse les ténèbres ; l'amour dissout la haine. Si vous permettez à l'une de ces pensées et opinions négatives dirigées contre vous de devenir la base de votre image de vous-même, vous demandez à l'esprit universel de faire de même. Pourquoi ? Parce que au niveau des fréquences supérieures, la Source universelle de l'intention est pure créativité, amour, bonté, beauté et abondance. *Le respect de soi attire des énergies supérieures*. À l'inverse, un manque de respect de soi attire les énergies les plus basses. Je ne vois pas comment il pourrait en être autrement.

Les points de vue négatifs exprimés par ceux qui vous entourent représentent l'action de leur propre *ego* sur le vôtre. En fait, c'est très simple : quand vous portez des jugements contre quelqu'un, vous ne l'aimez pas au moment où vous formulez ces jugements. Les critiques dirigées contre vous sont également privées d'amour, mais il demeure qu'elles n'ont rien à voir avec votre estime de vous-même. Ces critiques (comme les vôtres) vous éloignent de votre Source, et par conséquent du *pouvoir* de l'intention. Comme me le faisait observer mon ami et collègue Gerald Jampolsky : « Quand je suis capable de résister à la tentation de juger les autres, je leur suis reconnaissant de me rappeler que la tranquillité d'esprit s'acquiert en pardonnant et non en jugeant. »

C'est ainsi que vous retrouverez le *vous* dans *estime de vous-même*. Au lieu de juger ceux qui vous jugent, et ainsi d'abaisser votre estime de vous-même, pardonnez-leur en silence et imaginez qu'ils en font autant à votre endroit. Ce faisant, vous prendrez contact avec l'intention et affirmerez haut et fort que vous respecterez toujours cette divinité que vous êtes. Vous aurez alors la voie libre pour jouir de l'immense pouvoir qui vous attend dans le champ de l'intention.

Quand vos intentions deviennent réalité

Pour conclure cette section, voici dix façons de manifester votre intention de vous respecter en tout temps :

Première étape : Placez-vous devant un miroir, regardez-vous droit dans les yeux, et dites « *Je m'aime* » aussi souvent que possible au cours de la journée. Je m'aime : ces mots magiques vous aideront à consolider votre estime de vous-même. Toutefois, soyez conscient que prononcer ces mots peut s'avérer difficile au départ en raison des circonstances dans lesquelles vous avez vécu jusqu'ici, mais aussi du fait que ces mots pourraient faire remonter à la surface l'irrespect que votre ego tient à préserver.

Votre première réaction sera peut-être d'y voir l'expression du désir de votre ego d'être supérieur à tout le monde. Mais cette affirmation ne concerne pas votre ego : c'est une manifestation de respect envers vous-même. Transcendez votre ego et affirmez sans ambages votre amour pour vous-même et votre lien avec l'Esprit de Dieu. Cela ne veut pas dire que vous pensez être meilleur que les autres, mais démontre au contraire que vous êtes l'égal de tous et fier d'être une parcelle de Dieu. Faites-le par respect envers vous-même. Faites-le par respect pour ce qui vous a introduit dans le monde. Faites-le pour demeurer toujours en contact avec votre Source et recouvrer le pouvoir de l'intention. *Je m'aime.* Dites-le sans gêne. Dites-le fièrement, et soyez à l'image de l'amour et du respect de soi.

Deuxième étape : Prenez en note l'affirmation suivante et répétez-la aussi souvent que possible : Je suis un tout parfait comme au moment de ma création ! Gardez cette affirmation sur vous partout où vous allez. Imprimez-la et laissez-la dans votre poche ou sur le tableau de bord de votre voiture, sur le réfrigérateur ou près de votre lit ; laissez ces mots devenir une source d'énergie supérieure et de respect envers vous-même. Le simple fait de porter ces mots sur vous et d'être dans le même espace qu'eux permettra à leur énergie de s'écouler directement en vous.

Le respect de soi est fondé sur le fait de respecter la Source dont vous êtes issu et la décision de reprendre contact avec elle, sans vous soucier de ce que les autres pourraient en penser. Il est très important que vous vous rappeliez que vous êtes digne du respect infini de la seule Source sur laquelle vous pouvez toujours compter : celle de l'énergie de Dieu qui vous définit. Ce rappel fera merveille pour votre estime de vous-même et améliorera du même coup votre capacité à utiliser le pouvoir de l'intention. Répétez-vous encore et encore : *Je ne suis pas mon corps. Je ne suis pas les biens que je possède. Je ne suis pas la somme de mes succès. Je ne suis pas ma réputation. Je suis un tout parfait comme au moment de ma création !*

Troisième étape : Soyez respectueux envers les autres et toutes les formes de vie. Le secret de l'estime de soi consiste probablement à apprécier davantage les gens qui nous entourent. Pour y arriver, essayez de voir l'image de Dieu en eux. Voyez au-delà de leur apparence, de leurs échecs, de leurs réussites, de leur statut social, de leur richesse ou de leur pauvreté… et tâchez d'étendre votre reconnaissance et votre amour jusqu'à la Source dont ils sont issus. Nous sommes tous les enfants de Dieu ! Essayez de voir l'image de Dieu même chez ceux qui semblent se conduire de manière impie. Sachez qu'en leur accordant votre amour et votre respect, vous pouvez détourner cette énergie afin qu'elle retourne à sa Source au lieu de s'en éloigner. Bref, faites-leur cadeau de votre respect puisque c'est ce que vous avez de mieux à donner. Jugez les autres et irradiez des énergies inférieures, et c'est exactement ce que vous retrouverez dans votre vie. Rappelez-vous : quand vous jugez l'un de vos semblables, vous vous définissez vous-même comme une personne qui a besoin de juger les autres.

Quatrième étape : Dites-vous à vous-même et à tous ceux que vous rencontrez : *Je suis à ma place !* Le sentiment d'être à sa place occupe l'un des rangs les plus élevés dans la pyramide de l'actualisation de soi d'Abraham Maslow (nous en reparlerons au prochain chapitre). Avoir le sentiment de ne pas être à sa place ou d'être au mauvais endroit peut être dû à un manque d'estime de soi. Respectez-vous, ainsi que votre divinité, en vous rappelant que tout le monde est à sa place. Cette vérité ne devrait jamais être remise en question. Votre présence dans cet univers est en soi la preuve que vous y êtes à votre place. Personne ne peut décider si vous y êtes à votre place ou non. Aucun gouvernement ne peut déterminer qui est à sa place et qui ne l'est pas. Vous faites partie d'un système intelligent. Dans sa grande sagesse, la Création a voulu que vous soyez ici présent, dans ce lieu, dans cette famille, entouré de vos frères et sœurs, dans cet espace précieux qui est le vôtre. Dites-le et affirmez-le chaque fois que cela est nécessaire : *Je suis à ma place !* Et il en va de même pour chacun d'entre nous. Personne n'est ici par accident !

Cinquième étape : Rappelez-vous que vous n'êtes pas seul. Mon estime de moi-même ne saurait fléchir tant que je sais que je ne serai jamais seul. Je peux compter sur un *partenaire* qui ne m'a jamais abandonné et qui m'a soutenu dans les moments difficiles où j'avais apparemment renié ma Source. À mon avis, si l'esprit universel me respecte suffisamment pour me permettre de venir ici-bas, pour s'exprimer à travers moi et me protéger quand je m'aventure dans les sables mouvants de l'impiété, alors ce partenaire mérite en retour mon respect. Mon ami Pat McMahon, animateur de radio à la station KTAR de Phoenix, Arizona, me raconta un jour sa rencontre avec mère Teresa, quelques instants avant de l'interviewer sur les ondes. Il lui demanda avec insistance la permission de faire quelque chose pour elle. « N'importe quoi, lui dit-il. J'aimerais tant vous aider. » Elle leva les yeux et répondit : « Demain matin, levez-vous à quatre heures et allez marcher dans les rues de Poenix. Trouvez quelqu'un qui vit dans la rue, quelqu'un qui croit être seul au monde, et prouvez-lui que c'est faux. » Voilà un extraordinaire conseil, car celui qui patauge dans le doute et la confusion… perd le respect de lui-même en oubliant qu'il n'est pas seul.

Sixième étape : Respectez votre corps ! On vous a offert un corps parfait pour accueillir pendant quelques brefs instants votre être invisible éternel. Quelles que soient sa taille, sa forme, sa couleur ou ses infirmités, c'est une création parfaitement adaptée à l'intention qui a précédé votre venue ici-bas. Vous n'avez pas à vous démener pour être en bonne santé ; la santé est quelque chose que vous possédez déjà si vous ne l'avez pas vous-même compromise. Vous pouvez compromettre la santé de votre corps en vous suralimentant, en étant sédentaire ou en le surexcitant avec des toxines et des médicaments qui le rendent malade, faible, nerveux, anxieux, déprimé, gonflé et récalcitrant, ou encore en l'exposant à une interminable liste de maladies. Vous pouvez commencer à manifester votre intention de vous respecter vous-même en honorant le temple qui vous abrite. Il ne sert à rien d'entreprendre un autre régime, d'acheter un manuel d'exercice ou d'engager un entraîneur personnel. Rentrez à l'intérieur de vous, écoutez ce que vous dit votre corps, et traitez-le avec toute la dignité et tout l'amour que votre respect de vous-même exige.

Septième étape : Méditez afin de demeurer en contact avec votre Source qui vous respecte et vous respectera toujours. Je ne le répéterai jamais assez : la méditation est un moyen de faire l'expérience de ce que nos cinq sens ne peuvent détecter. Lorsque vous êtes en contact avec le champ de l'intention, vous êtes branché sur la sagesse qui réside en vous. Cette sagesse divine a un grand respect pour vous et vous chérit tant que vous demeurez ici-bas. La méditation est une façon de vous assurer que vous resterez fidèle à votre intention de vous respecter vous-même. Peu importe ce qui se passe autour de vous, quand vous entrez dans l'espace sacré de la méditation, vous chassez tous ces doutes qui vous assaillent quant à votre valeur en tant que création divine. Vous sortez de votre méditation avec le sentiment solennel d'être en contact avec votre Source et porteur d'un respect renouvelé pour tous les êtres, et pour vous en particulier.

Huitième étape : Faites amende honorable en présence de vos adversaires. Faire amende honorable envoie le signal que vous respectez vos adversaires. En irradiant cette énergie repentante vers l'extérieur, vous remarquerez que les autres vous enverront eux aussi le même genre d'énergie positive en retour. En étant assez mature pour faire amende honorable et remplacer la colère, le ressentiment et la tension par de la bonté – même si vous continuez à penser que vous avez raison – vous vous respectez encore bien davantage que précédemment. Si certaines personnes vous rendent fou de rage, une part importante de vous-même désapprouve le recours à cette énergie débilitante. Arrêtez-vous un instant et faites face à cette personne que vous avez blessée ou voulu blesser, et dites-lui que vous êtes désolé pour ce qui est arrivé. Vous serez étonné de voir à quel point vous vous sentirez mieux. Ce sentiment de bien-être qui vous envahira après avoir détendu l'atmosphère est le sentiment du respect de soi. Il faut beaucoup plus de courage, de force de caractère et d'intime conviction pour faire amende honorable qu'il n'en faut pour s'accrocher à des sentiments issus des énergies les plus faibles.

Neuvième étape : N'oubliez jamais le *soi* dans respect de soi. Pour y arriver, vous devez prendre conscience que les opinions des autres ne sont pas des faits, mais justement des opinions. Lorsque je prends la parole devant cinq cents personnes, il y a cinq cents opinions de moi dans la salle à la fin de la soirée. Je ne correspond à aucune de ces opinions. Je ne suis pas responsable de la façon dont ces personnes me perçoivent. La seule chose dont je suis responsable, c'est de mon caractère, et cela vaut pour chacun d'entre nous. Si je me respecte, alors je fais confiance au *soi* dans respect de soi. Si je doute de moi-même, si je me punis, j'aurai non seulement perdu tout respect pour moi-même, mais je continuerai à attirer plus de doutes et plus d'opinions négatives en guise de punition. Vous ne pouvez demeurer en contact avec l'esprit universel, qui a projeté de nous voir tous ici, si vous êtes incapable de vous faire confiance.

Dixième étape : Soyez reconnaissant. Vous découvrirez dans les chapitres suivants que la gratitude est toujours la dernière étape. Appréciez au lieu de déprécier ce qui se manifeste dans votre vie. Lorsque vous dites *Merci pour tout, mon Dieu*, lorsque vous êtes reconnaissant pour votre vie et vos expériences personnelles, vous respectez la Création. Ce respect est en vous, et vous ne pouvez donner que ce qui est déjà en vous. Être reconnaissant et être respectueux sont une seule et même chose : respectez-vous – après tout cela ne coûte rien – et ce respect vous sera rendu au centuple.

Je conclurai ce chapitre sur ces paroles de Jésus de Nazareth, telles qu'elles sont rapportées par saint Matthieu (Matthieu 5, 48) : « Soyez parfait comme votre Père céleste est parfait. » Reprenez contact avec la perfection dont vous êtes issu.

On peut difficilement se respecter davantage !

❁

CHAPITRE HUIT

J'AI L'INTENTION :
DE VIVRE MA VIE DÉLIBÉRÉMENT

« CEUX QUI N'ONT PAS CHERCHÉ LA VÉRITÉ SONT
PASSÉS À CÔTÉ DU SENS DE LA VIE. »

Bouddha

« VOTRE UNIQUE TÂCHE DANS LA VIE EST DE PAR-
VENIR À LA RÉALISATION DE DIEU. TOUT LE RESTE
EST INUTILE ET VAIN. »

Sivananda

Avoir un but dans la vie se situe au sommet de la
pyramide de l'actualisation de soi, telle que l'a défini
Abraham Maslow, il y a déjà plus de cinquante ans. Le
Dr Maslow a découvert que les gens qui se sentent utiles
incarnent les plus belles qualités du genre humain. Au
cours des nombreuses années où j'ai œuvré dans le domaine du développement humain, de la motivation et
de l'éveil spirituel, j'ai pu me rendre compte que c'est
l'une des questions qui revient le plus souvent. On me
pose sans arrêt des questions du genre : *Comment découvrir quel est mon but dans la vie ? Avons-nous vrai-*

ment un but ? Pourquoi n'ai-je pas découvert quel est mon but dans la vie ? Avoir un but et chercher à l'atteindre est ce qui occupe les gens les plus actualisés au cours de leur existence. Mais de nombreuses personnes n'ont pas cette impression, et *doutent* même qu'une telle chose existe.

But et intention

Le thème de cet ouvrage est que l'intention est une force présente dans l'univers, une force invisible à laquelle nous sommes tous reliés. Puisque nous faisons partie d'un système intelligent, et puisque tout ce qui existe dans notre monde est issu de cette intelligence, il s'ensuit que si une chose n'est pas censée être ici, elle n'y sera pas. Et si elle y est, c'est qu'elle est censée y être, et cela me suffit. Le simple fait que vous existiez montre que vous avez un but dans la vie. Comme je l'ai mentionné, la question clé est la suivante : « Quel est mon but dans la vie ? » Et il existe autant de formulations à cette question qu'il y a de gens pour se la poser : *Que suis-je censé faire sur terre ? Suis-je censé devenir architecte, fleuriste, vétérinaire ? Devrais-je aider les gens ou réparer des voitures ? Suis-je censé fonder une famille ou vivre dans la jungle pour sauver les chimpanzés ?* Toutes ces options nous embrouillent l'esprit, et nous ne pouvons nous empêcher de nous demander si nous avons fait le bon choix.

Pour vraiment tirer profit de ce chapitre, je vous encourage fortement à laisser de côté ces questions. Dirigez-vous plutôt vers un lieu de foi et de confiance en l'esprit universel de l'intention, en vous rappelant que vous émanez de cet esprit et que vous en ferez toujours partie.

L'intention et le fait d'avoir un but dans la vie sont deux choses inextricablement liées, comme les deux branches de votre ADN. Rien n'arrive par accident. Vous êtes ici pour accomplir la tâche pour laquelle vous vous êtes engagé avant d'entrer dans le monde des particules et de la forme. Ce que vous considérez comme des problèmes sont pour l'essentiel la conséquence de votre rupture avec l'intention et l'oubli de votre véritable identité spirituelle. Vous devez donc rafistoler ce lien et reprendre contact avec l'intention si vous avez le désir de vivre votre vie délibérément. Ce faisant, vous ferez deux découvertes importantes. Tout d'abord, vous découvrirez que votre but dans la vie ne tient pas tant à ce que vous faites qu'à ce que vous ressentez. Vous découvrirez ensuite que ce sentiment d'avoir un objectif active votre pouvoir de l'intention, pouvoir qui vous permettra de créer tout ce qui s'accorde aux sept visages de l'intention.

Le sentiment d'avoir un but. Prenez la question *Que dois-je faire de ma vie ?* À mon avis, la seule chose que vous puissiez faire, puisque vous êtes venu au monde les mains vides et que vous en repartirez les mains vides, est de *la donner aux autres*. Vous aurez l'impression d'avoir un but précis une fois que vous aurez décidé de donner votre vie en la mettant au service des autres. Lorsque vous vous donnez aux autres, à votre planète et à votre Source, vous œuvrez à atteindre votre but. Peu importe ce que vous choisissez de faire, si vous êtes résolu à servir les autres sans rien attendre d'eux en retour, vous sentirez que votre vie a un but, quels que soient les bienfaits que vous en retirerez.

Vous avez donc l'intention de vivre votre vie délibérément. Mais que fait la Source spirituelle à cet égard ? Celle-ci donne constamment sa force vitale afin de créer quelque chose à partir de rien. Quand vous l'imitez, peu importe ce que vous donnez et ce que vous créez, vous êtes en harmonie avec l'intention. Vous agissez en fonction de votre but, tout comme l'esprit universel agit en fonction du sien.

Mais poussons notre raisonnement un peu plus loin. Est-ce que la Source universelle de toute vie doit réfléchir à ce qu'elle doit faire de son pouvoir ? Se préoccupe-t-elle de donner la vie à des gazelles ou à des mille-pattes ? Se préoccupe-t-elle de l'endroit où elle vit et de ce qu'elle crée ? Non. Votre Source cherche uniquement à s'exprimer elle-même à travers les sept visages de l'intention. Elle n'a pas à s'occuper des détails. De même, votre sentiment d'avoir un but dans la vie se manifestera à travers les sept visages de l'intention.

Accueillez cet état d'esprit où vous n'êtes plus concerné par des choses comme le choix d'une carrière ou l'obligation de faire ce que les autres attendent de vous. Quand vous êtes au service des autres, quand votre bonté dépasse vos propres frontières, vous avez la sensation d'être en contact avec votre Source. Vous serez heureux et satisfait, car vous saurez que vous avez fait le bon choix.

Je ressens ce sentiment d'accomplissement et de satisfaction personnels qui me fait comprendre que je suis sur la bonne voie en lisant mon courrier ou en entendant les commentaires des gens dans les aéroports et les restaurants. Combien de fois m'a-t-on dit : « *Vous avez changé ma vie, Wayne Dyer. Vous étiez là pour moi quand je ne savais plus où j'en étais* » ? Même si j'aime bien recevoir un chèque de droits d'auteur ou une excellente critique, cela me procure un sentiment fort différent. Ces expressions de gratitude ne manquent jamais de me conforter dans l'idée que je suis sur la bonne voie.

Dans ma vie personnelle, je trouve quasiment tous les jours une myriade de façons de me rendre utile. Quand je viens en aide à quelqu'un dans le besoin, quand je prends le temps de remonter le moral à un employé de restaurant ou de magasin mécontent, quand je fais rire un enfant qui s'ennuie dans sa poussette, et même quand je ramasse un déchet qui traîne par terre pour le jeter à la poubelle, j'ai l'impression d'être là pour les autres, et par conséquent, je me sens utile.

Au fond, ce que j'essaie de vous dire, c'est de demeurer en contact avec votre but en exprimant les sept visages de l'intention, sans vous soucier des détails. Suivez mon conseil et vous n'aurez jamais plus à vous demander quel est votre but ni ce que vous devez faire pour le découvrir.

Ne cherchez pas quel est votre but, c'est lui qui vous trouvera. Dans le chapitre précédent, j'ai passé en revue les obstacles qui nous empêchent de prendre contact avec l'intention et souligné que nos pensées sont nos principales pierres d'achoppement. J'ai insisté sur le fait que nous devenons ce que nous pensons à longueur de journée. Quelles sont les pensées qui *vous* empêchent de sentir que vous avez un but dans la vie ? Par exemple, si vous pensez ne pas savoir quel est votre but et avez l'impression d'errer dans la vie sans direction précise, c'est exactement ce que vous attirerez.

Supposez, à l'inverse, que vous soyez conscient qu'il existe un univers où vos pensées, vos émotions et vos actions sont en partie l'expression de votre libre arbitre et en partie l'expression du pouvoir de l'intention. Supposez que le fait de penser que vous êtes inutile et désœuvré serve votre but. Tout comme l'idée de perdre un être cher vous le fait aimer encore davantage, tout comme la maladie vous permet d'apprécier le fait d'être en bonne santé, supposez que ces ruminations sur votre propre insignifiance soient nécessaires pour vous faire prendre conscience de votre véritable valeur.

Lorsque vous êtes suffisamment éveillé pour vous interroger sur votre raison d'être et vous demander comment la définir, c'est signe que vous êtes inspiré par le pouvoir de l'intention. Le simple fait de vous demander pourquoi vous êtes ici est le signe que vos pensées vous poussent à reprendre contact avec le champ de l'intention. D'où viennent ces pensées ? Pourquoi désirez-vous vous sentir utile ? Pourquoi considère-t-on que le fait d'avoir un but dans la vie est l'attribut par excellence des gens épanouis ? La source de nos pensées est un réservoir infini d'énergie et d'intelligence. D'une certaine façon, *les pensées que vous entretenez concernant le but de votre présence sur terre sont en fait l'indice que votre but tente de prendre contact avec vous*. Ce réservoir infini d'amour, de bonté, de créativité et d'abondance est issu de l'intelligence originelle et vous encourage à exprimer cet esprit universel à votre propre façon.

Relisez les deux citations présentées au début de ce chapitre. Bouddha parle de *vérité*, et Sivananda suggère que notre véritable but est la *réalisation de Dieu*. Ce livre est entièrement consacré à la nécessité de prendre contact avec l'intention et de nous libérer de cet ego qui tente de nous faire croire que nous sommes coupés de notre Source divine et qui veut nous empêcher d'apprendre l'ultime vérité. Car cette ultime vérité est la source de vos pensées.

Votre être intime sait pourquoi il est ici, mais votre ego vous pousse à courir après l'argent, le prestige, la popularité et les plaisirs sensoriels, et donc *à négliger le sens de la vie*. Peut-être êtes-vous rassasié et heureux de votre bonne réputation, mais à l'intérieur de vous une petite voix se demande : « N'y a-t-il donc rien d'autre ? » Le fait de se concentrer sur les exigences de l'ego a pour effet de vous laisser éternellement insatisfait. C'est au plus profond de vous, au niveau de votre être même, que vous découvrirez ce que vous êtes censé devenir, accomplir et être. Dans ce lieu intérieur qui ne connaît ni temps ni espace, vous êtes en contact avec le pouvoir de l'intention. C'est là qu'il vous trouvera. Faites un effort conscient pour entrer en contact avec lui et écoutez. Exercez-vous à être ce que vous êtes à la source de votre âme. Allez à la rencontre de cette source, là où vos intentions et votre but s'emboîtent si parfaitement que vous connaîtrez une épiphanie simplement en sachant qu'il en est bien ainsi.

Votre connaissance silencieuse. Le célèbre psychologue et philosophe William James a un jour écrit : « Au plus profond de notre esprit, nous savons ce que nous avons à faire... Mais étrangement, nous en sommes incapables... Nous espérons que le sortilège se dissipera d'un moment à l'autre... mais il perdure, battement après battement, et nous finissons par suivre le courant... »

Mon expérience de thérapeute et de conférencier m'a amené à la même conclusion. Quelque part, dans les tréfonds de notre être, notre but nous appelle. Ce n'est pas toujours un appel rationnel ou parfaitement clair, et il semble même parfois absurde, mais il est néanmoins présent. Il existe quelque chose de silencieux au sein de ce qui vous amène à vous exprimer. Ce quelque chose, c'est votre âme qui vous dit d'écouter et d'entrer en contact avec le pouvoir de l'intention par le biais de l'amour, de la bonté et de la réceptivité. Cette connaissance silencieuse ne vous donnera jamais de répit. Vous pouvez essayer de l'ignorer ou faire semblant qu'elle n'existe pas, mais dans vos moments de solitude et d'intime communion avec vous-même, comment ne pas sentir ce vide qui attend d'être comblé par votre propre musique ? Elle veut que vous preniez ce risque, que vous ignoriez votre ego et celui des autres qui vous répètent qu'il vaut mieux pour vous de prendre un chemin plus sûr et plus facile.

Ironiquement, il ne s'agit pas d'accomplir une tâche spécifique, d'avoir une certaine occupation ou de vivre à tel ou tel endroit. Il s'agit de partager de manière créative et affectueuse les talents et les intérêts qui sont inhérents à votre personne. Cela peut prendre divers aspects : danse, écriture, santé, jardinage, cuisine, art d'élever les enfants, enseignement, composition, chant, surf, etc. Il n'y a pas de limite à ce qu'on peut inscrire sur cette liste, mais tout ce qui y figure peut servir soit à *flatter votre ego*, soit à *aider les autres*. Choisir de flatter votre ego implique de demeurer éternellement insatisfait et ignorant de votre but. Il ne peut en être autrement, car vous devez prendre contact avec votre Source, celle dont vous êtes issu, et qui est, elle, sans ego. Quand vous mettez vos activités au service des autres, vous ressentez un extraordinaire bonheur du simple fait de vivre et vous attirez, paradoxalement, ce que vous souhaitez connaître dans votre vie.

Ma fille Skye est un bon exemple de ce que j'avance ici. Skye sait depuis qu'elle a prononcé ses premiers mots qu'elle veut devenir chanteuse. On dirait qu'elle est venue au monde pour cela. Elle chante lors de mes apparitions publiques depuis qu'elle a quatre ans, et elle continue encore de le faire aujourd'hui, à l'âge de vingt et un ans. Elle chante également lors de mes spéciaux télévisés, et la réaction du public a toujours été très encourageante.

Comme étudiante d'une grande université, Skye étudia la musique d'un point de vue académique et théorique. Un jour – elle en était alors à sa deuxième année d'étude –, nous eûmes une discussion sur son but dans la vie et la connaissance silencieuse qu'elle en avait.

« Serais-tu fâché, me demanda-t-elle, si je quittais l'université ? J'ai l'impression de ne pas pouvoir faire ce que j'ai à faire assise dans une salle de classe à étudier la théorie musicale. Je veux écrire ma propre musique et chanter. C'est la seule chose à laquelle je pense, mais je ne veux surtout pas vous décevoir, toi et maman. »

Comment aurais-je pu, moi qui appelle mes lecteurs à ne pas mourir sans avoir exprimé la musique qu'ils portent en eux, dire à ma fille de vingt et un ans de suivre mon exemple et de rester à l'université en prétextant que c'est la chose à faire ? Je l'invitai plutôt à se mettre à l'écoute de la connaissance silencieuse que je savais être en elle depuis qu'elle est toute petite, puis de suivre son cœur. Comme l'a dit un jour Gandhi : « Donner son cœur, c'est tout donner. » C'est là que Dieu réside en Skye... et en vous.

Je demandai néanmoins à Skye de faire de son mieux pour vivre son destin en se mettant au service de ceux qui écouteront sa musique au lieu de se concentrer sur la célébrité et l'argent. « Laisse l'univers s'occuper des détails, lui dis-je. Tu écris de la musique et tu chantes parce que tu dois exprimer ce que tu portes dans ton cœur bien-aimé. » Je lui demandai ensuite de penser en commençant par la fin, et d'agir comme si tout ce qu'elle désirait était déjà présent, dans l'attente qu'elle en prenne connaissance.

Récemment, elle m'avoua qu'elle était consternée de ne pas avoir son propre CD sur le marché, et elle agissait effectivement en pensant *qu'elle n'avait pas de CD sur le marché*. Le résultat était connu d'avance : aucun CD et beaucoup de frustration. Je l'encourageai à penser en commençant par la fin, en visualisant le studio d'enregistrement, les musiciens qui collaboreraient avec elle, le produit fini et son intention de faire de son rêve une réalité. Je lui fixai une date limite pour me présenter un CD que nous pourrions vendre lors de mes conférences. Je l'invitai à venir chanter pour l'auditoire, comme elle le faisait sporadiquement lors de mes conférences et de mes émissions télévisées.

En pensant à ce qu'elle souhaitait obtenir, elle matérialisa tout ce dont elle avait besoin, et l'Esprit universel se mit aussitôt à travailler de concert avec elle. Le studio et les musiciens dont elle avait besoin apparurent comme par magie, et le CD fut produit.

Jour après jour, Skye répéta sans relâche ses chansons préférées et celles que je voulais l'entendre chanter lors de mes conférences, « Amazing Grace », « The Prayer of St. Francis » et sa propre composition « Lavender Fields », une chanson qu'elle chante avec fierté et passion. Et son CD, *This Skye Has No Limits*, est aujourd'hui en vente et offert au public chaque fois qu'elle chante durant l'une de mes conférences.

La présence de Skye à mes côtés sur la scène apporte énormément de joie et d'amour à ma présentation, car je ne connais personne de plus étroitement lié aux sept visages de l'intention que ma fille. Rien d'étonnant alors à ce que ce livre soit dédié à cet ange de l'intention spirituelle.

Inspiration et but

Lorsque vous êtes inspiré par un but élevé, tout se met à fonctionner pour vous. L'inspiration vient quand nous retournons dans le giron de l'esprit pour reprendre contact avec les sept visages de l'intention. Lorsque vous êtes inspiré, ce qui semblait risqué devient une avenue que vous ne pouvez vous empêcher d'explorer. Il n'y a plus de risque, car vous agissez dans la joie. Cette joie est la vérité présente en vous, l'amour qui

travaille de concert avec votre intention. Essentiellement, si vous ne sentez pas l'amour, la vérité vous
échappera, car celle-ci est indissociable de votre lien
avec l'Esprit. C'est pourquoi l'inspiration joue un rôle
important dans la réalisation de votre intention de vivre
votre vie délibérément.

Le jour où je quittai un emploi qui ne m'inspirait
plus, on s'occupa comme par magie de tous les détails
qui me préoccupaient. J'ai en effet travaillé pendant
quelques mois pour une grande entreprise où l'on m'of-
frait un salaire trois fois supérieur à mon salaire de professeur, mais je n'étais pas inspiré. Ma connaissance
intime me disait : *Fais ce pour quoi tu es ici*. Et c'est
ainsi que l'enseignement et l'assistance sont devenus
mon but quotidien.

Lorsque j'ai cessé d'enseigner dans une grande université pour écrire et donner des conférences, je n'ai
pris aucun risque ; c'était quelque chose que je devais
faire, car je savais que je ne serais jamais heureux si je
ne suivais pas la voix de mon cœur. J'avais de l'amour
pour ce que je faisais, je vivais ma propre vérité, et je
laissai l'univers s'occuper des détails. En enseignant
l'amour, ce même amour me guida vers mon but, et j'en
fus récompensé financièrement grâce à cette même
énergie de l'amour. Je ne savais pas comment j'allais
m'en sortir, mais je suivis ma connaissance intime et
jamais je ne le regrettai !

Vous pensez peut-être qu'il est trop risqué d'abandonner un bon salaire, un emploi sûr ou un environnement
familier parce qu'une petite lumière au fond de votre
esprit a attiré votre attention. Mais croyez-moi : vous
ne courrez aucun risque si vous prêtez attention à cette
lumière, symbole de votre connaissance. Conjuguez
cette connaissance et la foi que vous inspire l'Esprit, et
vous verrez le pouvoir de l'intention à l'œuvre. Faire

confiance à cette connaissance intime est tout ce dont vous avez besoin. Quand je parle de *foi*, je ne parle pas de la foi en un dieu extérieur qui donnerait un sens à votre vie, mais de la foi en l'appel que vous entendez au cœur de votre être. Vous êtes une création divine et infinie qui a choisi de vivre délibérément en entrant en contact avec le pouvoir de l'intention. Tout dépend de votre désir de vivre en harmonie avec votre Source. La foi abolit les risques quand vous choisissez de faire confiance à votre connaissance intime en devenant un canal pour le pouvoir de l'intention.

Faire de l'intention votre réalité

Vous trouverez ci-dessous dix façons de vous exercer à aller au bout de votre intention de vivre votre vie délibérément à partir d'aujourd'hui :

Première étape : Affirmez qu'à l'intérieur d'un système intelligent personne n'est là par accident, vous y compris. L'esprit universel de l'intention est responsable de tout ce qui se crée. Il sait ce qu'il fait. Vous venez de cet esprit et vous y êtes lié de toute éternité. Votre existence a un sens et vous avez la capacité de vivre votre vie à la lumière de cette réalité. La première étape consiste à prendre conscience que vous êtes ici pour une raison précise. Ce n'est pas la même chose que de savoir ce que vous êtes censé faire. Au cours de votre vie, vous ne ferez pas toujours la même chose. En fait, ces changements peuvent se produire d'heure en heure, de jour en jour. Votre but ne concerne pas ce que vous faites, il concerne votre être même, cet endroit à l'intérieur de vous d'où émergent vos pensées. C'est pourquoi on dit un *être humain*, et non un *faire* *humain* ! Affirmez dans vos propres mots, en pensée et par écrit, que vous êtes ici pour une raison précise et que vous avez l'intention de vivre sans jamais perdre cela de vue.

Deuxième étape : Profitez de toutes les occasions, quelle que soit leur importance, pour vous mettre au service des autres. Pour vivre une vie délibérée, vous devez chasser votre ego de vos intentions. Peu importe ce que vous voulez faire dans la vie, assurez-vous que votre principale motivation sera quelque chose d'autre que le désir d'être récompensé.

L'ironie est que vous serez doublement récompensé quand vous penserez d'abord à donner plutôt qu'à recevoir. Tombez en amour avec ce que vous faites, laissez cet amour surgir du cœur même de l'Esprit, puis vendez ce sentiment d'amour, d'enthousiasme et de joie généré par vos efforts. Si vous croyez que votre but est d'être une *super-maman*, alors placez votre énergie et votre détermination dans vos enfants. Si vous ressentez le besoin d'écrire de la poésie ou de soigner des dents, chassez votre ego et faites ce que vous aimez faire. Faites-le dans l'idée de faire une différence, que ce soit dans la vie de quelqu'un ou pour une cause, et laissez l'univers s'occuper des détails et de la façon dont vous serez récompensé. Poursuivez votre but en faisant ce que vous faites par amour, alors vous deviendrez aussi un co-créateur, à l'image du pouvoir de l'esprit universel de l'intention qui est en bout de ligne responsable de tout ce qui se crée.

Troisième étape : Harmonisez votre but avec le champ de l'intention. Cela est la chose la plus importante que vous puissiez faire pour aller au bout de vos intentions. Être en harmonie avec le champ universel signifie croire que le Créateur sait pourquoi vous êtes ici, même si vous l'ignorez. Cela signifie abandonner le petit esprit pour le grand esprit, et ne jamais oublier que votre but se manifestera comme vous-même vous êtes manifesté. Votre but est lui aussi le fils de la créativité, de la bonté et de la réceptivité à un monde d'abondance sans fin. Faites que ce lien demeure pur, et on vous guidera pas à pas.

Dire *si cela devait arriver, alors rien ne pouvait l'empêcher*, ce n'est pas être fataliste. C'est plutôt avoir foi en l'intention d'où vous êtes issu et qui vit en vous. Lorsque vous vous alignez sur votre Source, alors cette même Source vous aide à créer la vie de votre choix. Ce qui s'ensuit vous donne alors l'impression qu'il ne pouvait en être autrement, et cela pour une raison fort simple : il en est ainsi ! C'est toujours vous qui décidez comment vous souhaitez vous aligner. Si vous passez votre temps à quémander ceci ou cela à l'univers, vous aurez l'impression que vous êtes venu au monde pour quémander. Demandez plutôt, en y mettant tout votre amour : *Comment puis-je mettre mon talent au service des autres ?* Et l'univers vous répondra avec la même énergie : *Que puis-je faire pour vous ?*

Quatrième étape : Ignorez ceux qui prétendent savoir pourquoi vous êtes ici. Peu importe ce que l'on peut vous dire, il n'y a que vous qui sachiez quel est votre but, et si vous ne le sentez pas dans cet espace intime où brûle un ardent désir, alors ce n'est pas votre but. Il se peut que vos parents et amis tentent de vous convaincre qu'*ils* savent quel est *votre* destin. Ils perçoivent peut-être en vous des talents qui vous aideraient à bien gagner votre vie ou peut-être souhaitent-ils que vous suiviez leur exemple, pensant que vous serez heureux de faire ce qu'ils ont fait toute leur vie. Votre don pour les mathématiques, la décoration ou la réparation d'appareils électroniques indique sans doute que vous avez toutes les aptitudes nécessaires pour poursuivre telle ou telle carrière, mais finalement si vous ne le ressentez pas en vous, rien ne pourra vous convaincre que vous êtes destiné à occuper ce genre d'emplois.

Votre but ne concerne que vous et votre Source, et plus vous ressemblerez au champ de l'intention dans vos actions et dans vos pensées, plus vous aurez la conviction d'être guidé vers votre but. Il se peut que vous n'ayez apparemment ni les aptitudes, ni le talent pour occuper un emploi donné et néanmoins vous sentir intérieurement attiré par celui-ci. Oubliez les résultats que vous avez obtenus lors de vos tests d'aptitude, oubliez votre manque de talent ou de savoir-faire, et plus important encore, ignorez l'opinion des autres et *écoutez votre cœur.*

Cinquième étape : Rappelez-vous que le champ créateur de l'intention travaillera de concert avec vous. Albert Einstein aurait dit que la décision la plus importante que nous puissions prendre est de croire que nous vivons soit dans un univers amical, soit dans un univers hostile. Il est impératif que vous sachiez que le champ créateur de l'intention est une force amicale qui vous épaulera tant que vous verrez les choses de cette façon. L'univers soutient la vie, circule librement en toute chose et se révèle d'une abondance infinie. Pourquoi choisir de le voir sous un autre angle ? Tous les problèmes auxquels nous sommes confrontés viennent du fait que nous croyons être séparés de Dieu et des autres, une attitude qui nous amène à être constamment en conflit avec eux. Ces conflits créent en retour une contre-force qui plonge des millions d'êtres humains dans la confusion quant à leur raison d'être.

Donc, sachez que l'univers est toujours prêt à vous appuyer et que vous vivez dans un monde amical, et non hostile.

Sixième étape : Étudiez et imitez la vie des gens qui ont découvert le sens de leur vie. Qui admirez-vous le plus ? Je vous conseille vivement de lire la biographie de ces gens admirables et d'explorer comment ils ont vécu et ce qui les a motivés à garder le cap dans les moments difficiles. J'ai toujours été fasciné par Paul de Tarse (plus tard appelé saint Paul), dont les épîtres et les enseignements forment la majeure partie du Nouveau Testament. Taylor Caldwell a écrit une œuvre de fiction remarquable sur la vie de Paul, intitulée *Great Lion of God*. Ce livre m'a beaucoup inspiré, tout comme j'ai été extrêmement touché par la vie de saint François d'Assise telle qu'elle est décrite dans le roman *Saint Francis*, de Nikos Kazantzakis. Pour ma part, j'ai pris l'habitude d'occuper mes moments de loisir en lisant des ouvrages sur les gens qui sont pour moi des modèles de vie réussie, et je vous encourage à en faire autant.

Septième étape : Faites comme si vous viviez la vie que vous êtes censé vivre, même si ce qu'on appelle « le sens de la vie » n'est pas tout à fait clair dans votre esprit. Invitez tous les jours dans votre vie tout ce qui peut vous rapprocher de Dieu et vous apporter un sentiment de joie. Considérez les obstacles qui se dressent devant vous comme d'excellentes occasions de mettre à l'épreuve votre détermination et de découvrir quel est votre but. Traitez tout ce qui vous arrive, que ce soit un ongle cassé, une maladie, la perte d'un emploi ou un déménagement, comme une occasion de rompre avec la routine et de vous rapprocher de votre but. En agissant comme si vous aviez un but précis et en considérant ces obstacles comme des rappels amicaux de la nécessité de faire confiance à ce que vous ressentez au plus profond de vous, vous réaliserez ainsi votre propre vœu : être une personne résolue.

Huitième étape : Méditez pour demeurer en contact avec votre but. Utilisez la technique du Japa dont j'ai parlé plus tôt, et demandez en silence à votre Source de vous guider afin que vous puissiez accomplir votre destin. Cette lettre de Matthew McQuaid décrit parfaitement les extraordinaires pouvoirs de la méditation.

Cher docteur Dyer,

Ma femme, Michelle, est miraculeusement tombée enceinte. Ce miracle, nous le devons à l'Esprit et à la mise en pratique de vos suggestions. Pendant cinq ans, Michelle et moi avons été confrontés à un problème d'infertilité. Croyez-moi, nous avions littéralement tout essayé. Même les traitements les plus coûteux et les plus sophistiqués n'avaient rien donné. Les médecins avaient jeté l'éponge, et notre propre foi avait été durement mise à l'épreuve par cette série d'échecs. Notre médecin avait réussi à congeler des embryons produits lors des précédents cycles de traitement. Au fil des ans, plus d'une cinquantaine d'embryons avaient été transférés dans l'utérus de Michelle. Dans son cas, les chances de tomber enceinte à la suite d'une implantation réussie frôlaient le zéro. Comme vous le savez, <u>zéro ne fait pas partie du vocabulaire spirituel</u>. Finalement, l'un de ces précieux embryons, après avoir survécu pendant six mois à moins 128 degrés Celsius, a élu domicile dans l'utérus de Michelle. Elle entre aujourd'hui dans son sixième mois.

Vous vous dites peut-être : « La belle affaire ! Je reçois des lettres de ce genre tous les jours. » Toutefois, cette lettre renferme la preuve que Dieu existe. Une minuscule goutte de protoplasme, comme vous l'avez si souvent mentionné avec éloquence, une masse de cellules vivantes porteuses d'un futur être humain, est apparue dans un laboratoire, puis s'est retrouvée dans un congélateur. Tous les processus moléculaires et biochimiques se sont arrêtés, suspendus dans le temps. Pourtant, l'essence de cet être était présente avant qu'on ne le congèle. Mais où est-elle allée ? La reproduction cellulaire avait été enclenchée, puis mise en veilleuse, mais l'essence spirituelle devait prévaloir en dépit de l'état physique des cellules. La fréquence vibratoire des cellules congelées était basse, mais celle de son esprit devait être incommensurable. L'essence de son être devait résider au-delà du plan physique et de son support cellulaire. Elle ne pouvait être que dans le royaume de l'esprit, où elle attendait de se manifester. Cette essence attendait le dégel pour se manifester sous les traits de l'être qu'elle avait toujours été. J'espère que vous aurez été comme moi envoûté par ce récit qui ne raconte rien de moins qu'un miracle. Voilà un exemple d'un esprit présent dans un corps, plutôt qu'un corps ayant un esprit.

À présent, la question à un million de dollars. Est-ce que cet embryon a pu survivre dans un environnement aussi hostile et finalement se manifester parce que je pratique la méditation Japa ? Parce que j'ouvre la bouche et fais « Aaah » ? J'en suis convaincu. Je pratique tous les jours le Japa et l'abandon à la patience infinie. Durant mes moments de calme, je peux même sentir l'odeur de ce bébé. Michelle me remerciera d'avoir gardé la foi dans les moments dif-

ficiles. Votre travail m'a guidé, et je ne saurais être trop élogieux à votre endroit. Merci. Je sais à présent qu'il n'y a rien d'impossible. Quand je compare ce que j'ai manifesté dans l'utérus de Michelle à tout ce que je pourrais désirer, cela ne m'a pas coûté le moindre effort. Une fois que vous vous êtes sincèrement abandonné, tout ce dont vous pouviez rêver semble apparaître dans votre vie, au moment précis où vous en aviez besoin. La prochaine manifestation de ce pouvoir serait d'aider d'autres couples infertiles à réaliser leur rêve. D'une certaine façon, j'aimerais aider ceux qui n'ont plus d'espoir.

Bien à vous,
Matthew McQuaid

De nombreuses personnes m'ont écrit pour me dire qu'elles avaient réussi à demeurer en contact avec leur but grâce à la méditation Japa. Je suis profondément touché par le pouvoir de l'intention quand je lis le témoignage de gens qui ont utilisé le Japa pour réaliser ce qu'ils ressentaient comme leur mission divine, avoir des enfants. Et je suis particulièrement heureux d'apprendre que Matthew a l'intention de mettre son expérience au service d'autres couples infertiles.

Neuvième étape : Faites que vos pensées et vos émotions soient en harmonie avec vos actions. Le moyen le plus sûr d'atteindre votre but consiste à éliminer les conflits et les dissonances qui peuvent exister entre ce que vous pensez et ressentez et la façon dont vous vivez votre vie de tous les jours. Si vous êtes en désaccord avec vous-même, vous adoptez les attitudes de votre ego dominées par la peur d'échouer et de décevoir les autres, qui vous éloignent de votre but. Vos actions doivent être en harmonie avec vos pensées. Faites confiance aux pensées qui apportent l'harmonie, et soyez prêt à agir en conséquence. Refusez de vous voir comme un pleutre et un faux jeton, car ces pensées vous empêchent d'agir comme vous êtes censé le faire. Posez des gestes quotidiens afin que les pensées et les émotions reliées à votre grande et héroïque mission soient en harmonie avec vos activités quotidiennes, et bien sûr, avec le champ omniprésent de l'intention. Rien ne peut vous rapprocher davantage de votre but que le fait d'être en harmonie avec la volonté de Dieu.

Dixième étape : Soyez toujours reconnaissant. Soyez reconnaissant, ne serait-ce que de pouvoir contempler votre but. Soyez reconnaissant d'être en mesure de servir le genre humain, votre planète et votre Dieu, car il s'agit là du plus merveilleux des dons. Soyez reconnaissant pour les obstacles qui surgissent sur votre route. Rappelez-vous ce que disait Gandhi : « La puissance divine se manifeste souvent lorsque l'horizon est le plus sombre. » Admirez le kaléidoscope de votre vie et pensez à tous les gens qui ont croisé votre chemin. Considérez vos emplois, vos succès, vos soi-disant échecs, vos biens, vos défaites et vos victoires du point de vue de la gratitude. Vous êtes ici pour une raison, et c'est la clé pour sentir que vous avez une mission dans la vie. Soyez reconnaissant d'avoir l'occasion de vivre délibérément votre vie en accord avec la volonté de la Source de toute chose. Voilà bien des raisons d'être reconnaissant.

*
* *

Il m'apparaît que la recherche de notre but ressemble beaucoup à la recherche du bonheur. Il n'y a pas de voie qui mène au bonheur ; le bonheur *est* la voie. Et il en va de même pour vous quand vous décidez de vivre votre vie en harmonie avec votre but. Ce n'est pas quelque chose que vous devez trouver ; c'est une façon de mettre votre vie au service des autres et de faire tout ce que vous faites en gardant votre but à l'esprit. C'est ainsi que vous irez au bout de votre intention de vivre votre vie délibérément. Lorsque vous vivez en fonction de votre but, vous vivez dans l'amour. Quand vous ne vivez pas dans l'amour, vous perdez de vue votre mission. Cela est vrai des individus, des institutions, des entreprises et de nos gouvernements. Lorsqu'un gouvernement fait payer des frais déraisonnables à ses citoyens pour ses services, il perd de vue sa mission. Lorsqu'un gouvernement a recours à la violence pour résoudre un conflit, il perd de vue son but, peu importe comment il justifie ses actions. Lorsqu'une entreprise gonfle ses prix, triche ou manipule les consommateurs pour faire plus de profit, elle perd de vue sa mission. Lorsqu'une religion encourage les préjugés, la haine et l'injustice chez ses fidèles, elle perd de vue sa mission. Et cela vaut également pour vous.

Votre but en accédant au pouvoir de l'intention est de retourner à votre Source et de vivre à la lumière de cette prise de conscience, en reproduisant exactement les gestes de l'intention. Cette Source est amour. Par conséquent, la méthode la plus simple et la plus rapide pour comprendre et vivre votre raison d'être consiste à vous demander si vos pensées reflètent cet amour. Est-ce que vos pensées émanent d'une Source d'amour en vous ? Vos actions reflètent-elles ces pensées d'amour ? Si vous avez répondu oui à ces deux questions, alors vous vivez en accord avec votre but. Que dire de plus ?

CHAPITRE NEUF

J'AI L'INTENTION : D'ÊTRE SINCÈRE ET BIENVEILLANT ENVERS TOUTE MA PARENTÉ

« POUR SE FAIRE PARDONNER VOS PARENTS, DIEU VOUS A DONNÉ DES AMIS ! »

Wayne W. Dyer

Étrangement, nous laissons les attentes et les exigences des membres de notre famille devenir une source de malheur et de stress, alors qu'au fond nous voulons simplement être nous-mêmes et vivre en paix avec eux. Ce genre de conflit consiste trop souvent à choisir entre être authentique, ce qui implique de déranger certains parents, ou avoir la paix au prix de notre inauthenticité. Tisser des liens avec le pouvoir de l'intention pour améliorer votre relation avec vos parents peut vous sembler un oxymoron, mais il n'en est rien. Le fait d'être authentique et en paix avec vous-même peut définir votre relation avec eux. Mais avant de commencer, vous devez d'abord évaluer la qualité de votre relation avec votre plus proche parent : vous. Vous découvrirez que la façon dont les autres vous traitent a bien des choses à voir avec la façon dont vous vous traitez vous-même, et par conséquent, avec la façon dont vous enseignez aux autres à vous traiter.

Les autres vous traitent comme vous leur enseignez à vous traiter

Dans un chapitre précédent, je vous ai encouragé à noter la teneur de votre dialogue intérieur. Les pensées que vous entretenez quant à ce que les autres veulent ou attendent de vous sont l'un des principaux obstacles à votre prise de contact avec l'intention. Plus vous insisterez sur le fait que votre famille ne vous comprend pas et ne vous apprécie pas, plus vous attirerez cette incompréhension et ce manque d'appréciation dans votre vie. Pourquoi ? Parce que vos pensées ont un impact sur vous, même quand vous pensez à des choses déconcertantes et même lorsque vous songez à ce que vous ne voulez pas voir dans votre vie.

Si vous avez tendance à agir de la sorte, vous savez probablement déjà qui sont les membres de votre famille qui maîtrisent l'art de vous faire grimper aux rideaux. Si vous avez l'impression d'être trop influencé par leurs attentes ou d'être la victime de leur façon d'être, vous devez commencer par modifier votre façon de penser et cesser de vous préoccuper de ce qu'*ils font,* pour vous concentrer sur ce que *vous pensez.* Dites-vous : *J'ai enseigné à ces gens comment me traiter en accordant à l'opinion qu'ils ont de moi plus d'importance qu'à la mienne.* Vous souhaiterez peut-être compléter cette affirmation en ajoutant avec emphase : *Et j'ai l'intention de leur faire comprendre comment je souhaite être traité à l'avenir !* Le fait de prendre la responsabilité de la façon dont vous traite votre famille vous aidera à créer une relation en accord avec l'esprit universel de l'intention.

Vous vous demandez peut-être comment on peut vous tenir pour responsable d'avoir enseigné aux autres la façon de vous traiter. En grande partie, parce que vous acceptez non seulement de céder aux pressions provenant de votre famille – pressions parfois issues de traditions familiales remontant à d'innombrables générations – mais aussi de vous déconnecter de votre Source divine et de vous livrer à des émotions inférieures comme l'humiliation, le blâme, le désespoir, le regret, l'anxiété et même la haine. Vous et vous seul montrez à vos parents comment vous traiter en acceptant les critiques de cette tribu bien intentionnée, mais ô combien importune et gênante !

Vos relations familiales sont dans votre esprit. Quand vous fermez les yeux, votre famille disparaît. Où va-t-elle ? Nulle part, mais ce petit exercice vous aidera à prendre conscience que vos parents existent d'abord et avant tout sous la forme de pensées dans votre esprit. Et n'oubliez pas que Dieu est cet esprit à travers lequel vous pensez. Utilisez-vous votre esprit pour traiter vos parents en harmonie avec l'intention ? Avez-vous abandonné ou vous êtes-vous séparé de votre Source en portant un regard sur vos parents contraire à l'esprit universel de l'intention ? Ces gens qui appartiennent à la même famille que vous sont tous des idées de votre esprit. Quel que soit le pouvoir qu'ils détiennent, c'est vous qui leur avez accordé. Le fait que vous ayez l'impression que ces relations sont déficientes ou insatisfaisantes démontre qu'il y a quelque chose qui ne va pas en vous, car d'une façon générale, ce que vous voyez chez les autres est le reflet d'un aspect de vous-même, autrement cela ne vous tracasserait pas autant et vous ne l'auriez pas remarqué en premier lieu.

Afin de modifier la nature de vos liens familiaux, vous devez changer votre façon de penser et faire un saut périlleux dans l'inconcevable. Et qu'est-ce qui est inconcevable ? Le fait que *vous soyez la source de ce supplice*, et non ces gens qui vous choquent, vous méprisent et vous exaspèrent. Au fil des ans, ils vous ont traité comme vous les invitiez à le faire par vos réactions et votre comportement. Ils existent tous sous la forme d'idées dans votre esprit, et ce sont ces idées qui vous ont coupé de votre Source. Cela peut changer comme par miracle si vous choisissez de vivre en paix avec les gens qui vous entourent, et en particulier avec vos parents.

Si votre dialogue intérieur porte essentiellement sur ce qui vous déplaît chez vos parents, ce sont précisément ces traits qui ressortiront de vos relations avec eux. Si votre discours intérieur porte sur ce qui vous agace chez eux, c'est exactement ce que vous remarquerez en leur présence. Quand bien même vous ne pourriez résister à la tentation de les blâmer, rappelez-vous que vous êtes l'artisan de votre propre malheur et que vos pensées sont à la source de tout. Si vous décidez de concentrer votre énergie vitale sur quelque chose de différent, vos relations prendront un autre visage. Dans l'univers de vos pensées, là où vos relations familiales prennent tout leur sens, vous ne serez plus agacé, fâché, blessé ou déprimé. Si vous vous dites : *Mon intention est d'être sincère et bienveillant envers ce parent*, c'est ce que vous expérimenterez dans votre vie, même si ce parent continue à se comporter comme il l'a toujours fait.

Modifier votre façon de penser pour modifier la nature de vos relations. Il suffit d'une pensée pour être enfin sincère et bienveillant envers vos parents.

Vous pouvez apprendre à modifier votre façon de penser en prenant la résolution d'être sincère et bienveillant envers vous-même. Personne ne peut vous mettre en colère sans votre consentement, même si vous l'avez déjà donné trop souvent par le passé. Lorsque vous mettez en pratique votre intention d'être sincère et bienveillant, vous cessez de donner votre consentement aux énergies inférieures en prenant directement contact avec la bienveillance. Votre décision de vous montrer bienveillant envers vos parents vous donnera instantanément le pouvoir de modifier l'énergie présente lors de vos réunions familiales.

Pensez à ces parents que vous tenez pour responsables de votre anxiété, de votre mécontentement et de votre humeur dépressive. Vous vous êtes concentré sur ce que vous n'aimiez pas et sur la façon dont ils vous ont traité, et vos relations ont toujours eu un petit côté irritant. Imaginez à présent quelles seraient vos relations si vous les approchiez sous un autre angle : au lieu de réagir aux basses énergies de l'hostilité et de la vantardise par encore plus d'hostilité et de vantardise – ce qui abaisse le champ d'énergie de toutes les personnes impliquées – manifestez l'intention de pacifier vos relations. N'oubliez pas que l'énergie de l'amour peut dissiper les énergies inférieures. Quand vous réagissez à ces énergies inférieures en leur opposant une énergie similaire, vous n'êtes ni sincèrement bienveillant, ni en contact avec le pouvoir de l'intention. Quand vous baignez dans les énergies les plus basses, vous dites ou pensez des choses du genre : *Je ne respecte pas les gens qui me manquent de respect. Rien ne me fâche davantage que les gens colériques. Je n'aime pas les gens qui se vantent tout le temps.*

En vous concentrant sur ce que vous avez l'intention de rendre manifeste au lieu de reproduire les énergies inférieures auxquelles vous êtes confronté, vous prenez la décision d'entrer en contact avec l'intention et de reproduire les attributs de votre Source universelle malgré la présence d'énergies inférieures. Essayez d'imaginer Jésus de Nazareth disant à ses disciples : « Je méprise ceux qui me méprisent et je ne veux rien savoir d'eux. » Ou encore : « Les gens qui me jugent me rendent furieux. Comment puis-je vivre en paix si je suis constamment entouré de gens hostiles ? » Cela est absurde, car dans l'univers, Jésus représente la plus haute énergie de l'amour. C'est précisément cet amour qu'il mettait en présence des gens qui doutaient de lui et qui affichaient ouvertement leur hostilité, et sa seule présence élevait l'énergie de ceux qui l'entouraient. Évidemment, je sais que vous n'êtes pas le Christ, mais vous avez néanmoins d'importantes leçons spirituelles à tirer de l'enseignement de nos plus grands maîtres. Si vous avez l'intention de pacifier les esprits, et que vous vivez au niveau de l'intention, vous les quitterez en paix avec vous-même. J'ai appris cette leçon, il y a de cela bien des années, en côtoyant mes beaux-parents.

Avant de m'éveiller au pouvoir de l'intention, les visites de famille me plongeaient dans la consternation, car je ne supportais pas l'attitude et le comportement de certains parents de mon épouse. Tous les dimanches après-midi, je devenais anxieux et irritable à la simple pensée de ce que je considérais comme une expérience pénible et insupportable. Et en fait, j'étais rarement déçu ! Toutes mes pensées étaient tournées vers ce que je n'aimais pas, et par conséquent je définissais ma relation avec mes beaux-parents en ces termes. Mais progressivement, en commençant à comprendre le pouvoir de l'intention et à laisser de côté mon ego, je commençai à substituer à mes jugements négatifs des images de bonté, de réceptivité, d'amour et même de beauté.

Avant nos réunions de famille, je me rappelle qu'en toutes circonstances je suis ce que je choisis d'être, et qu'il est préférable d'être d'une sincérité bienveillante et de passer un bon moment. Lorsque ma belle-mère me dit quelque chose qui autrefois avait coutume de m'agacer, je lui réponds gentiment : « Je n'avais jamais vu les choses sous cet angle ; j'aimerais beaucoup en savoir plus. » Lorsque quelqu'un fait un commentaire que j'aurais auparavant considéré comme étant le fait d'un parfait ignorant, je réponds : « C'est un point de vue intéressant ; quand avez-vous appris cela ? » En d'autres termes, j'apporte avec moi mon intention de demeurer calme au cours de notre rencontre et je refuse désormais de les juger.

Et il se produisit une chose incroyable : je me rendis compte que j'avais hâte de recevoir les parents de mon épouse à la maison. Je dus concéder qu'ils n'étaient pas aussi obtus que je l'avais cru. En fait, j'appréciais à présent les moments que nous passions ensemble, et si jamais quelqu'un mentionnait quelque chose qui m'aurait prodigieusement agacé quelques mois plus tôt, je fermais les yeux et répondais plutôt avec amour et bonté. Par le passé, l'expression de préjugés raciaux ou religieux nourrissait ma colère et mon ressentiment. À présent, je rappelle calmement, avec toute la bonté et la douceur dont je suis capable, quelles sont mes propres opinions, et je laisse tomber le sujet.

Au fil des ans, je vis le nombre des insultes à caractère racial et religieux tomber à zéro, et je remarquai que mes beaux-parents avaient désormais tendance à se montrer tolérants – et même bienveillants – envers les minorités raciales et ceux qui pratiquent une religion différente de la leur.

Même si mon intention de départ était de demeurer dans un état de quiétude, je découvris qu'en m'abstenant de contribuer aux énergies inférieures de mes beaux-parents, ils étaient tous devenus plus sereins et nous eûmes ensemble plusieurs conversations agréables et parfois même éclairantes. En fait, j'avais autant de choses à apprendre d'eux qu'ils en avaient à apprendre de moi. Même s'il m'arrivait d'être profondément en désaccord avec leur opinion, surtout si elle me concernait, le simple fait de me rappeler que j'avais l'intention d'entretenir des relations amicales avec eux me permettait d'y arriver. Je ne pensais plus à ce qui provoquait mon aversion, ni à ce qui manquait, ni même au passé. Depuis, je demeure concentré sur mon intention de faire de ces rencontres un événement joyeux, amical et par-dessus tout, paisible.

*
* *

Examinons à présent les étapes que vous devez franchir afin que cette intention et toutes les autres deviennent réalité.

Première étape : Déclarez votre intention verbalement et par écrit, et apprenez à désirer sa réalisation plus que tout. Lorsque vous créez chez vous le désir intense de faire de vos réunions familiales un événement serein, tout se mettra spontanément et naturellement en place pour répondre à votre aspiration. Au lieu de prier les saints ou même Dieu dans l'espoir d'un miracle, priez afin d'obtenir l'illumination intérieure, car cela ne vous quittera jamais. Une fois que vous aurez fait l'expérience de cette lumière intérieure, elle deviendra pour vous une compagne fidèle, peu importe qui vous êtes ou l'endroit où vous vous trouvez. Cette force dynamique est en vous. Vous la ressentirez comme une grande joie circulant dans tout votre corps, et un jour, vos pensées deviendront sublimes, et votre monde, intérieur et extérieur, ne fera plus qu'un. Aspirez à l'éveil de cette lumière intérieure, et désirez la manifestation de votre intention.

Deuxième étape : Souhaitez à vos parents ce que vous souhaitez pour vous-même. Si quelqu'un exprime des critiques, des préjugés, de la colère ou de la haine envers vous, cette personne n'est pas en paix avec elle-même. Souhaitez qu'elle trouve la paix encore plus que vous ne souhaitez la trouver vous-même. En manifestant ce genre d'intention, vous cessez de vous concentrer uniquement sur vous. Et cela n'exige ni parole, ni action de votre part. Il suffit de visualiser les membres de votre famille qui vous mettent mal à l'aise et de ressentir la paix que vous désirez pour eux. Votre discours intérieur changera de teneur, et vous pourrez enfin faire l'expérience de la sereine authenticité de vos deux êtres.

Troisième étape : Soyez cette paix que vous cherchez chez les autres. Si vos relations familiales manquent de sérénité, cela veut dire qu'il y a un endroit en vous où cette sérénité fait défaut. Cet espace est peut-être occupé par de l'anxiété, de la peur, de la colère, des pensées dépressives, de la culpabilité ou toute autre émotion associée à des énergies inférieures. Plutôt que de chercher à éradiquer toutes ces émotions en même temps, traitez-les comme vous traitez vos parents. Envoyez un salut amical à ces émotions négatives, et laissez-les faire. Les énergies inférieures qui vous affligent subiront l'impact de ce salut amical et finiront par s'évanouir à mesure que cette divine sérénité s'épanouira en vous. Cette tranquillité d'esprit est accessible via n'importe quel exercice de méditation et de relaxation. Même s'il ne s'agit que d'une pause de deux minutes durant laquelle vous faites le silence en vous, concentrez-vous sur le nom du Très-Haut ou répétez le mantra basé sur le son « Aaahh ».

Quatrième étape : Accordez-vous aux sept visages de l'intention. Si vous avez oublié à quoi ressemble l'esprit universel de l'intention, il est créateur, bon, aimant, toujours en expansion, beau, d'une abondance infinie, et réceptif à toute forme de vie. Rejouez au petit jeu présenté plus tôt dans ce livre, et doucement, mais avec une volonté de fer, apportez le visage de la Source universelle à tous ceux qui vous dépriment et qui interfèrent avec votre tranquillité d'esprit. Ce genre d'énergie spirituelle aura un effet régénérateur, non seulement sur vous, mais aussi sur vos parents. Votre intention d'établir des relations plus sereines commence maintenant à prendre forme ; d'abord dans votre esprit, puis dans votre cœur, et finalement dans la réalité.

Cinquième étape : Examinez tous les obstacles qui ont été élevés contre votre intention d'instaurer la paix dans votre famille. Prêtez attention à toute pensée reflétant votre ressentiment à l'égard des attentes de vos parents. Rappelez-vous qu'en pensant aux choses que vous n'appréciez pas, vous modelez votre comportement sur celles-ci, en plus de les attirer en plus grand nombre dans votre vie. Examinez votre niveau d'énergie si vous avez tendance à réagir aux énergies inférieures en faisant appel à ces mêmes énergies, et rappelez à votre ego que vous n'acceptez plus d'être offusqué ou de ressentir le besoin de toujours avoir raison.

Sixième étape : Faites *comme si*. Commencez à agir *comme si ce que vous aviez l'intention de créer était déjà une réalité*. Voyez tous les membres de votre famille avec l'amour et la lumière au cœur de leur véritable identité. Lorsqu'on demanda un jour à Baba Muktananda, un homme considéré comme un grand saint en Inde : « Baba, que voyez-vous lorsque vous me regardez ? » Baba répondit : « Je vois la lumière en vous. » La personne rétorqua : « Comment cela est-il possible, Baba ? Je suis toujours en colère, je fais des choses terribles. Vous l'avez vu, n'est-ce pas ? » Baba répondit : « Non, je vois la lumière. » (Cette histoire est racontée par Swami Chidvilasananda Gurumayi dans *Kindle My Heart*.)

Alors voyez, vous aussi, cette lumière chez les *autres*, et traitez-les *comme si* cette lumière était tout ce que vous voyiez.

Septième étape : Détachez-vous du résultat. Ne laissez pas le comportement de vos parents nuire à votre tranquillité d'esprit et à votre désir d'être authentique. Tant que vous êtes en contact avec l'intention et irradiez vers l'extérieur ces énergies supérieures, rien ne pourra vous troubler. Ce n'est pas votre rôle de convaincre les membres de votre famille de sentir, de penser et de croire les mêmes choses que vous. Quand vous aurez entrepris de montrer à vos parents comment vous souhaitez être traité en vous traitant vous-même avec respect, il est fort probable que vous constatiez des changements spectaculaires chez eux. Toutefois, si rien ne change, s'ils continuent à se montrer hostile à votre endroit, libérez-vous de votre besoin de les transformer. Tout se déroule selon un plan divin, et le fait d'abandonner et de vous abandonner à Dieu est un puissant rappel de cette vérité. De plus, vous protégerez votre tranquillité d'esprit et augmenterez de manière spectaculaire vos chances d'aider les autres à faire de même.

Huitième étape : Affirmez haut et fort que la sérénité est la seule chose que vous souhaitez attirer dans votre vie. Je tâche de me le rappeler tous les jours, plusieurs fois par jour, en particulier lorsque je suis avec mes enfants ou des parents éloignés. J'utilise cette affirmation à l'épicerie, quand je dois prendre l'avion, quand je vais au bureau de poste et même au volant de ma voiture. Je la répète en silence dans mon cœur en étant conscient qu'il s'agit d'une vérité absolue sur laquelle il n'est pas question de transiger, et cela fonctionne à tous les coups. Les gens me répondent en souriant, en me témoignant leur reconnaissance, en posant des gestes affectueux et en m'accueillant avec chaleur tout au long de la journée. Je me remémore également cette observation tirée du livre *A Course in Miracle*, quand je me sens mal à l'aise avec ma famille : *Je suis toujours libre de choisir la sérénité*.

Neuvième étape : Ne tenez pas rancune et apprenez à pardonner. Être capable de pardonner est la clé pour établir des relations sereines avec tous les membres de votre famille. Vos parents ne font en fait que reproduire les comportements qu'on leur a inculqués au cours de leur existence, comme on les avait inculqués à plusieurs de leurs ancêtres. Enveloppez-les de la compréhension et du pardon que vous portez dans votre cœur.

Cet extrait du livre *A Course in Miracle* vous sera ici d'une aide précieuse :

Souhaitez-vous vivre en paix ? Le pardon peut vous l'offrir.
Souhaitez-vous être heureux, avoir l'esprit tranquille,
être certain d'avoir un but dans la vie,
avoir le sentiment d'être beau et utile,

au point de transcender les limites de ce monde ?
Souhaitez-vous connaître une sérénité que rien ne
puisse perturber,
une douceur que rien ne puisse blesser,
un confort que rien ne puisse remettre en question,
et un repos si parfait que rien ne puisse le troubler ?
Tout cela vous est offert par le pardon.

Dixième étape : Soyez reconnaissant. Au lieu de
vous plaindre du comportement des membres de votre
famille, récitez une prière où vous exprimez votre gratitude pour leur présence dans votre vie et pour tout ce
qu'ils ont à vous enseigner.

*
*   *

Exercez-vous tous les jours à mettre en pratique chacune de ces dix étapes. En attendant d'acquérir l'absolue certitude que cette intention se manifestera un jour
dans votre vie, rappelez-vous quotidiennement qu'on ne
corrige jamais une relation difficile en la condamnant.

CHAPITRE DIX

J'AI L'INTENTION :
DE CONNAÎTRE DU SUCCÈS
ET DE VIVRE DANS L'ABONDANCE

« DIEU VOUS OFFRE SES BÉNÉDICTIONS EN
ABONDANCE. »

Saint Paul

« QUAND VOUS PRENEZ CONSCIENCE QUE RIEN NE
MANQUE, LE MONDE ENTIER VOUS APPARTIENT. »

Lao-tseu

L'un de mes secrets pour avoir du succès et vivre dans l'abondance se résume à cet axiome que je mets en pratique à tous les jours. Voici : *Changez votre façon de voir les choses, et les choses que vous regardez changeront.* Cela a toujours fonctionné pour moi.

Cette petite maxime tire en fait son origine de la physique quantique, qui, selon certains, est un sujet non seulement plus étrange que vous ne le pensiez, mais aussi plus étrange que vous ne puissiez le *penser*. On a en effet découvert qu'au niveau subatomique le simple fait d'observer une particule modifie cette particule. La façon dont nous observons ces blocs de matière infiniment petits est un facteur déterminant pour leur avenir. Si nous appliquons cette métaphore à des particules de plus en plus grandes et que nous nous mettons à nous voir nous-mêmes comme des particules à l'intérieur d'un corps plus grand que nous appelons l'humanité, puis d'un autre encore plus grand que ce dernier – soit la vie elle-même – alors il n'est pas si difficile d'imaginer que la façon dont nous observons le monde dans lequel nous vivons affecte ce monde. Cette réalité a été exprimée de façons différentes au cours des âges : *Tel est le microcosme, tel est le macrocosme.* En lisant ce chapitre, souvenez-vous de ce petit détour par la physique quantique comme d'une métaphore pour votre vie de tous les jours.

Cela étant, votre intention d'avoir du succès et de vivre une vie prospère où règne l'abondance dépend du regard que vous portez sur vous-même, sur l'univers et, plus important encore, sur le champ de l'intention d'où le succès et la prospérité vous apparaîtront. Ma petite maxime sur la façon dont nous regardons les choses est un instrument extrêmement puissant qui vous permettra de faire entrer dans votre vie l'intention manifestée au début de ce chapitre. Pour commencer, examinez comment *vous* regardez ce qui vous entoure, puis comment l'esprit de l'intention en fait autant.

Quel regard portez-vous sur la vie ?

Votre façon d'envisager la vie est essentiellement le baromètre de vos attentes, ces dernières étant fondées sur ce que vous croyez mériter et être capable d'accomplir. Ces attentes sont pour la plupart le résultat d'une influence extérieure comme votre famille, votre communauté et les institutions de votre pays, mais elles sont aussi influencées par ce petit compagnon qui ne vous quitte jamais d'une semelle : votre ego. Vos attentes sont en grande partie fondées sur des croyances pessimistes quant à vos limites et à ce qu'il vous est possible d'accomplir. Si ces croyances sont au fondement même du regard que vous portez sur la vie, il est alors normal que vous espériez les mêmes choses pour vous-même. Connaître le succès, l'abondance et la prospérité est impossible dans un horizon aussi limité.

Dans mon cœur, je sais qu'il est possible d'avoir du succès et de vivre dans l'abondance, car, comme je l'ai mentionné plus tôt, j'ai connu des années de disette. J'ai grandi dans des familles d'accueil, loin de ma mère et de mon père, un homme absent, alcoolique et souvent emprisonné. Je sais que ces règles peuvent fonctionner pour vous, car si elles fonctionnent pour moi, elles fonctionnent pour tout le monde, puisque nous partageons tous l'abondante force divine et émanons du même champ de l'intention.

Observez quel genre de regard vous portez sur le monde, en vous demandant quelle portion de votre énergie vitale est consacrée à ignorer les points de vue potentiellement optimistes au profit d'inégalités et d'incohérences. Pouvez-vous modifier le regard que vous posez sur le monde ? Êtes-vous capable de saisir vos chances de prospérité même si vous avez toujours vécu dans le manque ? Pouvez-vous changer *ce qui est* simplement en regardant les choses de façon différente ? Oui ! Je l'affirme haut et fort ! Et pour y arriver, tournons-nous à présent vers quelque chose auquel vous n'avez, peut-être, jamais songé.

Comment le champ créateur universel de l'intention voit-il la vie ?

Le champ de l'intention, celui-là même qui est responsable de toute la création, est constamment en train de donner ; en fait, sa générosité ne connaît pas de limites. Il n'arrête jamais de convertir de purs esprits informes en une myriade de formes matérielles. De plus, ce champ de l'intention donne en quantité illimitée. Quand il est question de la Source originelle, les concepts de manque et de rareté ne s'appliquent pas. Nous avons donc affaire à deux concepts majeurs lorsque nous pensons à l'abondance naturelle de l'esprit universel. Nous découvrons d'abord qu'il est sans cesse en train de donner, puis qu'il nous offre ce dont nous avons besoin en quantité illimitée.

Puisque le pouvoir de l'intention est infini et constamment en train de donner, il semble évident que vous deviez adopter ces mêmes attributs si vous souhaitez réaliser votre intention personnelle de connaître le succès et de vivre dans l'abondance. Quel message devez-vous lancer à l'univers si vous voulez devenir *abondance* et *succès* et non vous acharner pour les obtenir ? Votre Source est abondance, et vous êtes cette Source ; par conséquent, vous communiquez cette même énergie en retour. Puisque la nature de votre Source est de donner et servir, et que vous êtes cette Source, alors vous devez toujours être disposé à donner et à servir. *Cette Source travaillera de concert avec vous uniquement si vous êtes en harmonie avec elle !*

Lorsque vous lancez au champ de l'intention un message disant : *S'il vous plaît, envoyez-moi plus d'argent*, celui-ci en conclut que vous considérez être dans un état de manque. Or, cette Source ne connaît pas le manque, et par conséquent, sa réponse sera : *Vous êtes dans une situation où vous manquez d'argent parce que vous pensez en termes de manque, et comme je suis cet esprit à travers lequel vos pensées s'organisent, je ne peux que vous offrir davantage de ce que vous ne voulez pas et de ce que vous n'avez pas*. Sous la pression de votre ego, votre réaction sera : *On refuse de m'écouter !* Mais en réalité, la Source universelle ne connaît que l'abondance et le don, et elle ne vous répondra en vous envoyant de l'argent que si votre intention est formulée de la façon suivante : *J'ai assez d'argent, et comme j'en ai suffisamment, je permets à ma Source de m'en envoyer encore davantage.*

Je sais que cela peut ressembler à du charabia et à de simples jeux de mots, mais je vous assure que l'esprit universel de l'intention fonctionne ainsi. Plus vous vous rapprocherez de la Source dont vous êtes issu, plus vous verrez l'abondance illimitée se manifester dans votre vie. Débarrassez-vous du concept de manque, car Dieu n'a pas la moindre idée de ce que cela veut dire. Si vous croyez que le manque existe, la Source réagira sur la base de cette croyance.

Revenons un instant sur mon observation initiale : *Changez votre façon de voir les choses, et les choses que vous regardez changeront.* Je peux vous garantir que l'esprit universel n'agit que lorsqu'il est en harmonie avec sa propre nature qui est d'une abondance infinie. Demeurez en harmonie avec cette nature, et tous vos désirs *devront* devenir réalité ; l'univers ne peut faire autrement. Si vous dites à l'esprit universel ce qui vous manque, il vous laissera dans cet état de manque où vous aurez toujours besoin d'en avoir plus, sans jamais y parvenir. Si, toutefois, vous sentez en vous que votre intention s'est déjà manifestée, vous ne faites plus qu'un avec votre intention. En n'accordant aucune attention à vos doutes et aux propos des cyniques, vous serez en présence du champ créateur de l'intention.

Vous ne pouvez être issu du manque, vous ne pouvez être issu de la rareté, vous ne pouvez être issu de l'insuffisance. Vous devez participer des mêmes attributs qui ont permis la création de toute chose. Voilà le mot clé : *permettre*. Examinons comment le fait de *permettre* est trop souvent ignoré dans nos tentatives de manifester notre désir de connaître le succès et de vivre dans l'abondance.

L'art de permettre

L'esprit universel de la Création est toujours en train de pourvoir à nos besoins. Il ne s'arrête jamais, ne prend jamais de vacances, ne connaît jamais de mauvaises journées et est toujours prêt à produire davantage. Tout ce qui existe, sans exception, émane de cet esprit universel que nous appelons l'intention. Donc si tout provient de ce champ infini d'énergie invisible, pourquoi certaines personnes sont-elles capables d'y participer alors que d'autres semblent en être coupées ? Et puisqu'il est toujours en train de pourvoir à nos besoins dans un flot infini d'abondance, il doit y avoir chez vous quelque résistance à le laisser entrer dans votre vie si vous connaissez le manque et la rareté.

Permettre à cette Source surabondante d'entrer dans votre vie signifie avant tout prendre conscience de la résistance que vous opposez à cette abondance qui a toujours été à votre portée. Si l'univers est fondé sur l'énergie et la loi de l'attraction, cela veut dire que tout vibre à une fréquence particulière. Lorsque votre fréquence vibratoire est en contradiction avec la fréquence vibratoire des surplus universels, vous opposez une résistance qui entrave la venue de ce flot d'abondance dans votre espace vital. Vos vibrations individuelles sont la clé pour comprendre l'art de permettre. Les vibrations discordantes se présentent en général sous la forme de pensées et d'émotions. Les pensées qui mettent l'accent sur ce que vous croyez ne pas mériter sont une contradiction énergétique. Cette contradiction vous empêche de vous brancher à des énergies similaires et conduit à la création d'un champ de refus. Rappelez-vous : il s'agit d'être toujours en harmonie avec votre Source. Vos pensées peuvent émerger d'un être en relation avec l'intention ou en contradiction avec celle-ci.

Si vous gardez à l'esprit que vous faites partie de l'esprit universel, en vous percevant comme un être en harmonie avec les sept visages de l'intention, l'esprit universel n'a d'autre choix que de travailler en harmonie avec vous. Par exemple, supposons que vous voulez obtenir un emploi qui vous garantira un meilleur salaire. Pour réaliser votre intention, vous n'avez qu'à imaginer que vous l'avez déjà, sans perdre de vue que vous y avez droit, et chasser tous vos doutes quant à vos chances de l'obtenir. Une fois que cela est fermement établi en vous, l'esprit universel ne peut faire autrement que de vous l'accorder, car vous avez éliminé toutes les contradictions vibratoires. Comment les choses pourraient-elles mal tourner ? Il est donc primordial, pour maîtriser l'art de permettre, que vous perdiez cette habitude d'opposer un refus.

Vous avez derrière vous une longue histoire de pensées qui ont formé un champ de résistance entravant la circulation du flot de l'abondance dans votre vie. Cette habitude d'opposer un refus à l'abondance se nourrit des croyances que vous avez entretenues au fil des ans et sur lesquelles vous continuez de vous appuyer. Pire encore, vous permettez à la résistance des autres de se joindre à la vôtre en cultivant le besoin d'obtenir leur approbation dans ce domaine. Vous sollicitez leur opinion en sachant qu'elle s'oppose à l'abondance, vous lisez les comptes rendus des journaux faisant mention de ceux qui ont échoué dans leur tentative de se dénicher un emploi, vous consultez les rapports gouvernementaux faisant état du déclin du marché de l'emploi et de l'économie en général, vous écoutez les reportages télévisés où l'on s'apitoie sur la triste marche du monde, et votre résistance devient de plus en plus inébranlable. Bref, vous vous alignez sur les avocats du refus.

Il est temps que vous examiniez ce système de croyances, ainsi que tous les facteurs qui contribuent à son maintien, et que vous vous disiez : *Je n'ai pas la force de tout changer en même temps, mais je vais commencer par modifier ces pensées qui m'incitent à refuser l'abondance.* Ce que vous pensiez auparavant, le nombre d'années pendant lesquelles vous avez entretenu ces pensées, et les pressions qui s'exercent sur vous pour maintenir votre résistance n'ont aucune importance. Mettez plutôt dès aujourd'hui un terme à ces pensées de refus, en éliminant une pensée à la fois. Pour ce faire, dites-vous : *Je sens que je vais avoir du succès, et j'ai l'intention de sentir l'abondance qui m'entoure, ici et maintenant.* Répétez ces mots ou utilisez vos propres mots afin qu'ils irriguent en permanence durant la journée votre esprit d'une nouvelle croyance en la réussite et l'abondance. Lorsque vous aurez activé ces pensées un certain nombre de fois, elles deviendront pour vous une nouvelle façon de penser, et vous saurez alors que vous avez entrepris d'éliminer vos dernières résistances.

Ces pensées deviendront alors une sorte de prière silencieuse, un message que vous vous adressez à vous-même : *J'incarne le succès ; j'incarne l'abondance.* Lorsque vous incarnez le succès, lorsque vous incarnez l'abondance, vous êtes en harmonie avec la Source créatrice, et cette dernière fera la seule chose qu'elle sait faire. Elle donnera et accordera éternellement à celui qui n'oppose aucune résistance, c'est-à-dire vous. Vous ne vibrez plus au rythme de la rareté ; chacune de vos vibrations individuelles est en accord avec ce que vous requérez de votre Source. Votre Source et vous ne faites qu'un dans votre esprit. Vous avez choisi d'identifier vos pensées de résistance et simultanément décidé de ne plus vous nuire à vous-même.

En pratiquant l'art de permettre et en ayant foi dans l'abolition de vos résistances, le succès n'est plus seulement quelque chose que vous choisissez ; c'est quelque chose que vous devenez. À partir de ce moment, l'abondance cesse de vous éviter. Vous êtes l'abondance et l'abondance est en vous. Elle circule librement au-delà de vos résistances. Mais il se présente aussitôt un nouvel écueil : *Vous devez éviter d'accumuler et de vous attacher aux apparences de votre vie.*

Abondance, détachement et émotions

Bien qu'il soit capital pour vous d'établir un accord permanent entre vos vibrations et l'abondance créatrice de l'intention, il est tout aussi capital de savoir que vous ne pouvez pas posséder ou conserver ce que cette abondance vous apportera, parce que le *vous* qui s'identifie et s'attache à vos succès et à votre prospérité n'est pas réellement vous, mais votre pénible ego. Vous n'êtes pas ce que vous faites ni ce que vous possédez ; vous êtes un être divin infini déguisé en homme ou en femme prospère ayant accumulé une certaine quantité de biens. Vous n'êtes pas la somme de ces *biens*. Et c'est pourquoi vous devez éviter de vous y attacher de quelque façon.

Le détachement vient du fait de savoir que notre véritable essence est consubstantielle au champ divin de l'intention. C'est alors que vous prendrez conscience de l'importance de vos émotions. Se sentir bien devient beaucoup plus important que le polissage de vos bijoux. Sentir que vous ne faites qu'un avec l'abondance surpasse en importance ce qu'il y a sur votre compte bancaire et transcende ce que les autres peuvent penser de vous. Sentir véritablement que le succès et l'abondance sont en vous est possible quand vous êtes détaché des choses que vous désirez et lorsque vous permettez leur libre circulation dans votre vie, et plus important encore, *en vous*. Tout ce qui inhibe le flot de cette énergie bloque le processus créateur de l'intention à l'endroit même où cet obstacle s'est érigé.

L'attachement aux biens de la terre est l'un de ces obstacles. Lorsque vous vous attachez aux biens qui surviennent dans votre vie, au lieu de permettre leur expression à travers vous, vous mettez un terme à leur libre circulation. Vous accumulez ces biens, vous décidez un jour qu'ils vous appartiennent, et le flot s'interrompt. Or, vous devez le maintenir en mouvement, tout en sachant que rien ne peut l'empêcher d'entrer dans votre vie si ce n'est vos propres résistances. Vos sentiments et vos émotions sont alors un excellent baromètre pour détecter ces résistances et évaluer votre capacité à connaître le succès et l'abondance.

Prêtez attention à vos émotions. Vos émotions vous disent quelle quantité d'énergie divine vous avez convoquée pour la réalisation de vos désirs. Les émotions peuvent servir d'étalon pour mesurer comment se déroule le processus de manifestation. Une réaction émotive exceptionnellement positive indique que vous avez convoqué la divine énergie de l'intention et permis à cette énergie de circuler en vous sans opposer de résistance. Les émotions associées à la passion, au pur bonheur, à la révérence, à l'optimisme, à une confiance indéfectible et même à l'illumination indiquent que votre désir de connaître le succès et l'abondance, par exemple, est fortement appuyé par la Source universelle. Vous devez apprendre à surveiller attentivement la présence de ces émotions. Ces dernières ne sont pas qu'un aspect de votre vie vide de toute énergie ; ce sont des agents en charge de la façon dont vous nettoyez et purifiez le lien qui vous unit à l'intention. Ces émotions vous disent précisément quelle quantité d'énergie vitale vous avez convoquée, et la force de l'appui sur lequel vous pouvez actuellement compter.

L'intention est naturellement dans un état de perpétuelle abondance. Votre désir d'abondance doit donc pouvoir circuler sans entrave. Tout écart entre votre désir ou votre intention et votre croyance en la possibilité de les faire apparaître dans votre vie crée une forme de résistance. Si vous désirez vivre dans l'abondance mais croyez que cela est impossible ou que vous ne le méritez pas, ou encore que vous n'avez pas le talent ou la persévérance pour y arriver, alors vous opposez une résistance qui sera perçue comme un refus. Vos émotions indiquent dans quelle mesure vous avez réussi à attirer l'énergie nécessaire à la réalisation de vos désirs. Un fort sentiment de désespoir, d'anxiété, de culpabilité, de haine, de peur, de honte ou de colère vous informe que vous voulez connaître le succès et l'abondance mais que vous ne croyez pas que cela soit possible. Ces sentiments négatifs vous envoient le signal qu'il est temps de vous mettre au travail et d'équilibrer vos désirs avec ceux de l'esprit universel de l'intention, qui est la seule source capable de vous donner ce que vous désirez. Les émotions négatives vous disent que le soutien de l'intention est faible ou même inexistant. Les émotions positives vous disent que vous êtes en contact et en étroite relation avec le pouvoir de l'intention.

Quant à l'abondance, l'une des meilleures façons de renforcer le soutien de l'intention consiste à désirer, non pas une abondance de dollars, mais une abondance d'amitié, de sécurité, de bonheur, de santé et d'énergie supérieure. C'est alors que vous commencez à sentir ces émotions supérieures vous faisant comprendre que vous êtes à nouveau en harmonie avec la Source créatrice. En vous concentrant sur votre désir de connaître le bonheur, la santé, la sécurité et l'amitié en abondance, les moyens d'y parvenir se présenteront d'eux-mêmes. L'argent n'est que l'un de ces moyens, mais plus votre énergie vibratoire sera intense, plus vous recevrez de l'argent en quantité non négligeable. Ces émotions positives, dans la mesure où elles indiquent si vous jouissez d'un fort soutien de l'intention dans votre quête de succès et d'abondance, vous mettront en mode actif pour co-créer vos intentions.

Je ne suis pas en train d'insinuer que vous n'avez qu'à attendre pour que tout se mette en place. Je suggère plutôt qu'en déclarant : *J'ai l'intention d'avoir du succès et de vivre dans la prospérité*, votre énergie émotionnelle se modifiera et vous agirez comme si vos désirs étaient déjà réalité. Vos actions seront en harmonie avec les sept visages de l'intention, et on vous offrira ce que vous *êtes*, au lieu de vous offrir ce qui vous manque.

J'en suis arrivé à un point dans ma vie où je refuse de participer à tout désir à moins d'être absolument sûr qu'il peut se manifester et qu'il se manifestera dans ma vie grâce au soutien de la Source créatrice de l'intention. Mon désir de voir surgir ces indices personnels d'abondance est devenu réalité en mettant en pratique les conseils présentés dans ce chapitre et le programme en dix étapes qui suit. J'ai appris à *permettre* en levant mes résistances et en prenant contact avec la Source créatrice dont je suis issu. Et aujourd'hui, je lui fais entièrement confiance. Au fil des ans, j'ai découvert que le fait de désirer quelque chose d'apparemment impossible me mettait de mauvaise humeur. Je me suis ensuite rendu compte que je devais mettre un frein à mes désirs, mais cela a eu pour effet de m'éloigner encore davantage du pouvoir illimité de l'intention, car je n'étais toujours pas en harmonie avec l'abondance de l'univers.

J'ai finalement commencé à comprendre que le fait d'être en harmonie avec l'abondance ne rendait pas les autres plus pauvres ou plus affamés. Au contraire, l'abondance que je créais me donnait l'occasion d'aider les autres à éradiquer la pauvreté et la faim dans le monde. Mais plus important encore, je me suis rendu compte que j'étais moins à même d'aider les autres lorsque je me maintenais à des fréquences inférieures. J'ai appris que je devais être en harmonie avec ma Source sur le plan vibratoire. Si j'ai choisi d'aborder ce sujet, c'est avant tout pour vous convaincre que vous n'êtes pas obligé de demander moins et n'avez pas à vous sentir coupable de souhaiter vivre dans l'abondance : elle est là pour vous et tous ceux qui souhaitent vivre dans l'abondance.

*

* *

Personnellement, je vis en accord avec ce que je dis du succès et de l'abondance. Je ne doute absolument pas que vous puissiez attirer l'abondance et connaître le succès en assimilant les messages présentés dans ce chapitre qui, comme cette abondance que vous recherchez, sont passés à travers moi venant de la Source universelle avant d'être couchés sur le papier. Il n'y a pas de contradiction entre mon désir de les mettre par écrit et ma détermination à ce qu'ils se rendent jusqu'à vous librement. Comment le sais-je ? Je ressens présentement un sentiment de bonheur, de sérénité et de révérence ineffables. Je fais confiance à cette émotion qui m'indique que j'ai utilisé une très forte puissance d'attraction pour créer ces messages issus de l'Esprit créateur de l'intention. Je suis en harmonie avec l'abondance sur le plan vibratoire et mon intention d'avoir du succès se réalise. Essayez pour voir, et vous verrez que tout ce que vous souhaitez obtenir en abondance se manifestera dans votre vie.

Faire de votre intention une réalité

Vous trouverez ci-dessous un programme en dix étapes pour mettre en pratique l'intention de ce chapitre, soit avoir du succès et vivre dans l'abondance :

Première étape : Voir le monde comme un lieu d'abondance, généreux et amical. Quand vous modifiez votre façon de voir les choses, les choses que vous observez se mettent à changer. Quand vous voyez le monde comme un lieu d'abondance amical, vos intentions deviennent de véritables possibilités. En fait, elles se réaliseront à coup sûr, car vous appréhenderez alors le monde à partir de fréquences supérieures. La première étape de ce programme consiste donc à vous montrer réceptif à un monde qui donne plutôt qu'à un monde qui limite. Vous ferez ainsi la connaissance d'un monde qui souhaite votre réussite au lieu d'un monde qui conspire contre vous.

Deuxième étape : Dites : *J'attire le succès et l'abondance dans ma vie car c'est ce que je suis*. Cette affirmation vous fera entrer en harmonie avec votre Source sur le plan vibratoire. Votre but est d'éliminer tout ce qui sépare votre désir de ce qui vous permettra de l'attirer dans votre vie. L'abondance et la réussite ne vous attendent pas au coin de la rue. Vous êtes cette abondance, vous êtes cette réussite. Et n'oubliez pas que votre Source ne peut vous offrir que ce qui est déjà, et par conséquent, ce que vous êtes déjà.

Troisième étape : Demeurez dans un état de permissivité. Toute *résistance* correspond à une dissonance entre votre désir d'abondance et ce que vous croyez être vos habiletés et votre valeur en tant qu'individu. *Permettre* est synonyme d'alignement parfait. Adopter une attitude permissive signifie donc ignorer les efforts de dissuasion de ceux qui vous entourent. Cela signifie également ne plus compter sur les anciennes croyances de votre ego quant à l'abondance et son accessibilité. Lorsque vous adoptez une attitude permissive, toutes les résistances présentes sous la forme de pensées négatives et de doutes sont remplacées par la certitude que votre Source et vous ne faites qu'un. Visualisez cette abondance en train de s'écouler librement à travers vous. Refusez toute action et toute pensée qui pourrait compromettre votre alignement sur votre Source.

Quatrième étape : Profitez de l'instant présent pour activer des pensées en harmonie avec les sept visages de l'intention. Et j'insiste sur *instant présent*. Notez au moment où vous lisez ces lignes si vous croyez qu'il est futile à ce stade de votre vie de modifier la teneur des pensées qui forment votre système de croyances. Allez-vous à l'encontre de votre propre intérêt en vous disant que vous avez ruminé des affirmations de manque et opposé de la résistance au succès et à l'abondance pendant si longtemps que vous n'avez plus le temps de contrebalancer les pensées qui formaient votre ancien système de croyances ?

Prenez la décision de laisser derrière vous ces croyances de toute une vie et d'activer dès maintenant des pensées qui vous donneront un sentiment de bien-être. Dites : *Je veux me sentir bien*, chaque fois que quelqu'un tente de vous convaincre de la futilité de vos désirs. Dites : *Je veux me sentir bien*, chaque fois que vous êtes tenté de retourner à des pensées associées à des énergies inférieures et en désaccord avec l'intention. Vous finirez par activer des pensées qui vous procureront un sentiment de bien-être et vous indiqueront que vous avez repris contact avec l'intention. Se sentir bien, c'est sentir la présence de Dieu à nos côtés. Rappelez-vous : « Dieu est bon, et tout ce que Dieu a créé est bon. »

Cinquième étape : Agissez de façon à renforcer votre intention d'avoir du succès et de vivre dans l'abondance. Ici, le mot clé est *agir*. C'est ce que j'appelle *agir comme si* ou *penser en commençant par la fin*. Faites que votre corps vous pousse vers l'abondance et la réussite. Écoutez votre passion et faites comme si l'abondance et le succès étaient déjà présents dans votre vie. Adressez-vous aux inconnus avec de la passion dans la voix. Répondez au téléphone en montrant que vous êtes inspiré par ce que vous faites. Présentez-vous à vos entrevues d'emploi dans la confiance et la joie. Lisez les livres qui apparaissent mystérieusement sur votre bureau, et prêtez attention aux conversations qui semblent indiquer que vous êtes appelé à faire quelque chose de nouveau.

Sixième étape : Rappelez-vous que vos succès et votre prospérité profiteront aux autres, et que personne ne sera dans le manque parce que vous avez choisi de vivre dans l'abondance. Je vous rappelle à nouveau que les réserves de l'univers sont infinies. Plus vous participerez à la générosité universelle, plus vous aurez de choses à partager avec les autres. En écrivant ce livre, une merveilleuse abondance s'est manifestée dans ma vie de multiples façons. Plus important encore, les éditeurs et les graphistes, les chauffeurs de camions qui transportent mes livres, les travailleurs qui construisent ces camions, les fermiers qui nourrissent ces travailleurs, les employés des librairies... ont tous reçu cette abondance en retour parce que j'ai choisi d'écouter la voix de mon cœur et d'écrire ce livre.

Septième étape : Surveillez vos émotions, car elles vous informeront de l'état de votre lien avec l'esprit universel de l'intention. Les émotions fortes comme la passion et la félicité sont l'indice que vous êtes en contact avec l'Esprit, que vous êtes inspiré, si vous voulez. Lorsque vous êtes inspiré, vous activez des forces dormantes et l'abondance que vous recherchez sous diverses formes apparaîtra dans votre vie. Si vous vivez des émotions associées à des énergies inférieures, comme la rage, la colère, la haine, l'anxiété et le désespoir, cela démontre que même si vous avez de forts désirs, ceux-ci ne sont pas synchronisés avec le champ de l'intention. Rappelez-vous dans ces moments de faiblesse que vous désirez vous sentir bien, et voyez si vous pouvez activer une pensée qui contribuera à votre sentiment de bien-être.

Huitième étape : Soyez pour le monde aussi généreux que le champ de l'intention l'a été pour vous. N'interrompez pas le flot d'abondance que vous avez reçu en le thésaurisant ou en en faisant votre possession. Maintenez-le en mouvement. Mettez votre prospérité au service des autres et au service de causes qui dépassent votre simple ego. Plus vous vous exercerez au détachement, plus vous demeurerez en harmonie avec la Source magnanime de toute chose.

Neuvième étape : Consacrez du temps à méditer sur la présence en vous de l'Esprit en tant que source de vos succès et de votre prospérité. Rien ne peut remplacer la pratique de la méditation. Et en ce qui concerne l'abondance, cela est particulièrement pertinent. Vous devez comprendre que votre *conscience de cette présence* constitue pour vous une source d'approvisionnement infinie. En répétant le son de Dieu sous la forme d'un mantra, vous utilisez une technique de manifestation aussi vieille que le monde. Je suis particulièrement attiré par cette forme de méditation appelée Japa. Je sais qu'elle est efficace.

Dixième étape : Adoptez une attitude de gratitude envers tout ce qui se manifeste dans votre vie. Soyez reconnaissant et apprenez à vous émerveiller et à apprécier ce qui vous entoure, même si vos désirs ne se sont pas encore réalisés. Même les jours les plus sombres de votre vie méritent votre gratitude. Rappelez-vous que tout ce qui vient de la Source a été créé dans un but précis. Soyez reconnaissant de pouvoir reprendre contact avec cette force à l'origine de toute chose.

*
* *

L'énergie qui a créé le monde et l'univers est en vous. Elle fonctionne sur la base des lois de l'attraction et de l'énergie. Tout vibre, tout possède une fréquence vibratoire. Comme le disait saint Paul : « Dieu vous offre ses bénédictions en abondance. » Branchez-vous sur la fréquence de Dieu et vous en serez convaincu une fois pour toutes !

❀

CHAPITRE ONZE

J'AI L'INTENTION :
DE VIVRE UNE VIE SEREINE ET SANS STRESS

« L'ANXIÉTÉ EST LA MARQUE D'UNE INSÉCURITÉ
SPIRITUELLE. »

Thomas Merton

« TANT QUE NOUS CROIRONS AU PLUS PROFOND
DE NOTRE CŒUR QUE NOUS SOMMES LIMITÉS,
NOUS CONTINUERONS D'ÊTRE ANXIEUX ET MAL-
HEUREUX. NOUS MANQUONS DE FOI. CELUI QUI A
RÉELLEMENT CONFIANCE EN DIEU N'A PAS LE
DROIT D'ÊTRE ANXIEUX. »

Paramahansa Yogananda

Remplir votre intention de vivre une vie sereine et
sans stress est une façon de manifester la quintessence
de votre destin. En nous amenant ici, il me semble que
notre Source avait l'intention de nous voir faire l'expérience de la vie sur terre dans la joie et la bonne humeur. D'ailleurs, lorsque vous êtes heureux et joyeux,
vous retrouvez cette joie créatrice, sereine et impartiale
qui constitue le cœur même de l'intention. Votre état

naturel – celui à partir duquel vous avez été créé – est un état de bien-être. Le but de ce chapitre est de vous permettre de retrouver et d'accéder à cet état naturel.

Vous avez été créé par une Source sereine et joyeuse. Lorsque vous êtes dans un état de joie exubérante, vous êtes en paix avec tout ce qui vous entoure. Cette Source a voulu votre présence ici-bas, et c'est avec elle que vous devez accorder vos pensées, vos émotions et vos actions. Tous les aspects de votre vie vous procurent un sentiment de satisfaction et vous inspirent quand vous êtes joyeux. Bref, se libérer de l'anxiété et du stress est une façon de se réjouir aux côtés du champ de l'intention. Les moments de votre vie où vous êtes heureux, joyeux, plein de vie et en accord avec votre but, sont les instants où vous êtes aligné sur l'esprit universel et créateur de l'intention.

Il n'y a rien de naturel dans le fait de vivre sous la férule du stress et de l'anxiété, d'avoir des sentiments de désespoir et des pensées dépressives, et d'être obligé de prendre des pilules pour vous calmer. Cette agitation, qui provoque une hausse de la pression artérielle, des problèmes digestifs, un sentiment persistant de malaise, une incapacité à se détendre et à trouver le sommeil, des accès de mauvaise humeur et d'indignation, est une violation de votre état naturel. Croyez-le ou non, vous êtes capable de créer cette vie naturellement sereine et sans stress à laquelle vous aspirez. Vous pouvez utiliser ce pouvoir pour attirer de la frustration ou de la joie, de l'anxiété ou de la tranquillité. Quand vous êtes en harmonie avec les sept visages de l'intention, vous pouvez avoir accès et puiser à même la Source de toute chose afin de concrétiser votre intention de vous libérer du stress et de vivre dans la sérénité.

Donc, s'il est naturel d'éprouver un sentiment de bien-être, pourquoi sommes-nous si souvent mal dans notre peau et tendus ? La réponse à cette question vous donnera la clé pour mener la vie sereine que vous désirez.

Le stress est un désir de l'ego

Quand vous éprouvez du stress et de l'anxiété, vous pouvez être assuré que ce fichu ego n'est pas loin derrière. Peut-être votre ego aime-t-il ressentir du stress et de l'anxiété parce que cela lui donne l'impression d'être impliqué dans le monde. Peut-être s'agit-il d'une habitude ou d'une manie. Ou peut-être s'agit-il d'un comportement jugé normal. En fait, vous seul pouvez en analyser les causes. Mais il demeure que le stress est une émotion familière et la sérénité une émotion peu familière ; donc votre ego recherche le stress.

En fait, il n'y a ni stress, ni anxiété dans le monde ; ces fausses croyances sont uniquement le fruit de vos pensées. Vous ne pouvez emballer le stress, le toucher ou le voir. Il n'y a que des personnes qui pensent de manière stressante. Lorsque nous pensons de manière stressante, nous créons des réactions corporelles, des messages et des signaux précieux qui requièrent toute notre attention. Ces messages peuvent se manifester sous la forme de nausées, d'hypertension, de crampes d'estomac, d'indigestion, d'ulcères, de maux de tête, d'une accélération du pouls, de problèmes respiratoires et d'un million d'autres malaises allant d'un léger inconfort à des maladies graves, voire mortelles.

Nous parlons du stress comme s'il s'agissait d'une chose qui nous attaquait de l'extérieur. Nous disons parfois : *J'ai eu une attaque de panique*, comme si la panique était un agresseur. Or, le stress est rarement le résultat d'une agression perpétrée par une force ou une entité extérieure ; le stress est la conséquence d'un af-faiblissement du lien qui vous unit à l'intention, causé par la croyance que vous êtes essentiellement votre ego. Vous êtes un être de paix et de joie, mais vous avez permis à votre ego de dominer votre vie. Voici une courte liste de pensées anxiogènes générées par votre ego :

• *Il est plus important d'avoir raison que d'être heureux.*

• *Tout ce qui compte, c'est la victoire. Il est normal que les perdants soient stressés.*

• *Votre réputation est plus importante que votre relation avec votre Source.*

• *Être supérieur aux autres est plus important qu'être gentil avec eux.*

Le récit suivant, qui décrit de façon amusante comment nous pouvons arrêter de nous prendre tellement au sérieux, est tiré du livre de Rosamund et Benjamin Zander (ce dernier dirige le Philharmonique de Boston), *The Art of Possibility*. Il illustre parfaitement comment nous laissons notre ego créer la plupart des problèmes que nous attribuons au stress et à l'anxiété.

Deux Premiers ministres sont en train de discuter des affaires de l'État. Soudain, un fou furieux entre avec fracas dans la pièce et se met à hurler et à taper du poing sur le bureau. Le Premier ministre du pays hôte le réprimande aussitôt : « Peter, dit-il, ayez la bonté de vous rappeler la Règle Numéro 6 », sur quoi Peter retrouve instantanément son calme, s'excuse et se retire. Les politiciens reprennent leur conversation, mais ils sont interrompus vingt minutes plus tard par une femme hystérique qui gesticule dans tous les sens, les cheveux en bataille. À nouveau, l'intruse est accueillie par ces mêmes paroles : « Marie, rappelez-vous, je vous prie, la Règle Numéro 6. » La femme revient à elle et se retire en s'inclinant et s'excusant. Après que la même scène se fut répétée pour une troisième fois, le Premier ministre de passage demande à son collègue : « Mon cher ami, j'ai vu bien des choses au cours de ma vie, mais jamais rien de tel. Auriez-vous l'obligeance de me révéler le secret de la Règle Numéro 6 ? » « C'est très simple, répond l'autre Premier ministre. La Règle Numéro 6 se lit comme suit : "Arrêtez de vous prendre au sérieux, imbécile." « Ah ! s'exclame le visiteur, c'est une règle remarquable. » Après quelques instants de réflexion, il ajoute : « Mais si je peux me permettre, quelles sont les autres règles ? » « Il n'y en a pas d'autre. »

La prochaine fois que vous subirez du stress, des pressions ou de l'anxiété, rappelez-vous la « Règle Numéro 6 » au moment où vous prendrez conscience que vous entretenez des pensées stressantes. En remarquant et en interrompant le dialogue intérieur responsable de ce stress, vous serez probablement à même de prévenir l'apparition de symptômes physiques. Quelles sont ces pensées stressantes ? *Je suis plus important que les gens qui m'entourent. On n'a pas encore répondu à mes attentes. On ne devrait pas me faire attendre, je suis trop important. Je suis le client ici, et j'exige qu'on me réponde. Personne n'a à endurer autant de pression que moi.* Toutes ces pensées, comme l'inventaire potentiellement infini de celles qui tombent sous la « Règle Numéro 6 », proviennent du sac à malice de votre ego.

Vous n'êtes pas votre travail, vos réussites, vos possessions, votre maison, votre famille... vous n'êtes rien de tout cela. Vous êtes une parcelle du pouvoir de l'intention, à l'intérieur d'un corps physique censé faire l'expérience et jouir de la vie sur terre. Voilà l'intention que vous voulez manifester pour confronter le stress.

Confronter le stress à votre intention de l'éliminer. Tous les jours, vous avez des centaines d'occasions de mettre en pratique la « Règle Numéro 6 » en ayant recours au pouvoir de l'intention pour éliminer les potentiels facteurs de stress. Voici quelques exemples illustrant comment j'emploie cette stratégie. Dans chacun de ces exemples, je stimule une pensée en harmonie sur le plan vibratoire avec le champ universel de l'intention, et je vais au bout de mon intention personnelle de demeurer calme. Ces exemples se sont produits sur une période de trois heures au cours d'une journée normale. Je vous les offre pour vous rappeler que le stress et l'anxiété sont le fruit de notre décision de traiter les événements, plutôt que de traiter les entités qui menacent d'envahir nos vies.

— Je vais déposer une ordonnance à la pharmacie, mais la personne devant moi pose des questions complètement ridicules au pharmacien dans le but délibéré, me dit mon ego toujours friand de stress, de me faire perdre mon temps et m'importuner. Mon monologue intérieur ressemble un peu à ceci : *Je suis encore la victime ! Il y a toujours quelqu'un devant moi qui compte sa petite monnaie, qui n'arrive pas à trouver ses formulaires d'assurance et qui doit poser toutes sortes de questions absurdes pour m'empêcher de déposer mon ordonnance.*

Ces pensées sont pour moi le signal que je dois modifier mon monologue intérieur : *Wayne, arrête de te prendre au sérieux, imbécile !* Je passe aussitôt de la colère à la félicité. Je détourne mon attention de moi-même, et au même moment, je lève toutes les résistances qui m'empêchent de vivre mon intention d'être calme et serein. La personne devant moi est devenue un ange, venu pour m'aider à reprendre contact avec l'intention. J'arrête de la juger, et la beauté de ses gestes lents et délibérés m'apparaît soudain. En esprit, j'essaie d'être gentil avec cet *ange*. Mon hostilité se transforme en amour, et mes sensations de malaise cèdent le pas à un sentiment de bien-être. Il est absolument impossible de ressentir du stress dans un moment pareil.

— Ma fille de dix-sept ans me raconte qu'elle est en désaccord avec un membre du personnel de son école qui a pris des mesures radicales contre ses amis, un geste qu'elle trouve totalement injuste. Nous sommes samedi matin et nous ne pouvons rien faire avant le lundi qui vient. Notre choix ? Passer deux jours de supplice à ruminer les détails de son histoire, ou bien lui rappeler qu'elle peut activer des pensées qui lui procureront un sentiment de bien-être. Je lui demande de me décrire comment elle se sent. Elle répond qu'elle est « en colère, fâchée et blessée ». Je lui dis de penser à la « Règle Numéro 6 » et de voir si elle ne peut pas activer d'autres pensées.

Elle se moque de moi, et me dit que je suis fou. « Mais, reconnaît-elle, cela ne rime à rien de gâcher tout mon week-end, alors je vais arrêter de penser à ce qui me met de mauvaise humeur. »

« Lundi, nous ferons ce qu'il faut pour corriger la situation, lui dis-je. Pour l'instant – et tu sais que seul compte l'instant présent – mets en pratique la "Règle Numéro 6" et va rejoindre le champ de l'intention où le stress, l'anxiété et la pression n'existent pas. »

Pour aller au bout de l'intention de ce chapitre, soit *vivre une vie sereine et sans stress*, vous devez prendre conscience qu'il est nécessaire d'activer des pensées en accord avec votre intention. Cela deviendra pour vous une habitude qui remplacera votre tendance à réagir en suscitant du stress. Lorsque vous examinez les segments qui composent un incident stressant, vous avez toujours le choix : *Est-ce que je continue à entretenir des pensées anxiogènes ou est-ce que j'active des pensées qui rendent le stress impossible ?* Voici une autre façon de remplacer facilement votre habitude de choisir l'anxiété et le stress.

Cinq mots magiques : Je veux me sentir bien ! Dans un chapitre précédent, j'ai décrit comment vos émotions vous permettent de savoir si vous opposez ou non de la résistance à vos intentions. Le fait d'être de mauvaise humeur vous indique que vous n'êtes pas en contact avec le pouvoir de l'intention. Dans le cas présent, votre intention est d'être calme et serein. Donc, si vous êtes de bonne humeur, vous êtes en contact avec vos intentions, peu importe ce qui se passe autour de vous ou ce que les autres attendent de vous. Si vous vivez dans un pays en guerre, vous avez quand même le choix de vous sentir bien. Si l'économie s'en va à vau-l'eau, vous avez le choix de vous sentir bien. S'il se produit une catastrophe, vous pouvez quand même vous sentir bien. Le fait d'être bien dans sa peau n'est pas la preuve que vous êtes sans cœur, indifférent ou cruel : c'est un choix que vous avez fait. Dites-le tout haut : *Je veux me sentir bien !* Puis ajoutez : *J'ai l'intention de me sentir bien.* Prenez conscience de votre stress, puis envoyez-lui l'amour et le respect des sept visages de l'intention. Les sept visages de l'intention souriront et diront bonjour à votre mauvaise humeur. Cette émotion se changera en bien-être. Vous devez traiter vos émotions comme vous êtes traité par votre Source afin de contrecarrer les désirs de votre ego.

Plusieurs situations mettront en évidence votre tendance à réagir négativement. Soyez conscient de ces incidents externes, et répétez les cinq mots magiques : *Je veux me sentir bien*. À ce moment précis, demandez-vous si le fait de vous sentir mal améliorera votre situation. Vous découvrirez que ces sentiments malsains ne peuvent accomplir qu'une chose : vous plonger dans l'anxiété, le désespoir, et bien sûr, le stress. À la place, demandez-vous quel genre de pensées vous redonnerait envie de sourire. Une fois que vous aurez découvert qu'il faut répondre à cette hostilité en suscitant des pensées de bonté et d'amour (ce qui n'est pas du tout la même chose que de s'y complaire), il se produira un changement important en vous. Vos vibrations seront désormais en harmonie avec celles de votre Source, car le pouvoir de l'intention ne connaît que la sérénité, la bonté et l'amour.

Ces pensées récemment activées qui vous procurent un sentiment de bien-être ne feront peut-être pas long feu, et il se peut alors que vous retourniez à votre ancienne façon de traiter les événements désagréables. Réagissez également à cette ancienne façon de faire avec respect, amour et compréhension, mais rappelez-vous que c'est votre ego qui tente de vous protéger de ce qu'il considère être un danger. Tout signal de stress est une occasion de vous rappeler que vous devez répéter les cinq mots magiques : *Je veux me sentir bien*. Le stress veut attirer votre attention ! En répétant les cinq mots magiques et en étendant votre amour jusqu'à vos sentiments d'hostilité, vous enclenchez le processus qui vous permettra de réaliser votre intention déclarée de vivre une vie sereine et sans stress. Vous pouvez vous exercer à activer ces pensées dans les moments les plus difficiles, et avant longtemps, vous incarnerez ce message offert à tous les lecteurs dans le livre de Job : « Tes résolutions seront couronnées de succès, et sur tes sentiers brillera la lumière » (Job 22, 28). Dans le contexte biblique, le mot *lumière* signifie que vous recevrez l'assistance du Saint-Esprit dès que vous aurez pris une résolution en accord avec cette lumière.

Je vous assure que votre décision de vous sentir bien est une façon de prendre contact avec l'Esprit. Il n'est pas question de demeurer indifférent à ce qui se passe autour de vous. En accueillant ce sentiment de bien-être, vous devenez un instrument de paix, et c'est grâce à ce moyen que vous pourrez éradiquer vos problèmes. En étant de mauvaise humeur, vous demeurez dans un champ d'énergie qui oppose de la résistance à tout changement positif, le stress et l'anxiété n'étant que des effets secondaires de cette résistance. En fait, vos problèmes, comme vous dites, remonteront sans cesse à la surface et ne disparaîtront jamais complètement de votre vie. Éliminez-en un... et un autre montrera le bout du nez !

Vous n'y arriverez jamais. Au chapitre six, je vous ai rappelé que vous êtes de nature infinie. Puisque vous êtes un être spirituel infini ayant pris temporairement forme humaine, il est essentiel que vous compreniez que l'infini n'a ni commencement, ni fin. Par conséquent, vos désirs, vos buts, vos espoirs et vos rêves n'auront jamais de fin : jamais ! Aussitôt que vous aurez réalisé l'un de vos rêves, un autre surgira aussitôt. De par sa nature, la force universelle de l'intention, à partir de laquelle vous avez émigré pour vous établir temporairement dans cet être composé de matière, est toujours en train de créer et de donner. De plus, elle est constamment en expansion. Votre désir de réaliser vos rêves est une partie intégrante de cette nature infinie. Même si vous désirez ne plus avoir de désirs, c'est encore un désir !

Je vous exhorte à accepter le fait que vous n'arriverez jamais à tout faire. Commencez à vivre pleinement le seul moment qui est réellement vôtre : le moment présent ! Le secret pour se débarrasser des effets néfastes du stress et de la pression consiste à vivre le moment présent. Déclarez à haute voix à tous ceux qui sont prêts à vous écouter : *Je suis un être incomplet. Je serai toujours incomplet car je ne pourrai jamais tout faire. Par conséquent, je choisis de me sentir bien, de vivre le moment présent, et d'attirer dans ma vie la manifestation de mes désirs. Je suis complet dans mon incomplétude !* Je peux vous assurer que l'impact de cette affirmation éradiquera toutes formes de stress et d'anxiété, ce qui est précisément l'objectif de ce chapitre. Il n'y a pas de résistance qui tienne quand vous vous sentez complet dans votre incomplétude.

La voie de la moindre résistance

Vous vivez dans un univers ayant un potentiel illimité pour la joie inscrite au cœur du processus de création. Votre Source, que nous appelons ici l'esprit universel de l'intention, vous adore au-delà de tout ce que vous pouvez imaginer. Lorsque vous vous adorez vous-même dans les mêmes proportions, vous êtes non seulement en harmonie avec le champ de l'intention mais vous choisissez de lever vos résistances. Mais tant que vous aurez ne serait-ce qu'un gramme d'ego, vous continuerez à opposer certaines résistances, et c'est pourquoi je vous encourage à opter pour la voie qui les minimisera.

La nature et le nombre de vos pensées déterminent la force de votre résistance. Nous avons établi que les pensées qui génèrent de l'hostilité sont des pensées qui résistent à l'intention. Toute pensée qui érige une barrière entre ce que vous voulez avoir et votre capacité à l'attirer dans votre vie oppose une résistance. Votre intention est de vivre une vie sereine, où le stress et l'anxiété n'ont pas leur place. Vous savez également que le stress n'a pas d'existence autonome, qu'il n'y a que des pensées stressantes. Les pensées stressantes sont en elles-mêmes une forme de résistance. Vous ne voulez pas que ces pensées stressantes deviennent votre façon habituelle de réagir à votre environnement, n'est-ce pas ? En suscitant des pensées offrant une résistance minimale, vous contribuerez à faire de celles-ci votre réaction naturelle aux événements et à devenir finalement cette personne sereine, à l'abri du stress et des maladies associées au stress. À l'inverse, vos pensées stressantes sont en *elles-mêmes* une forme de résistance faisant obstacle au pouvoir de l'intention.

Nous vivons dans un monde qui nous donne toutes les raisons d'être anxieux. On vous a enseigné que se sentir bien dans un monde où il y a tant de souffrance est une posture immorale. On vous a convaincu que choisir d'être bien dans sa peau durant une crise économique, en temps de guerre, en période d'incertitude ou à l'approche d'une catastrophe est indécent et inapproprié. Et puisque ces situations se rencontreront toujours en quelques endroits du globe, vous croyez que vous ne pouvez vous réjouir tout en demeurant une bonne personne. Mais il ne vous est peut-être pas venu à l'esprit que dans un univers fondé sur l'énergie et les lois de l'attraction, les pensées qui évoquent des sentiments négatifs tirent leur origine de la même Source énergétique qui attirera encore plus de négativité dans votre vie. Ces pensées sont des pensées de résistance.

Voici quelques exemples de phrases qui mènent à *plus de résistance*, suivies de leurs contreparties qui, elles, mènent à *moins de résistance*.

L'état de notre économie m'inquiète ; j'ai peur de perdre beaucoup d'argent.
Je vis dans un univers d'abondance ; je choisis de penser à ce que j'ai et tout ira bien. L'univers me procurera tout ce dont j'ai besoin.

J'ai tant de choses à faire que je ne pourrai jamais rattraper mon retard.
Je suis à cet instant précis en paix avec moi-même. Je pense uniquement à la chose que je suis en train de faire. J'entretiens des pensées sereines.

Cet emploi ne m'offre aucune possibilité d'avancement.
Je choisis d'apprécier ce que je suis en train de faire et d'attirer dans ma vie des occasions encore plus intéressantes.

Ma santé me donne beaucoup de soucis. J'ai peur de vieillir, de perdre mon autonomie et de tomber malade.
Je suis en bonne santé et je pense santé. Je vis dans un univers qui attire la santé, et je refuse de penser à l'avance à la maladie.

Les membres de ma famille me rendent anxieux et craintif.
Je choisis d'entretenir des pensées qui me mettent de bonne humeur, et cela m'aidera à remonter le moral de ceux qui en ont besoin.

Je n'ai pas le droit d'être heureux quand tant de gens souffrent autour de moi.

Je ne vis pas dans un monde où tous sont censés faire les mêmes expériences. Je me sens bien, et en étant de bonne humeur, je contribue à l'éradication de la souffrance.

Comment être heureux quand la personne que j'aime m'abandonne parce qu'elle en aime une autre ?

Il ne sert à rien de me faire du mauvais sang. Je suis confiant que cet amour resurgira dans ma vie si je suis en harmonie avec la Source de cet amour. Je choisis d'être heureux dès aujourd'hui et de me concentrer sur ce que j'ai, au lieu de penser à ce qui me manque.

Toutes les pensées stressantes représentent une forme de résistance à éradiquer. Modifiez votre façon de penser en gardant vos émotions à l'œil et en choisissant la joie plutôt que l'anxiété, et vous accéderez au pouvoir de l'intention.

Faire de vos intentions une réalité

Vous trouverez ci-dessous un programme en dix étapes pour vous créer une vie sereine et sans stress :

Première étape : Rappelez-vous que votre état naturel est la joie. Vous êtes un produit de l'amour et de la joie ; il est donc naturel que vous éprouviez ces sentiments. Vous en êtes venu à penser qu'il est naturel d'être stressé, anxieux et déprimé, surtout quand les gens et les événements qui vous entourent dégagent des énergies inférieures. Rappelez-vous aussi souvent que nécessaire : *Je suis issu de la sérénité et de la joie. Je dois demeurer en harmonie avec ma Source si je veux réaliser mes rêves et mes désirs. Je choisis de demeurer dans mon état naturel. Chaque fois que je suis anxieux, stressé, déprimé ou effrayé, je m'abandonne à mon état naturel.*

Deuxième étape : La cause de votre stress se trouve dans vos pensées, non dans le monde extérieur. Vos pensées provoquent des réactions de stress dans votre organisme. Les pensées stressantes opposent une résistance à la joie, au bonheur et à l'abondance que vous souhaitez créer dans votre vie. Ces pensées prennent diverses formes : Je ne peux pas, j'ai trop de travail, je suis inquiet, je n'en vaux pas la peine, j'ai peur, cela ne se produira jamais, je ne suis pas assez intelligent, je suis trop vieux (ou trop jeune), et ainsi de suite. Ces pensées forment un véritable réseau de résistance à la sérénité et au calme, et vous empêchent de réaliser vos désirs.

Troisième étape : Vous pouvez modifier vos pensées stressantes à tout moment et éliminer votre anxiété pendant quelques instants, voire pendant quelques heures ou même quelques jours. En décidant de vous détourner de vos tracas, vous enclenchez un processus de réduction du stress, tout en reprenant simultanément contact avec le champ créateur de l'intention. C'est à partir de ce lieu de sérénité et de tranquillité que vous devenez co-créateur aux côtés de Dieu. Vous ne pouvez pas être en contact avec votre Source et être en même temps stressé : ces deux possibilités s'excluent mutuellement. Votre Source ne crée pas dans l'anxiété, et n'a pas besoin de prendre des antidépresseurs. Mais vous laissez votre capacité à réaliser vos désirs derrière vous en choisissant de ne pas éliminer vos pensées stressantes à l'instant où elles se manifestent.

Quatrième étape : Surveillez vos pensées stressantes en vérifiant quel est votre état émotionnel du moment. Posez-vous cette question fondamentale : *Est-ce que je me sens bien présentement ?* Si la réponse est non, répétez les cinq mots magiques : *Je veux me sentir bien*, puis ajoutez : *J'ai l'intention de me sentir bien*. Surveillez vos émotions, et vérifiez si vous entretenez des pensées stressantes et anxiogènes. Ce processus de surveillance vous dira si vous êtes en voie de lever vos résistances ou de les maintenir.

Cinquième étape : Prenez la décision de favoriser les pensées qui vous mettent de bonne humeur. Je vous encourage à choisir vos pensées en vous basant exclusivement sur les réactions qu'elles provoquent en vous, et non sur leur popularité ou quelque battage publicitaire. Demandez-vous : *Est-ce que cette pensée me procure un sentiment de bien-être ? Non ? Et celle-ci ? Non plus ? Alors en voici une autre*. Vous finirez par en trouver une qui vous donnera le goût de sourire, ne serait-ce qu'un bref instant. Votre choix s'arrêtera peut-être sur un magnifique coucher de soleil, le visage d'un être cher ou une expérience exaltante. L'important est que cette image ait en vous un écho émotionnel et physique associé à un sentiment de bien-être.

Lorsque vous êtes importuné par une pensée stressante et anxiogène, remplacez-la par la pensée de votre choix, pourvu qu'elle vous procure un sentiment de bien-être. Branchez-vous sur cette pensée. Visualisez-la et sentez-la dans votre corps si vous le pouvez. Vous remarquerez que cette pensée revigorante sera une pensée d'appréciation plutôt qu'une pensée de dépréciation. Ce sera une pensée d'amour, de beauté et de réceptivité au bonheur, en d'autres termes, une pensée parfaitement alignée sur les sept visages de l'intention dont je ne cesse de vous parler depuis le début de ce livre.

Sixième étape : Observez comment se comportent les bébés et promettez d'imiter leur joie de vivre. Vous n'êtes pas venu au monde pour souffrir, être anxieux, effrayé, stressé ou déprimé. Vous êtes issu de la joie immanente de la conscience de Dieu. Observez les petits bébés. Ils ne font rien de particulier pour être aussi heureux. Ils ne travaillent pas, ils font dans leur couche et ils n'ont d'autre but que de se développer, grandir et explorer ce monde fascinant qui les entoure. Mieux encore, ils aiment tout le monde, une bouteille en plastique ou une grimace suffit à les faire rire, et ils sont constamment entourés d'amour ; pourtant, ils n'ont ni cheveux, ni dents, ils sont tout potelés et ils ne se gênent pas pour péter. Alors comment se fait-il qu'ils soient si heureux et si facilement satisfaits ? Parce qu'ils sont encore en harmonie avec la Source dont ils sont issus et qu'ils n'opposent aucune résistance à la joie. Quand il est question de joie, soyez à nouveau comme ce petit bébé que vous avez été. Il n'est pas nécessaire d'avoir une raison pour être heureux... le désir de l'être suffit.

Septième étape : Gardez la « Règle Numéro 6 » à l'esprit. Cela implique ne plus répondre aux exigences de votre ego qui vous maintient hors du champ de l'intention. Lorsque vous avez le choix entre avoir raison ou être aimable, choisissez d'être aimable et ignorez les exigences de votre ego. Vous émanez de la bonté, et en l'exerçant, même si pour cela vous devez renoncer à toujours avoir raison, vous éliminez les possibilités de stress. Lorsque vous manifestez de l'impatience, rappelez-vous simplement la « Règle Numéro 6 » et vous ne pourrez vous empêcher de rire de ce petit bout d'ego qui veut que vous soyez le premier, le plus rapide, le numéro un, et mieux traité que les autres.

Huitième étape : Acceptez de vous laisser guider par votre Source. Vous connaîtrez le Père uniquement si vous êtes semblable à Lui. Vous pourrez vous laisser guider par le champ de l'intention uniquement si vous êtes semblable à celui-ci. Le stress, l'anxiété et la dépression disparaîtront de votre vie avec l'aide de la force qui vous a créé. Si elle est parvenue à créer des mondes à partir de rien, et à vous créer à partir de rien, il est certain qu'elle peut vous soulager de votre stress. Je suis convaincu que Dieu ne veut pas seulement que vous connaissiez la joie, mais aussi que vous deveniez cette joie.

Neuvième étape : Exercez-vous à demeurer en silence et à méditer. Rien ne soulage le stress, la dépression, l'anxiété et toutes les autres formes d'émotions inférieures comme le silence et la méditation. Lorsque vous méditez, vous entrez en contact avec votre Source et vous purifiez le lien qui vous unit à l'intention. Consacrez quelques instants chaque jour à la contemplation et faites de la méditation une partie intégrante de votre rituel antistress.

Dixième étape : Soyez reconnaissant et admiratif. Laissez-vous aller à apprécier tout ce que vous avez, tout ce que vous êtes et tout ce que vous observez. L'expression de votre reconnaissance est la dixième étape de tout programme pour manifester vos intentions, car c'est la façon la plus sûre de mettre fin à ces dialogues intérieurs qui vous entraînent loin de la joie et de la perfection de votre Source. Vous ne pouvez être stressé si vous appréciez ce que vous avez.

Je conclurai ce chapitre sur notre intention de mener une vie sereine par un poème du célèbre poète bengali de Calcutta, Rabindranath Tagore, l'un de mes maîtres spirituels préférés :

J'ai dormi et rêvé que la vie était joie
Je me suis réveillé et j'ai vu que la vie était de servir
J'ai servi et je me suis aperçu que servir était une joie

La joie peut régner sur votre monde intérieur. Dormez et rêvez de joie, et n'oubliez pas : *Ce n'est pas parce que le monde va bien que vous êtes bien dans votre peau, mais votre monde va bien parce que vous êtes bien dans votre peau.*

CHAPITRE DOUZE

J'AI L'INTENTION :
D'ATTIRER LES PERSONNES IDÉALES
ET DE TISSER DES LIENS DIVINS

« À L'INSTANT OÙ UN ÊTRE S'ENGAGE DE MANIÈRE IRRÉVERSIBLE, LA PROVIDENCE SE MET, ELLE AUSSI, EN MOUVEMENT. TOUTES SORTES DE CHOSES SE PRODUISENT POUR L'AIDER, DES CHOSES QUI NE SE SERAIENT JAMAIS PRODUITES AUTREMENT... DES INCIDENTS INATTENDUS, DES RENCONTRES FORTUITES ET UN SOUTIEN MATÉRIEL DÉPASSANT TOUT CE QU'IL AURAIT PU IMAGINER. »

Johann Wolfgang von Goethe

Si vous avez vu le film de 1989, *Champ de rêves*, vous vous rappellerez probablement son message : si vous allez au bout de vos rêves, ils se réaliseront (ou comme on dit dans le film : « Si vous les construisez, ils viendront »). Voilà ce à quoi je pensais en débutant la rédaction de ce chapitre, car je voudrais moi aussi suggérer qu'en vous engageant à vous accorder au champ de l'intention, tout ce que vous désirez et tout ce dont vous avez besoin pour réaliser vos intentions personnelles se manifestera dans votre vie. Comment cela est-il possible ? La citation de Goethe, l'un des érudits les plus doués de l'histoire de l'humanité, vous offre la réponse. À l'instant où vous vous engagez à faire partie du pouvoir de l'intention, « la Providence se met, elle aussi, en mouvement », et une aide inattendue vous est acheminée.

Les bonnes personnes viendront à votre aide quels que soient les problèmes auxquels vous êtes confronté. Les gens capables de vous aider pour votre carrière sont présents ; les gens capables de vous aider à trouver la maison de vos rêves se manifestent ; les gens capables de redresser vos finances sont disponibles ; le chauffeur dont vous avez besoin pour vous rendre à l'aéroport vous attend au coin de la rue ; le designer que vous admirez veut travailler avec vous ; le dentiste dont vous avez besoin de toute urgence au beau milieu de vos vacances est justement là ; et votre âme sœur apparaît dans votre vie.

Cette liste n'a pas de fin, car nous sommes tous en relation les uns avec les autres, nous émanons tous de la même Source, et nous partageons tous la même énergie divine de l'intention. Il n'y a pas un seul endroit dans cet univers où l'esprit universel soit absent, et par conséquent, vous le partagez avec tous ceux que vous attirez dans votre vie.

Vous devez vous libérer de tout ce qui entrave votre capacité à attirer les bonnes personnes, sinon vous serez incapable de les reconnaître lorsqu'elles se manifesteront dans votre vie de tous les jours. Au début, vous aurez peut-être du mal à identifier ces résistances, étant donné qu'elles constituent la forme habituelle de vos pensées, de vos émotions et de vos niveaux d'énergie. Si vous croyez être incapable d'attirer les bonnes personnes dans votre vie, cette impuissance deviendra inhérente à votre expérience. Quand vous êtes attaché à l'idée de demeurer en étroite relation avec les mauvaises personnes ou de rester seul, votre énergie n'est pas alignée sur le pouvoir de l'intention et vos résistances règnent en maîtres. Le champ de l'intention n'a pas le choix de vous envoyer ce que vous désirez. Je vous encourage encore une fois à faire un saut périlleux dans l'inconcevable, là où vous avez foi et confiance en l'esprit universel de l'intention, afin de donner aux bonnes personnes l'occasion de se manifester dans votre vie.

Permettre au lieu de résister

Votre intention ici est parfaitement claire. Vous voulez attirer dans votre vie les gens qui sont censés en faire partie et entretenir avec eux une relation fondée sur la joie, la spiritualité et la satisfaction. Or, le champ créateur de l'intention collabore déjà à la réalisation de votre intention. Il est évident que ces personnes sont déjà présentes dans votre vie, sinon cela voudrait dire que vous voulez quelque chose qui n'a pas encore été créé. En fait, non seulement sont-elles déjà présentes mais vous partagez également avec elles la même Source divine, puisque nous émanons tous de cette Source. D'une certaine façon, il existe déjà un lien spirituel invisible entre vous et ces personnes « parfaites pour vous ». Alors pourquoi ne pouvez-vous pas les voir, les toucher, les prendre dans vos bras, et pourquoi ne sont-elles pas présentes lorsque vous avez besoin d'elles ?

Pour que ces bonnes personnes se manifestent dans votre vie, vous devez savoir qu'elles apparaîtront uniquement si vous êtes prêt à les recevoir. Elles ont toujours été là. Elles le sont en ce moment même. Elles le seront toujours. Vous devez donc vous poser les questions suivantes : *Suis-je prêt à les recevoir ?* et *Est-ce que je le veux vraiment ?* Si votre réponse à ces deux questions vous démontre que vous êtes prêt à faire l'expérience de ce que vous désirez, vous verrez alors les gens non seulement comme des corps habités par une âme, mais comme des êtres spirituels ayant endossé un corps à nul autre pareil. Vous verrez que nous sommes tous des âmes infinies ; *infini* signifiant toujours et partout, et *partout* signifiant présentement à vos côtés si tel est votre désir.

Incarnez ce que vous souhaitez attirer. Une fois que vous aurez une image mentale de la personne ou des personnes que vous avez l'intention d'attirer dans votre environnement immédiat, puis déterminé comment vous souhaitez qu'elles vous traitent et se comportent avec vous, vous devrez devenir vous-même ce que vous recherchez. Nous vivons dans un univers d'énergie et d'attraction. Vous ne pouvez espérer attirer un compagnon loyal, généreux, impartial et doux, si vous êtes vous-même déloyal, égoïste, enclin à juger et arrogant. C'est d'ailleurs la raison pour laquelle la plupart des gens n'attirent pas les bonnes personnes au bon moment.

Il y a près d'une trentaine d'années, je voulais attirer dans ma vie un éditeur qui accepterait de publier mon premier livre, *Vos zones erronées*. Cet éditeur devait être des plus compréhensifs, car je n'étais pas encore connu à l'époque, et il devait être prêt à prendre des risques et à me faire entièrement confiance.

Mon agent littéraire organisa une rencontre avec l'un des principaux éditeurs, nous l'appellerons George, d'une grande maison d'édition new-yorkaise. Dès les premiers instants de notre rencontre, je me rendis compte qu'il était extrêmement angoissé. Je lui demandai ce qui le préoccupait, et nous passâmes les trois ou quatre heures suivantes à parler d'un problème personnel dévastateur qui avait surgi la veille. La femme de George venait de lui annoncer qu'elle demandait le divorce, et la nouvelle l'avait pris complètement au dépourvu. Je laissai de côté mon propre désir de parler de la publication de mon livre pour devenir ce que je cherchais chez George : une personne compréhensive, prête à prendre des risques et en qui je pouvais avoir confiance. En incarnant ces valeurs et en me détachant des désirs portant la marque de mon ego, je fus en mesure d'aider George au cours de cet après-midi mémorable.

Je quittai le bureau de George sans même avoir discuté de mon projet. Je racontai mon histoire à mon agent littéraire, et celui-ci m'expliqua que je venais de rater une occasion unique de faire affaire avec une grande maison d'édition en négligeant de faire mon boniment. Mais le lendemain, George téléphona à mon agent et lui dit : « Je ne sais pas de quoi parle le livre de Dyer, mais je veux cet homme dans mon équipe. »

À cette époque, je ne réalisais pas ce qui m'arrivait. Aujourd'hui, après un quart de siècle d'investigation spirituelle, je le vois clairement. Quand vous êtes en harmonie avec l'intention, les bonnes personnes se manifestent au moment précis où vous avez besoin d'elles. Vous devez devenir ce que vous désirez. Lorsque vous *êtes* ce que vous désirez, vous l'attirez dans votre vie en l'irradiant vers le monde extérieur. Vous avez la capacité de vous accorder au pouvoir de l'intention et de réaliser votre intention d'attirer les personnes idéales et d'entretenir des relations divines avec elles.

Attirer des partenaires spirituels

Il est inutile pour une personne peu affectueuse de se lamenter sur son incapacité à trouver un partenaire. Elle est condamnée à être éternellement frustrée, car elle est incapable de reconnaître un bon parti lorsqu'il se présente. Ce partenaire idéal est peut-être là, présentement, mais sa résistance ne lui permet pas de le voir. La personne peu affectueuse continue de blâmer le sort ou une série de facteurs extérieurs de ses échecs amoureux.

Seul l'amour peut attirer et exprimer l'amour. Je n'insisterai jamais assez sur ce point : le meilleur conseil que je puisse vous donner pour attirer et conserver une association spirituelle consiste à *être ce que vous recherchez*. La plupart des échecs amoureux surviennent lorsque l'un des partenaires – ou même les deux à la fois – a l'impression que sa liberté a été compromise d'une façon ou d'une autre. Les associations spirituelles, à l'inverse, ne contribuent jamais à donner à l'autre personne l'impression qu'elle est inférieure ou ignorée de quelque façon que ce soit. L'expression *association spirituelle* signifie simplement que l'énergie qui unit les deux partenaires est étroitement liée à la Source énergétique de l'intention.

Cela signifie qu'une philosophie du *permettre* est au cœur de l'association et que vous serez toujours libre de poursuivre votre but en fonction de la connaissance intime que vous en avez. C'est un peu comme si chacune des personnes chuchotait en silence à l'autre : *Tu es une Source d'énergie à l'intérieur d'un corps physique, et plus tu te sens bien, plus cette énergie aimante, bonne, belle, réceptive, abondante, grandissante et créative coule en toi. Je respecte cette Source d'énergie que je partage avec toi. Quand l'un de nous se sent abattu, l'énergie de l'intention se fait plus rare. Nous devons nous rappeler que l'esprit universel ne refuse rien. Nous sommes responsables de ce qui nous empêche d'être heureux. Pour ma part, je m'engage à demeurer dans le champ énergétique de l'intention et à y revenir chaque fois que je m'en écarte. Nous avons été réunis grâce à cette même Source, et je ferai tout mon possible pour demeurer en harmonie avec elle.* Voilà le genre d'engagement auquel Goethe faisait allusion dans la citation présentée au début de ce chapitre. Il permet à la Providence de se mettre en mouvement et à certains événements « inimaginables » de se produire.

Vous êtes déjà en contact avec les gens que vous souhaitez rencontrer, alors agissez en conséquence. D'un point de vue mystique, il n'y a aucune différence entre vous et une autre personne. Il s'agit peut-être d'un concept étrange, mais il est néanmoins fondé. C'est d'ailleurs la raison pour laquelle vous ne pouvez ni blesser une autre personne sans vous blesser vous-même, ni aider une autre personne sans vous aider vous-même. Tout le monde participe de la même Source énergétique, et par conséquent, vos pensées et vos actions doivent refléter votre connaissance de ce principe. Quand vous sentez le besoin de voir la bonne personne se manifester, commencez par modifier la teneur de votre dialogue intérieur afin qu'il reflète cette prise de conscience. Au lieu de dire : *J'espère que cette personne se présentera car j'ai besoin de sortir de cette ornière*, activez une pensée qui reflète votre lien avec l'intention, en disant par exemple : *Je sais que tout se déroule selon un plan divin et que la bonne personne se manifestera au bon moment.*

Cette pensée motivera toutes vos actions. Vous penserez en *commençant par la fin*, et vous anticiperez le dénouement souhaité. Votre anticipation vous rendra alerte. Vous corrigerez votre niveau d'énergie afin d'être aussi réceptif que le pouvoir de l'intention, la force à l'origine de toute chose. Quand vous atteignez ces niveaux d'énergies supérieures, vous avez également accès à des informations d'ordre supérieur. Vous pouvez vous fier à vos intuitions et même sentir la présence de la personne ou des personnes que vous souhaitez attirer dans votre vie. Vous pouvez suivre vos intuitions, car vous sentez au plus profond de vous-même que vous êtes sur la bonne voie. Vous agissez en conformité avec cette nouvelle prise de conscience. Vous devenez un co-créateur. Une nouvelle compréhension du monde voit le jour en vous. Vous regardez le Créateur dans les yeux, et vous vous voyez en train de co-créer votre monde. Vous savez à qui faire appel, où chercher, quand faire confiance et ce que vous avez à faire. On vous guide afin que vous preniez contact avec ce que vous mettez de l'avant.

Si une relation d'amitié ou d'affaires requiert la soumission de votre nature supérieure et de votre dignité, elle n'en vaut pas la peine. Quand vous savez vraiment ce qu'est l'amour, quand vous aimez comme votre Source vous aime, vous n'éprouvez plus le genre de douleur que vous avez connu par le passé quand votre amour était ignoré ou rejeté. Vous ressentirez plutôt ce que cette amie a vécu lorsqu'elle a décidé de mettre fin à une relation amoureuse : « J'avais le cœur brisé, mais on aurait dit qu'il était ouvert et que rien ne pouvait le refermer. J'avais encore de l'amour pour cette personne qui ne pouvait m'aimer comme j'aurais voulu être aimée, même après avoir mis fin à cette relation pour rechercher l'amour que je sentais en moi. C'était étrange d'avoir le cœur brisé et en même temps sentir qu'il était grand ouvert. Je n'arrêtais pas de penser : *Mon cœur est peut-être brisé, mais il est grand ouvert*. Aimer et être aimé prirent un nouveau sens pour moi. Et la relation dont je rêvais se manifesta dix-huit mois plus tard ! »

Vous êtes amour. Vous émanez de l'amour. Vous êtes constamment en contact avec cette Source d'amour.

Pensez ainsi, ressentez les choses ainsi, et bientôt vous agirez ainsi. Et tout ce que vous pensez, ressentez et faites vous sera rendu de la même manière. Croyez-le ou non, ce principe est opérant depuis toujours. Seul votre ego vous empêche de le voir clairement.

Tout se déroule selon un plan divin. Vous devriez maintenant être en mesure d'affirmer que tous ceux dont vous avez besoin pour accomplir votre périple se manifesteront et qu'ils seront outillés pour vous aider, peu importe la nature des problèmes auxquels vous serez confronté. De plus, ils se présenteront au moment précis où vous aurez besoin d'eux. Dans ce système intelligent, tout provient du champ de l'intention où la force vitale, invisible et infinie, circule à travers tout ce qui existe, vous et tout le monde y compris. Ayez confiance en cette force vitale invisible et en cet esprit créateur à qui tout ce qui existe doit son existence.

Je vous suggère de passer rapidement en revue tous les gens que vous connaissez et de noter comment ils en sont venus à jouer un rôle dans cette pièce que vous appelez votre vie. Tout s'est parfaitement déroulé. Celui qui allait devenir votre conjoint ou votre conjointe est apparu juste au bon moment, au moment où vous souhaitiez avoir ces enfants que vous aimez tant aujourd'hui. Le père qui vous a abandonné afin que vous appreniez à ne compter que sur vous-même est parti juste au bon moment. L'amant ou l'amante qui vous a quitté faisait partie de ce plan parfait. L'amant ou l'amante qui est demeuré près de vous répondait, lui ou elle aussi, au signal d'entrée de la Source. Les bons moments, les luttes, les larmes, les insultes – tout cela impliquait que des gens entrent et sortent de votre vie. Et toutes vos larmes ne parviendront jamais à effacer une seule de ces paroles.

Tout cela fait partie de votre passé, et quels qu'aient été votre niveau d'énergie à l'époque, vos besoins ou votre poste, vous avez attiré les bonnes personnes et les bons événements. Vous avez peut-être l'impression qu'ils ne se manifestent pas toujours au bon moment, et qu'en fait, vous demeurez souvent seul dans votre coin, mais je vous encourage à voir ces épisodes de votre vie en adoptant la perspective que tout se déroule selon un plan divin. Personne ne s'est présenté parce que vous deviez régler quelque chose par vous-même, et c'est pourquoi vous n'avez attiré personne. Le fait d'envisager votre vie comme une pièce de théâtre où tous les personnages, les entrées et les sorties sont écrits par votre Source et correspondent à ce que vous avez besoin d'attirer dans votre vie, vous libérera des énergies inférieures de la culpabilité, du remords et même de la vengeance.

Par conséquent, vous cesserez d'être un acteur qui confie à d'autres les rôles de producteur et de réalisateur, pour devenir l'auteur, le producteur, le réalisateur et la vedette de votre magnifique vie. Vous serez également chargé du casting, un rôle où vous serez libre d'auditionner tous les gens de votre choix, mais choisissez en gardant à l'esprit que vous désirez lever vos résistances et demeurer en harmonie avec le producteur suprême de cette pièce : l'esprit universel et créateur de l'intention.

Quelques mots sur la patience. L'ouvrage *Un Cours en miracles* contient un merveilleux paradoxe : « Une patience infinie produit des résultats immédiats. » Être infiniment patient signifie être intimement convaincu que vous êtes en harmonie sur le plan vibratoire avec la force créatrice qui a voulu votre présence ici-bas. Vous êtes en fait le co-créateur de votre vie. Vous savez que les bonnes personnes se manifestent dans votre vie en fonction d'un plan divin. Tenter d'accélérer le déroulement de ce plan divin sous prétexte qu'il ne cadre pas avec votre propre plan, c'est un peu tenter de faire pousser une tulipe en vous mettant à genoux et en tirant sur sa tige, en insistant sur le fait que vous en avez besoin aujourd'hui même. La Création dévoile ses secrets au fur et à mesure, et non en fonction de vos priorités. Un profond sentiment de paix sera la première chose dont vous jouirez en étant d'une patience infinie. Puis vous découvrirez l'amour au cœur du processus créateur, vous cesserez de formuler sans cesse de nouvelles demandes et vous guetterez l'arrivée de la bonne personne dans votre vie.

J'écris ces lignes en entretenant l'idée qu'une patience infinie produit des résultats immédiats. Je sais que je ne suis pas seul à ma table de travail. Je sais que les bonnes personnes apparaîtront comme par magie pour me motiver ou m'offrir la matière dont je pourrais avoir besoin. J'ai entièrement confiance en ce processus et je m'assure de demeurer en harmonie avec ma Source. Le téléphone sonne ; quelqu'un offre de me faire parvenir un enregistrement qui, selon lui, me plaira. Il y a deux semaines, cela ne m'aurait rien dit, mais aujourd'hui, je décide d'écouter cette cassette pendant que je fais mes exercices et elle me fournit exactement ce dont j'avais besoin. Je rencontre quelqu'un au cours d'une promenade et nous nous arrêtons pour bavarder. Cette personne me parle d'un livre que je vais sûrement aimer. Je prends le titre en note, je déniche le livre, et effectivement, j'y trouve ce dont j'ai besoin.

Ce genre de choses se produit tous les jours, d'une façon ou d'une autre, depuis que j'ai abandonné mon esprit, dominé par mon ego, à l'esprit universel de l'intention et permis aux bonnes personnes de m'aider à réaliser mes intentions personnelles. La conséquence immédiate d'une patience infinie est la tranquillité d'esprit qui vient de la certitude d'avoir un « partenaire supérieur » qui m'enverra quelqu'un pour m'aider ou me laissera seul afin que je m'en sorte par moi-même. C'est ce qu'on appelle une foi concrète, et je vous encourage à vous y fier, à être infiniment patient et à adopter une attitude d'appréciation et d'émerveillement systématique chaque fois que la bonne personne apparaît mystérieusement dans votre environnement immédiat.

Faire de votre intention une réalité

Vous trouverez ci-dessous mon programme en dix étapes pour mettre en pratique ce que vous avez appris dans ce chapitre :

Première étape : Cessez d'espérer, de souhaiter, de prier et de supplier pour que la bonne ou les bonnes personnes se manifestent dans votre vie. Comme je l'ai dit, notre univers est fondé sur l'énergie et les lois de l'attraction. Rappelez-vous que vous avez la capacité d'attirer les bonnes personnes dans votre vie, celles qui vous aideront à réaliser vos désirs, pour autant que vous soyez capable de passer de l'énergie générée par votre ego à celle de la Source de l'intention qui pourvoit à tout. Cette première étape est décisive, car si vous ne parvenez pas à chasser tous vos doutes quant à votre capacité à attirer des gens serviables, créatifs et affectueux, les neuf étapes suivantes ne vous serviront à rien. Avoir l'intention d'attirer des personnes idéales et des partenaires divins débute par l'intime conviction que ce n'est pas qu'une possibilité, mais une certitude.

Deuxième étape : Conceptualisez le lien invisible qui vous unit aux gens que vous souhaitez attirer dans votre vie. Arrêtez de vous identifier exclusivement à votre apparence physique et à vos possessions. Identifiez-vous à l'énergie invisible qui vous maintient en vie en régulant vos fonctions organiques. À présent, prenez conscience que la même énergie circule à travers les gens que vous croyez qui manquent à votre vie, puis réalignez-vous en pensée sur cette personne ou ces personnes. Prenez conscience que vous êtes tous unis par le pouvoir de l'intention. Votre désir de créer ces rencontres émane également du champ universel de l'intention.

Troisième étape : Formez une image mentale de votre rencontre avec la ou les personnes dont vous aimeriez recevoir l'aide ou le soutien. L'art de manifester ce que vous désirez est fonction de votre capacité à accorder sur le plan vibratoire vos désirs et votre intention spirituelle. Formez une image mentale aussi spécifique que possible, mais ne parlez à personne de cette technique de visualisation sinon vous devrez vous expliquer, vous défendre et faire face aux énergies inférieures du doute qui ne manqueront pas de faire surface. Cet exercice se passe entre vous et Dieu. Ne laissez *jamais* la négativité ou le doute embrouiller ou corroder votre image mentale. Quels que soient les obstacles qui pourraient surgir, accrochez-vous à cette image et demeurez en harmonie avec la Source de l'intention, toujours en expansion et infiniment réceptive.

Quatrième étape : Conformez-vous à cette image mentale. Agissez comme si tous les gens que vous rencontrez participaient à votre intention d'attirer les personnes idéales dans votre vie. Faites-leur savoir quels sont vos désirs et vos besoins, mais sans leur expliquer en détail en quoi consiste votre démarche spirituelle. Entrez en contact avec les experts qui pourraient vous aider et dites-leur franchement ce que vous attendez d'eux. Ces gens veulent vous aider. N'allez pas croire qu'on fera le travail à votre place, que ce soit pour obtenir un emploi, être accepté à l'université, recevoir un coup de pouce financier ou faire réparer votre automobile. Soyez proactif et attentif aux signes de synchronicité. Si vous apercevez sur un camion le numéro de téléphone d'une entreprise dont les services pourraient vous être utiles, prenez ce numéro en note et téléphonez-leur. Considérez toutes ces étranges coïncidences entourant la manifestation de vos désirs comme des messages envoyés par votre Source, et agissez en conséquence. Je peux vous assurer que ces coïncidences ne manqueront pas de se reproduire.

Cinquième étape : Levez vos résistances. J'utilise ici le mot *résistance*, comme je l'ai utilisé à de multiples reprises dans la deuxième partie de ce livre. Voici quelques exemples de pensées qui opposent une résistance à la manifestation de vos intentions : *Ce n'est pas pratique. La bonne personne ne se matérialisera pas simplement parce que je le veux. Pourquoi aurais-je des privilèges que les autres personnes à la recherche du partenaire idéal n'ont pas ? J'ai déjà essayé, et je suis tombé sur un parfait imbécile.* Ce sont ces pensées de résistance que vous élevez entre vous et votre Source qui empêchent cette dernière de vous envoyer la bonne personne. Ces formes de résistance sont issues d'énergies inférieures. Votre Source, quant à elle, est une énergie supérieure, créatrice et en continuelle expansion. Quand vos pensées émettent des vibrations correspondant à des énergies inférieures, vous ne pouvez attirer les gens dont vous avez besoin ou que vous désirez côtoyer. Même s'ils se précipitaient vers vous en s'exclamant : *Me voici ! Que puis-je faire pour vous ? Je suis à votre entière disposition.* Ou même s'ils portaient une pancarte sur laquelle on pourrait lire : *JE SUIS TOUT À VOUS*, vous ne les verriez pas ou vous refuseriez de le croire, et vous continueriez d'attirer ce que vous *ne désirez pas avoir et ce que vous ne méritez pas*.

Sixième étape : Exercez-vous à être le genre de personne que vous souhaitez attirer. Comme je l'ai mentionné plus tôt, si vous souhaitez être aimé inconditionnellement, *exercez-vous* à aimer de manière inconditionnelle. Si vous souhaitez qu'on vous vienne en aide, *offrez* votre aide chaque fois que vous en avez l'occasion. Si vous souhaitez jouir de la générosité des autres, *soyez* aussi généreux que possible, le plus souvent possible. C'est l'un des moyens les plus simples et les plus efficaces d'attirer le pouvoir de l'intention. Alignez-vous sur l'esprit universel à l'origine de toute chose tout en l'affichant à l'extérieur, et vous attirerez dans votre vie ce que vous avez l'intention de manifester.

Septième étape : Détachez-vous des conséquences et faites preuve d'une patience infinie. Cela constitue un acte de foi décisif. Ne commettez pas l'erreur d'évaluer vos intentions en termes de succès et d'échecs sur la base de votre petit ego et de son emploi du temps. Manifestez votre intention, mettez en pratique les conseils présentés dans ce chapitre et dans ce livre… puis laissez faire les choses. Soyez confiant et laissez l'esprit universel de l'intention s'occuper des détails.

Huitième étape : Pratiquez la méditation, en particulier la méditation Japa, pour attirer les personnes idéales et tisser des liens divins. Pratiquez la répétition du son du nom de Dieu comme un mantra, en voyant littéralement dans votre esprit l'énergie que vous irradiez et les gens que vous désirez côtoyer dans votre vie. Vous serez étonné des résultats. Vous trouverez dans ce livre plusieurs exemples de gens qui sont parvenus à réaliser leurs rêves comme par magie grâce à la pratique de la méditation Japa.

Neuvième étape : Considérez que tous ceux qui ont joué un rôle dans votre vie l'ont fait pour votre bien. Dans un univers régenté par une intelligence créatrice, divine et organisatrice, une intelligence que j'appelle le *pouvoir de l'intention*, rien n'arrive par accident. Le sillage de votre vie est pareil au sillage d'un bateau. Ce n'est qu'une traînée qu'on laisse derrière soi. Ce n'est pas le sillage qui propulse le bateau. Ce n'est pas le sillage qui conduit votre vie. Tous ceux qui ont joué un rôle dans votre existence avaient à le faire au moment où ils l'ont fait. La preuve ? *Ils l'ont fait !* C'est tout ce que vous avez besoin de savoir. Ne justifiez pas votre incapacité à attirer les bonnes personnes dans votre vie en pointant les mauvaises personnes qui sont apparues dans votre sillage. Le passé est le passé... rien qu'une traînée laissée derrière vous.

Dixième étape : Comme toujours, soyez éternellement reconnaissant. Soyez même reconnaissant envers ceux qui, par leur présence, vous ont blessé ou fait souffrir. Soyez reconnaissant envers votre Source de les avoir mis sur votre route, et envers vous-même de les avoir attirés dans votre vie. Ils avaient tous quelque chose à vous apprendre. Soyez reconnaissant envers

Dieu de les avoir envoyés vers vous, et sachez qu'il vous revient, en tant que co-créateur, de répondre avec l'énergie supérieure et aimante de l'intention pour maintenir ces gens énergisants dans votre vie ou de les bénir en silence et de les remercier en leur disant gentiment *non merci*. Mettez l'accent sur *merci*, ce mot qui est l'expression même de la gratitude.

$$* \quad \atop * \quad *$$

Dans son merveilleux livre, *L'Univers informé : la quête de la science pour comprendre le champ de la cohérence universelle*, Lynne McTaggart nous offre un aperçu scientifique des thèmes abordés dans ce chapitre : « Notre état naturel est d'être en relation avec les autres, de participer à un tango où chacun des partenaires influence l'autre. De la même façon que les particules subatomiques qui nous composent ne peuvent être considérées indépendamment de l'espace et des autres particules qui les entourent, les êtres humains ne peuvent être pris isolément les uns des autres... En observant et en manifestant des *intentions* [c'est moi qui souligne], nous avons la capacité d'émettre une sorte de super-rayonnement dans l'univers. »

Par le biais de vos relations avec les autres et du pouvoir de l'intention, vous pouvez irradier toute l'énergie nécessaire pour attirer ce que vous désirez. Je vous encourage à en prendre conscience dès maintenant et à sentir dans votre cœur, à l'instar du fermier dans le film *Champ de rêves*, que *si vous échafaudez ce rêve en vous, les bonnes personnes viendront !*

CHAPITRE TREIZE

J'AI L'INTENTION :
D'OPTIMISER MA CAPACITÉ
À GUÉRIR ET À ÊTRE GUÉRI

> « PERSONNE NE PEUT DEMANDER À UNE AUTRE
> PERSONNE DE LE GUÉRIR. MAIS IL PEUT SE LAISSER
> GUÉRIR, PUIS OFFRIR À L'AUTRE CE QU'IL A REÇU.
> QUI PEUT DONNER CE QU'IL N'A PAS ? ET QUI
> PEUT PARTAGER AVEC LES AUTRES CE QU'IL SE RE-
> FUSE À LUI-MÊME ? »
>
> *Un Cours en miracles*

Tous les êtres humains sont des guérisseurs potentiels. Mais pour prendre contact avec ces pouvoirs de
guérison innés, vous devez d'abord prendre la décision
de vous guérir vous-même. Comme nous le rappelle *A
Course in Miracles* : « Ceux qui ont connu la guérison
deviennent eux-mêmes des instruments de guérison »
et « La seule façon de guérir consiste à se guérir soi-
même ». Par conséquent, il y a un double avantage à
manifester l'intention de guérir, car une fois que vous
avez pris conscience de votre pouvoir de guérison et
optimisé votre santé, vous êtes également en mesure de
guérir les autres.

Le livre de David Hawkins, *Power vs. Force*, regorge d'observations fascinantes. L'une d'elles porte sur le rapport entre le niveau d'énergie d'une personne et sa capacité à guérir. Hawkins a observé que les gens qui obtiennent une note supérieure à 600 sur son échelle de la conscience (ce qui représente un résultat exceptionnellement élevé indiquant que la personne a connu l'illumination ou même l'illumination suprême) émettent une énergie curative. La maladie, telle que nous la connaissons, ne peut survivre en présence d'une telle énergie spirituelle, et c'est d'ailleurs ce qui explique les miraculeux pouvoirs de guérison de Jésus de Nazareth, de saint François d'Assise et de Ramana Maharshi. Leur niveau d'énergie exceptionnellement élevé suffisait à contrebalancer la maladie.

En lisant ces lignes, gardez à l'esprit que vous émanez, vous aussi, le champ énergétique aimant et hautement spirituel de l'intention et que vous possédez également cette capacité. Pour aller au bout de votre intention, vous devez, comme le disait Gandhi, « devenir ce changement que vous souhaitez voir chez les autres ». Vous devez d'abord vous concentrer sur la nécessité de vous guérir vous-même avant de penser à guérir les autres. Si vous parvenez à atteindre un niveau d'illumination extatique qui vous permet de reprendre contact avec votre Source et d'harmoniser vos vibrations avec les siennes, vous émettrez, vous aussi, cette énergie qui éradique la maladie.

Dans son extraordinaire prière, saint François demande à sa Source : « Là où il y a offense, laisse-moi semer le pardon », ce qui signifie : *laisse-moi être cette personne qui transmet aux autres une énergie qui les guérira*. Vous retrouverez ce principe partout dans les pages de ce livre : confronter les énergies inférieures de la maladie à une énergie spirituelle supérieure permet non seulement de les neutraliser, mais aussi de les convertir en une saine énergie spirituelle. Dans le domaine de la médecine énergétique où ces principes sont mis en pratique, les tumeurs sont bombardées à l'aide d'une énergie exceptionnellement puissante qui les dissout et les convertit en tissus sains. La médecine énergétique est la discipline de l'avenir, car elle est fondée sur une antique pratique spirituelle exigeant du guérisseur qu'il *incarne le changement* qu'il veut apporter et qu'il se guérisse lui-même avant de guérir les autres.

Incarner la guérison

Retrouver la bonne et saine perfection dont vous êtes issu résume succinctement ce que ce processus d'autoguérison exige de vous. Si l'esprit universel de l'intention sait précisément ce dont vous avez besoin pour optimiser votre santé, vous devez, de votre côté, surveiller les pensées et les actions qui pourraient opposer de la résistance et interférer avec le processus de guérison qui est en fait un courant d'énergie intentionnelle. Prendre conscience de vos résistances est quelque chose qui ne dépend que de vous, et il est impératif que vous procédiez à cet examen avant d'être en mesure de manifester une pure intention de guérison.

Hier à la gym, pendant que j'étais sur le tapis roulant, je discutai pendant cinq minutes avec un monsieur très bien qui parvint, en ce court laps de temps, à me dresser la liste de tous les maux dont il souffrait. Il me parla de ses interventions chirurgicales, de ses opérations à cœur ouvert, de ses maladies et même du remplacement d'une articulation qu'il projetait bientôt de subir. Tout cela en cinq minutes ! C'était sa carte de visite. Sans doute ignorait-il que ces pensées et ces récapitulations incessantes opposaient une résistance certaine à l'énergie curative mise à sa disposition.

Tandis que je discutais avec cet homme qui n'arrêtait pas de se plaindre, je tentai de lever momentanément ses résistances afin qu'il puisse avoir accès à l'énergie curative qui l'entourait, mais celui-ci se complaisait dans l'énumération de ses infirmités qu'il portait sur son cœur comme autant de médailles, rappelant sans cesse à son interlocuteur l'étendue de ses limitations. Il semblait en fait chérir ses handicaps et tenir énormément à montrer son aversion pour ce corps qui se détériorait de jour en jour. Je tentai en silence de l'entourer de lumière et lui donnai ma bénédiction, puis le félicitai d'avoir entrepris un programme d'exercice avant de me diriger vers le prochain appareil. Toutefois, la façon dont cet homme se concentrait sur le désordre, la cacophonie et les maladies qui l'habitaient quand il parlait de lui avait frappé mon imagination.

Il est fascinant de découvrir le rôle des pensées dans les cas de guérison spontanée où des patients se sont remis d'une maladie apparemment irréversible et incurable. Le Dr Hawkins, dans *Power vs. Force*, fait preuve d'une grande sagesse en écrivant : « Dans tous les cas étudiés où un patient se remet d'une maladie incurable et irréversible, on observe un changement majeur dans l'esprit du patient, changement qui met un terme à la domination du système d'attraction qui avait enclenché le processus pathologique. » *Dans tous les cas* ! Imaginez un peu. Et arrêtez-vous quelques instants à l'expression *système d'attraction*. Puisque notre niveau de conscience détermine ce que nous attirons dans notre vie, il nous est possible de modifier ce que nous attirons. Cette idée révolutionnaire est au cœur de la démarche pour accéder au pouvoir de l'intention, non seulement dans le domaine de la santé, mais dans tous les domaines où vous avez des désirs, des aspirations et des intentions. Hawkins ajoute que dans les cas de « guérison spontanée, on observe souvent une augmentation sensible de la capacité d'aimer du patient une fois qu'il a découvert l'importance de l'amour dans le processus de guérison ».

Vous pourrez plus facilement aller au bout de votre intention de guérir en gardant à l'esprit l'objectif plus général de retourner à votre Source et de vibrer davantage en harmonie avec l'énergie du pouvoir de l'intention. Cette Source ne se concentre jamais sur ce qui va mal, sur ce qui manque ou sur ce qui est malade. Toute guérison véritable vous ramène dans l'orbe de la Source. Tout ce qui s'écarte de ce lien n'est qu'une solution temporaire. Quand vous purifiez le lien qui vous unit à votre Source, vous attirez de nouveaux systèmes d'attraction d'énergie. Si vous croyez la chose impossible, vous opposez alors une résistance à votre intention de guérir et d'être guéri. Si vous croyez que cela est possible, mais que vous en êtes incapable, vous opposez alors une résistance encore plus grande. Si vous croyez que la maladie est une forme de punition, vous opposez également de la résistance. Les pensées que vous entretenez quant à votre pouvoir de guérison jouent un rôle décisif dans votre expérience physique.

Devenir guérisseur en se guérissant soi-même implique un autre de ces sauts périlleux dans l'inconcevable, où vous retombez droit sur vos pieds et en équilibre dans vos pensées, face à face avec votre Source. Vous prenez conscience, peut-être pour la première fois, que votre Source et vous ne faites qu'un lorsque vous laissez derrière vous les pensées dominées par votre ego, cet ego qui vous a convaincu que vous êtes coupé du pouvoir de l'intention.

Guérir les autres en se guérissant soi-même. Dans le livre de Lynne McTaggart, *The Field*, auquel j'ai fait allusion plus tôt, l'auteur prend le temps et se donne la peine de présenter les recherches scientifiques qui ont été menées partout dans le monde au cours des vingt dernières années sur ce que j'appelle le champ de l'intention. Dans un chapitre intitulé « The Healing Field », McTaggart se penche sur un certain nombre de ces études scientifiques pertinentes pour notre propos. J'ai sélectionné cinq des conclusions auxquelles en sont venus ces chercheurs quant à la nature de l'intention et de la guérison. Je vous les présente afin que vous preniez conscience du fait que vous avez le potentiel de guérir le corps physique pour lequel vous avez opté dans cette vie, et parallèlement, de guérir les autres. (Je n'insisterai pas ici sur la nécessité d'adopter un régime alimentaire équilibré et de faire régulièrement de l'exercice, car je présume que vous en êtes déjà conscient. Si ces sujets vous intéressent, sachez que les librairies leur consacrent désormais des rayons entiers.)

Cinq conclusions sur la guérison tirées du monde de la recherche scientifique

1. Même les gens ordinaires sont capables de guérir grâce au pouvoir de l'intention ; les guérisseurs ont simplement plus d'expérience ou plus de facilité à puiser dans ce champ d'énergie. Nous disposons de preuves tangibles démontrant que les gens capables de guérir grâce au pouvoir de l'intention jouissent d'une plus grande cohérence psychique et d'une plus grande habileté à canaliser l'énergie quantique et à transférer celle-ci vers ceux qui ont besoin d'être traités. Selon moi, cela signifie que décider de concentrer votre énergie vitale sur le fait d'être en harmonie avec le pouvoir de l'intention vous donne la capacité de vous guérir, de guérir les autres, et de chasser les peurs qui habitent votre conscience. Cela signifie également prendre conscience des énergies basées sur la peur et mises de l'avant par l'industrie des soins de santé. Le champ de l'intention ignore ce qu'est la peur. Toute maladie est la preuve que quelque chose ne tourne pas rond, et toute peur de la maladie est une preuve supplémentaire que quelque chose ne va pas dans l'esprit du malade. Notre état normal est la santé et la sérénité lorsque tout ce qui peut les compromettre a été éliminé. La science a démontré que guérir grâce au pouvoir de l'intention, ce qui signifie en fait guérir en prenant contact avec le champ de l'intention, est à la portée de tous.

2. La plupart des véritables guérisseurs affirment manifester leur intention, puis prendre du recul et s'en remettre à une sorte de force curative, comme s'ils ouvraient la porte à quelque chose qui les dépasse. Les meilleurs guérisseurs demandent l'aide de la Source universelle, car ils savent que leur tâche est d'élever l'esprit du malade et de permettre à la Source de circuler en lui. Les guérisseurs savent que le corps est le véritable héros de cette aventure, et que la guérison est le fruit du travail de la force vitale. En chassant l'ego et en permettant à la force de circuler librement, ils ne font que faciliter le processus de guérison. Malheureusement, les professionnels de la santé font souvent exactement le contraire en transmettant le message que la médecine est à l'origine de la guérison et en nous communiquant leur scepticisme à l'égard de tout ce qui n'est pas une procédure prescrite par la science médicale. Ce genre d'attitude va rarement donner de l'espoir et remonter le moral des patients, sans compter que leurs diagnostics et pronostics sont souvent basés sur la peur et une approche excessivement pessimiste pour éviter les poursuites judiciaires. *Préparez-les au pire tout en espérant le meilleur* est souvent la philosophie en vigueur dans les départements de médecine.

Le don de se guérir soi-même semble être accordé à ceux qui possèdent une connaissance intuitive du pouvoir de l'Esprit. Leur discours intérieur invite à la détente, à la levée des résistances et à laisser entrer en soi l'esprit de l'amour et de la lumière. Un puissant guérisseur des îles Fidji m'expliqua un jour d'où venait le pouvoir des guérisseurs indigènes : « Chez le malade, lorsqu'une certitude est confrontée à une croyance, la certitude triomphe toujours. » *Avoir une certitude, c'est avoir foi en l'intention et en son pouvoir.* Avoir une certitude implique également être conscient du fait que nous sommes toujours en contact avec cette Source. Et finalement, avoir une certitude signifie chasser son ego et s'en remettre à la Source omniprésente, omnipotente et omnisciente du pouvoir de l'intention, qui est la source de tout, y compris de la guérison.

3. La méthode employée semble avoir peu d'importance, pourvu que le guérisseur ait l'intention de guérir son patient. Les guérisseurs ont recours à des techniques fort différentes ; certains emploient des images chrétiennes, d'autres des rituels kabbalistiques, d'autres encore invoquent les esprits de leurs ancêtres, un totem, la statue d'un saint ou un esprit guérisseur en procédant à des incantations et des psalmodies. En fait, pourvu que le guérisseur ait la ferme intention de guérir son malade et possède la certitude qu'il y parviendra grâce au pouvoir de l'intention, la science a confirmé que ce genre de traitements était efficace.

Il est primordial que vous ayez la ferme intention de guérir, peu importe ce qui se passe autour de vous ou ce que les autres peuvent vous dire pour vous décourager et vous dissuader. Votre intention est inébranlable parce qu'il ne s'agit pas d'une intention de votre ego, mais d'une intention en accord avec la Source universelle. C'est la réalisation de Dieu à l'œuvre dans votre approche de la guérison.

En tant qu'*être infini*, vous savez que votre propre mort, comme la mort des autres, est inscrite dans le champ énergétique d'où vous émanez. Toutes vos caractéristiques ont été déterminées par cette vision d'avenir, et il en va de même de votre propre mort. Alors cessez d'avoir peur de la mort, et engagez-vous à vous cramponner à la même intention qui vous a fait surgir de l'informe. Votre état naturel est un état de bien-être, et c'est ce bien-être que vous visez en pensée, peu importe ce qui arrive en vous et autour de vous. Maintenez cette intention jusqu'au moment où vous quitterez votre corps, et faites-en de même pour les autres. Cette qualité est la seule qualité commune à tous les guérisseurs. Je vous encourage à la mettre en avant, ici et maintenant, et à ne laisser personne, ni aucun pronostic, vous en détourner.

4. Selon les chercheurs, l'intention peut guérir à elle seule, mais le processus de guérison

repose sur la mémoire collective d'un esprit de guérison pouvant être recréé pour donner naissance à une force médicinale. La guérison est sans doute une force à la portée de tous les êtres humains à travers l'esprit universel de l'intention. De plus, diverses recherches suggèrent que les individus et les groupes d'individus peuvent retrouver cette mémoire collective et y puiser ce dont ils ont besoin pour guérir, par exemple, les victimes d'une épidémie. Puisque nous sommes tous en contact avec l'intention, que nous partageons tous la même force vitale et que nous émanons tous de l'esprit universel de Dieu, il n'est pas farfelu de présumer qu'en puisant dans cette énergie curative, il devient possible de la concentrer et de la dispenser à tous ceux qui entrent dans notre sphère d'influence. Cela expliquerait entre autres l'énorme pouvoir de guérison collectif des saints, et pourquoi il est si important que chacun d'entre nous manifeste l'intention d'éradiquer le sida, la variole, la grippe et même l'épidémie de cancers qui nous afflige présentement.

Lorsqu'on considère le problème isolément, on se rend compte que la maladie est le signe d'une rupture avec la santé collective du champ universel. Selon plusieurs études, certains indices laissent croire que le virus du sida se nourrit de la peur qu'il inspire, le genre de peur qu'une personne ressent lorsqu'elle est coupée ou mise à l'écart de sa communauté. Des études en cardiologie révèlent que les patients qui se sentent coupés de leur famille, de leur communauté et tout particulièrement de leur spiritualité sont plus susceptibles de tomber malades. Des études sur la longévité montrent également que les personnes qui atteignent un âge avancé ont généralement des croyances spirituelles fortes et l'impression de faire partie d'une communauté. La capacité de guérir collectivement est l'un des principaux bienfaits qui deviennent soudain accessibles lorsque vous améliorez votre niveau d'énergie et prenez contact avec les visages de l'intention.

5. Le meilleur traitement qu'un guérisseur puisse offrir consiste à redonner espoir et à assurer le bien-être de ceux qui souffrent d'une maladie ou d'un traumatisme. Avant de se concentrer sur les personnes qui ont besoin de soins, les guérisseurs procèdent toujours à un auto-examen de leur conscience. Ici, *espoir* est le mot clé. Avoir de l'espoir, c'est essentiellement avoir la foi. J'utiliserais également le mot *certitude*, la certitude que le lien qui nous unit à notre Source est aussi un lien qui nous donne accès à la source de toutes les guérisons. Lorsque nous vivons conformément à cette certitude, nous savons qu'il y a toujours de l'espoir, qu'un miracle est toujours possible. Adoptez cette façon de voir, et la peur et le doute n'auront plus droit au chapitre. À l'inverse, en abandonnant tout espoir, vous modifiez le niveau d'énergie de votre vie pour vibrer au niveau de la peur et du doute. Or, nous savons que la Source à l'origine de toute chose ne connaît ni le doute, ni la peur.

L'une de mes citations préférées est une citation de Michel-Ange sur l'importance de l'espoir : « Le danger qui guette la plupart d'entre nous n'est pas de viser trop haut et de rater la cible, mais de viser trop bas et de l'atteindre. » Imaginez : l'intention des guérisseurs et l'espoir qu'ils font renaître en eux et chez les autres pourraient s'avérer plus importants que le remède qu'ils ont à nous offrir. Néanmoins, une seule pensée d'antipathie peut compromettre notre potentiel de guérison. Le fait de douter du pouvoir de guérison de l'Esprit nuit au processus de guérison, sans compter que toute pensée associée à des énergies inférieures sape votre habileté à vous guérir vous-même. Ces cinq conclusions, qui sont soutenues par des recherches scientifiques, nous amènent à prendre conscience qu'il est important de modifier notre façon de voir, de nous brancher sur le champ curatif de l'intention et de nous harmoniser avec celui-ci.

Pensées de maladie et intentions de mieux-être

Vous connaissez probablement cette phrase tirée de l'Ancien Testament : « Et Dieu dit : Que la lumière soit ! Et la lumière fut. » Si vous retournez au texte hébreu, vous découvrirez que cette phrase peut également se lire : « Et Dieu eut l'*intention* de… » Décider de créer, c'est avoir l'*intention* de créer. Vous ne pouvez créer un corps en bonne santé si vous pensez à la maladie et si vous le voyez en proie à la maladie. Prenez conscience des pensées qui étayent l'idée que la maladie est quelque chose d'inévitable et remarquez la fréquence vibratoire de ces pensées. Plus elles occuperont d'espace dans votre paysage mental, plus vous opposerez de résistance à la réalisation de votre intention.

Vous savez à quoi ressemblent ces pensées : *Je ne peux rien faire contre l'arthrite. C'est la saison du rhume. Pour l'instant je me sens bien, mais ce week-end, j'aurai du mal à respirer et sûrement de la fièvre. Nous vivons dans un environnement carcinogène. Tous les aliments font grossir ou contiennent des produits chimiques. Je me sens toujours fatigué.* Et ainsi de suite. Ces pensées sont pareilles à d'énormes barricades entravant la réalisation de votre intention. Prêtez attention aux pensées qui indiquent que vous avez assimilé la mentalité des compagnies pharmaceutiques et de l'industrie des soins de santé. Ces institutions et ces entreprises font d'énormes profits en tablant sur vos peurs.

Mais vous êtes un être divin, vous vous rappelez ? Vous êtes une parcelle de l'esprit universel de l'intention, et par conséquent vous n'êtes pas obligé de voir les choses sous cet angle. Vous pouvez choisir de penser que vous avez la capacité d'élever votre niveau d'énergie, même si toutes les campagnes publicitaires auxquelles vous êtes exposé pointent dans une autre direction. Vous pouvez entrer en vous-même et manifester votre intention en disant : *Je veux me sentir bien, j'ai l'intention de me sentir bien, j'ai l'intention de retourner à ma Source, et je refuse de penser au désordre et à la maladie.* Et ce n'est que le début. Cette expérience unique vous habilitera à prendre le contrôle de votre santé. S'il vous arrive de vous sentir mal par la suite, vous n'aurez qu'à choisir des pensées qui parlent de santé et de bien-être, et vous vous sentirez immédiatement beaucoup mieux, ne serait-ce que pendant quelques secondes.

En manifestant votre refus de vivre dans un environnement dominé par des énergies inférieures et en vous efforçant d'y introduire des pensées qui soutiennent votre intention, vous prenez effectivement la décision d'opter pour le bien-être et de devenir vous-même guérisseur. À cet instant, les roues de la création se mettent à tourner, et ce que vous imaginez et créez dans votre esprit commence à prendre forme dans votre vie de tous les jours.

Essayez pour voir la prochaine fois que vous aurez des pensées dégageant des énergies inférieures. Remarquez avec quelle facilité vous pouvez changer la façon dont vous vous sentez en refusant les pensées qui ne sont pas en harmonie avec la Source de l'intention. Cela fonctionne pour moi, et je vous encourage à faire de même. Dites-vous : *Je ne penserai plus que je suis destiné à être la victime de la maladie ou d'un handicap et je ne passerai pas les plus précieux moments de mon existence à parler de maladie. Je suis un guérisseur qui se guérit lui-même en co-créant avec Dieu un univers de santé pour lui et pour les autres. Telle est mon intention.*

La maladie n'est pas une punition

La maladie devient un élément de la condition humaine lorsque nous sommes séparés de la santé parfaite qui nous a créés. Au lieu de chercher des raisons qui expliquent pourquoi les gens tombent malades et d'exposer la logique qui mène à la maladie, je vous encourage à penser que vous avez en vous le potentiel pour devenir un maître guérisseur. Essayez de visualiser la maladie en la voyant comme quelque chose que le genre humain, dans son ensemble, a introduit dans le monde en s'identifiant à son ego, au lieu de demeurer en contact avec la divinité dont il est issu. En nous identifiant comme collectivité à notre ego, nous avons introduit dans le monde tous les problèmes qui y sont associés : peur, haine, anxiété, dépression, etc. L'ego se nourrit de ces émotions, car il insistera toujours pour dire que son identité est une entité distincte de la force divine dont nous sommes issus. D'une façon ou d'une autre, tous les membres du genre humain ont gobé cette idée de séparation et donc choisi de s'identifier à leur ego. Par conséquent, on peut affirmer que la maladie et le besoin de guérir sont des phénomènes typiquement humains.

Toutefois, vous auriez tort de vous sentir prisonnier de cette situation. Le pouvoir de l'intention concerne notre retour à la Source de la perfection et la découverte que le pouvoir de guérir est consécutif à la réactivation de ce lien divin. La Source de toute vie n'impose jamais de punition et il ne lui viendrait jamais à l'esprit de nous faire payer nos dettes karmiques en échange de nos souffrances et de nos difficultés. Vous n'êtes pas malade parce que vous êtes méchant ou ignorant ou encore parce que vous avez mal agi par le passé. Vous faites l'expérience de la maladie parce que vous aviez quelque chose à apprendre durant ce périple orchestré par l'intelligence qui pourvoit à tout et que nous appelons l'intention.

Dans un univers éternel, vous devez vous définir, vous et les autres, en termes d'infini. Par infini, j'entends que vous aurez au cours de votre existence une infinité d'occasions de vous manifester dans un corps physique afin de co-créer tout ce dont vous avez envie. La prochaine fois que vous vous pencherez sur les maladies du corps et de l'esprit qui s'infiltrent dans votre vie et dans celle des autres êtres humains, essayez de les voir comme des éléments faisant partie de la nature infinie de notre monde. Si les famines, les épidémies et les maladies font partie de la perfection de l'univers, alors votre intention d'y mettre un terme en fait également partie. Engagez-vous dès maintenant à manifester cette intention, d'abord dans votre propre vie, puis dans la vie des autres. Votre intention deviendra conforme à celle de l'univers, cet univers qui n'a jamais entendu parler d'ego et de séparation, et toutes les pensées présentant la maladie comme une punition ou une dette karmique cesseront d'exister.

Faire de votre intention une réalité

Vous trouverez ci-dessous un programme en dix étapes pour réaliser votre intention d'optimiser votre capacité à guérir et à être guéri :

Première étape : Vous ne pourrez guérir personne avant d'avoir accepté d'être vous-même guéri. Travaillez en collaboration avec votre Source afin de construire un milieu propice à la guérison. Consacrez votre énergie à prendre conscience que vous pouvez être guéri des douleurs physiques et morales qui ont perturbé la perfection de votre santé. Prenez contact avec l'énergie de l'amour, de la bonté, de la réceptivité et de la guérison du champ qui a voulu votre présence ici-bas. Acceptez le fait que vous fassiez partie de cette énergie curative qui circule dans tous les êtres vivants. La même force qui a guéri de façon permanente la coupure que vous vous êtes faite à la main est également présente dans l'univers. En fait, vous êtes cette force, et cette force, c'est vous ; rien ne vous sépare d'elle. Soyez conscient que vous êtes en contact avec cette force curative, car rien ne peut vous en séparer, si ce n'est les pensées inférieures qui émanent de votre ego.

Deuxième étape : Transmettez aux autres cette énergie curative avec laquelle vous êtes constamment en contact. Offrez cette énergie librement, et écartez votre ego du processus de guérison. Rappelez-vous ce qu'a répondu saint François lorsqu'on lui a demandé pourquoi il ne s'était pas guéri lui-même de la maladie qui devait l'entraîner dans la mort à l'âge de quarante-cinq ans : « Je veux que tout le monde sache que la guérison vient de Dieu. » Saint François s'était guéri de son ego, et c'est de manière délibérée qu'il endura son infirmité afin d'enseigner aux autres que c'était l'énergie de Dieu à l'œuvre en lui qui le rendait capable d'accomplir des guérisons miraculeuses.

Troisième étape : En élevant votre niveau d'énergie afin qu'il corresponde à celui du champ de l'intention, vous renforcez votre système immunitaire et stimulez la production d'enzymes du bonheur dans votre cerveau. Dans les cas de guérison spontanée miraculeuse, on remarque que le fait de passer d'une personnalité malveillante, pessimiste, colérique, maussade et désagréable à une personnalité orientée vers la passion, l'optimisme, la bonté, la joie et la compréhension est souvent la clé pour déjouer les pronostics les plus pessimistes.

Quatrième étape : Pratiquez l'abandon ! *Laissez aller et laissez Dieu s'occuper des détails* est un thème majeur pour ceux qui tentent de récupérer à la suite d'une maladie. C'est aussi un merveilleux rappel pour tous ceux qui sont en bonne santé. En remettant votre sort entre les mains de Dieu, vous communiez avec la Source de toutes les guérisons et témoignez de la vénération que vous avez pour elle. Rappelez-vous que le champ de l'intention ne sait pas ce qu'est la guérison en tant que telle, car étant lui-même spirituellement parfait, tout ce qu'il crée porte la marque de la perfection. Ces troubles, ces dissonances et ces maladies, nous les devons en fait à notre ego, et c'est en retrouvant cette perfection spirituelle que nous pouvons rétablir l'harmonie entre le corps, l'âme et l'esprit. Une fois que cet équilibre ou symétrie a été rétabli, nous déclarons que le patient a été guéri, mais la Source ignore tout de cette guérison puisqu'elle ne connaît que la perfection, en santé comme en toute autre chose. C'est à cette santé parfaite que je vous invite à vous abandonner.

Cinquième étape : Ne demandez pas à être guéri, mais à retrouver la perfection dont vous émanez. Voici une situation où vous voudrez aller au bout de votre intention, pour vous et pour les autres. Sur ce point, montrez-vous inflexible et intraitable. Ne laissez rien interférer avec votre intention de guérir et d'être guéri. Écartez tous les éléments négatifs que vous rencontrez. Refusez l'entrée à toutes les énergies qui pourraient affaiblir votre corps ou votre résolution. Partagez ce message avec les personnes qui vous entourent. Rappelez-vous que vous ne devez pas demander à votre Source de vous guérir, car cela supposerait que la santé est absente de votre vie, qu'il vous manque quelque chose. Or, la Source ne réagit qu'à ce qui existe déjà, et vous êtes vous-même une parcelle de cette Source. Présentez-vous devant la Source comme un être entier et complet, chassez toutes vos pensées qui portent sur la maladie, et sachez qu'en reprenant contact avec cette Source – en l'assimilant et en la partageant avec les autres – vous devenez vous-même guérison.

Sixième étape : Soyez conscient qu'on vous adore. Trouvez des raisons de vous féliciter et de vous sentir bien dans votre peau. Quand il vous arrive d'avoir des pensées qui vous rendent malade ou déprimé, faites de votre mieux pour les remplacer par des pensées qui vous redonneront le goût de sourire, et si jamais cela vous semble impossible, alors essayez de ne penser à rien. Refusez d'aborder le sujet de la maladie et efforcez-vous d'activer des pensées qui parlent de rétablissement, de bien-être et de santé. Et finalement, profitez de toutes les occasions où vous pouvez vous dire à vous-même : *Je me sens bien. J'ai l'intention d'attirer davantage de bien-être dans ma vie et j'ai l'intention de partager ce bien-être avec tous ceux qui en ont besoin.*

Septième étape : Recherchez et chérissez le silence. Plusieurs personnes ayant souffert d'une longue maladie ont réussi à reprendre contact avec leur Source via la nature et le silence. Prenez le temps de méditer en silence et de vous visualiser en union avec la santé parfaite du champ de l'intention. Communiez avec la Source de tout ce qui est bon et de tout ce qui est bien, et exercez-vous à accéder à cette énergie supérieure. Plongez tout votre être dans sa lumière.

La méditation a toujours été pour moi une source de guérison. Quand je suis fatigué, quelques instants de silence au cours desquels j'accède à des vibrations supérieures associées à l'amour et la bonté me redonnent toujours de l'énergie. Quand je sens que je ne suis pas dans mon assiette, quelques instants de quiétude au cours desquels je reprends consciemment contact avec Dieu me procurent ce dont j'ai besoin non seulement pour me sentir bien, mais aussi pour aider les autres à faire de même. Je n'oublierai jamais ces sages paroles de Herman Melville : « Dieu n'a qu'une seule voix : le silence. »

Voici un extrait d'une lettre écrite par Darby Herbet, une femme qui vit aujourd'hui dans la ville de Jackson Hole, dans le Wyoming. Pendant plus de vingt ans, elle a lutté contre la maladie et le mépris des gens qui l'entouraient. Finalement, Darby a opté pour la nature, le silence et la méditation. Je reproduis ici (avec sa permission) un extrait de sa lettre :

> *Pendant des années, j'ai vécu dans une maison vide, toujours entre deux portes. Pour échapper à ce*

champ d'énergie négative et au mépris de gens qui me jugeaient durement, j'ai déménagé à plusieurs milliers de kilomètres de là, pour m'installer dans une ville appelée Jackson Hole. La magie, la splendeur, la beauté et la sérénité de ce lieu sacré et enchanteur ont aussitôt opéré sur moi. Il y aura bientôt deux ans que je vis dans le silence. La méditation et l'appréciation de la beauté du monde sont devenues mon mode de vie. Bref, le fait de m'éloigner d'une énergie inférieure pour me rapprocher d'une énergie supérieure a fait des miracles. Les hémorragies oculaires, les lésions internes, la méningite lymphocytaire et les douleurs musculaires sont à présent de l'histoire ancienne. Depuis que j'ai recouvré la santé, je passe mes journées à marcher dans les montagnes et à faire du ski. Lentement, mais sûrement, j'apprends à me passer des dangereux médicaments que je prenais pour contrôler les symptômes de ma maladie, et je sais que je vais y arriver. Vous m'avez montré la voie du mieux-être, et je vous en serai éternellement reconnaissante. Que Dieu vous bénisse, Wayne Dyer. Et merci d'avoir suivi le sentier du bonheur et d'aider les autres à en faire autant. J'espère un jour pouvoir vous exprimer toute ma gratitude en personne.

Huitième étape : Pour *être* en bonne santé, vous devez totalement vous identifier à l'intégrité de votre être. Vous pouvez arrêter de vous voir comme un corps physique pour vous plonger dans l'idée du bien-être absolu. Ce bien-être peut effectivement devenir votre nouvelle carte d'identité. Vous respirez la santé, vous pensez en termes de bien-être et vous vous détachez des apparences que revêt la maladie dans le monde. Bientôt, vous ne voyez plus que la perfection au cœur de chaque être humain. Vous défendez fermement votre vérité, n'entretenant que des pensées de bien-être et ne prononçant que des paroles qui reflètent les infinies possibilités qui s'offrent à nous de guérir tout processus pathologique. Vous prenez conscience de votre véritable identité, et vous vivez comme si votre Source et vous n'étiez qu'une seule et même chose. Vous avez découvert votre ultime vérité, et vous permettez à la dynamique aura de l'intégrité de saturer et d'inspirer la moindre de vos pensées jusqu'à ce qu'elle occupe tout votre espace mental. C'est ainsi que vous guérissez, en découvrant votre intégrité et en lui faisant confiance.

Neuvième étape : Permettez à la santé d'irriguer votre vie. Prenez conscience de la résistance que vous opposez à l'écoulement naturel de l'énergie en vous. Cette résistance se présente sous la forme de pensées. Toute pensée qui n'est pas synchronisée avec les sept visages de l'intention est une pensée de résistance. Toute pensée exprimant un doute ou une peur est une pensée de résistance. Toute pensée exprimant l'idée qu'*il est impossible de guérir* est une pensée de résistance. Lorsque vous rencontrez l'une de ces pensées, prenez-la en note, puis activez délibérément des pensées énergétiques et équilibrées sur le plan vibratoire avec la Source de l'intention qui pourvoit à tout.

Dixième étape : Demeurez dans un état de gratitude. Témoignez de la reconnaissance pour l'air que vous respirez… pour vos organes qui fonctionnent en harmonie… pour l'intégrité de votre corps… pour le sang qui circule dans vos veines… pour le cerveau qui vous permet de comprendre ces mots et les yeux qui vous permettent de les lire. Regardez-vous au moins une fois par jour dans un miroir et remerciez ce cœur qui continue à battre et cette force invisible dont dépendent ces battements. Soyez reconnaissant. C'est la façon la plus sûre de conserver le lien qui vous unit à la Source de la santé pure et propre.

*
* *

L'un des messages de Jésus de Nazareth est particulièrement à propos dans un chapitre portant sur votre intention de guérir :

Si vous réalisez ce qu'il y a en vous,
Ce que vous aurez réalisé vous sauvera.
Si vous ne réalisez pas ce qu'il y a en vous,
Ce que vous n'aurez pas réalisé vous détruira.

Ce qu'il y a en vous, c'est le pouvoir de l'intention. Aucun microscope ne peut révéler sa présence. Et même si nous pouvons apercevoir le centre de commandes à l'aide d'appareils à rayons X, même les instruments les plus sophistiqués ne pourront découvrir le *commandant*, car ce commandant, c'est *vous*. Au lieu d'accepter de demeurer dans un état où tout rétablissement devient impossible, entrez en harmonie sur le plan vibratoire avec le plus grand commandant qui soit et faites en sorte qu'il se mette à votre service.

❀

CHAPITRE QUATORZE

J'AI L'INTENTION :
D'APPRÉCIER ET D'EXPRIMER LE GÉNIE QUE JE SUIS

« NOUS VENONS TOUS AU MONDE AVEC DU GÉNIE,
MAIS LA VIE SE CHARGE DE NOUS EN PRIVER. »

Buckminster Fuller

Considérez un instant que tous les êtres humains sont conscients de la même manière et que le processus de création et le génie sont des attributs de la conscience humaine. Par conséquent, nous pouvons affirmer que le génie est une potentialité présente chez tous les êtres humains. En fait, vous ferez souvent preuve de génie au cours de votre vie. Je parle ici de ces occasions où vous avez une idée lumineuse, que vous allez par la suite mettre en œuvre même si vous êtes seul à savoir à quel point elle est fantastique. Peut-être allez-vous créer quelque chose d'étonnant, quelque chose qui vous étonnera vous-même. Puis il y a ces moments où vous réussissez un coup parfait au golf ou au tennis, ces moments où vous prenez conscience que vous venez d'accomplir quelque chose d'extrêmement gratifiant.

Peut-être n'avez-vous jamais pensé que vous aviez l'étoffe d'un génie. Peut-être croyez-vous que le mot *génie* est réservé à des gens comme Mozart, Michel-Ange, Einstein, Marie Curie, Virginia Woolf, Stephen Hawking et à d'autres individus dont la vie et les exploits sont connus de tous. Mais n'oubliez pas que ces gens partagent la même conscience que vous. Ils émanent du même pouvoir de l'intention que vous. Ils participent à la même force vitale qui vous anime. Votre existence même est la preuve de votre génie, un génie qui attend simplement que les circonstances s'y prêtent pour s'exprimer.

Rien n'arrive par *hasard* ou par *accident* dans un univers ayant des intentions. Non seulement toute chose est-elle reliée à toutes les autres choses, mais rien n'est exclu de la Source universelle appelée intention. Par conséquent, le génie, qui est une caractéristique de la Source universelle, est lui aussi universel, ce qui signifie que rien ne peut le limiter. Tous les êtres humains y ont accès. Bien sûr, ce génie peut se manifester et se manifeste d'ailleurs de différentes façons en chacun de nous, mais l'important est de savoir que la créativité et le génie sont présents en vous, dans l'attente que vous preniez la décision de vous accorder au pouvoir de l'intention.

Modifier votre niveau d'énergie pour accéder au génie en vous

Dans *Power vs. Force*, David Hawkins écrit : « Par définition, le mot génie renvoie à un mode de conscience caractérisé par la capacité d'accéder à des schémas d'attraction d'énergie supérieure. Il ne s'agit pas d'une caractéristique personnelle. Ce n'est pas quelque chose que nous puissions *posséder* ou *être*. Ceux à qui nous reconnaissons du génie vont généralement rejeter cette étiquette. L'une des caractéristiques universelles du génie est l'humilité. Le génie attribue toujours ses idées à quelque influence supérieure. » Le génie est une caractéristique de la créativité (le premier des sept visages de l'intention) qui permet à la création de prendre forme. C'est l'expression du divin.

Parmi ceux que nous considérons comme des génies, personne – que ce soit Sir Laurence Olivier jouant Hamlet, Michael Jordan s'élançant avec grâce vers un panier de basket-ball, Clarence Darrow s'adressant à un jury, Jeanne d'Arc soulevant une nation entière ou Mme Fuehrer, mon professeur de huitième année, racontant une histoire passionnante en classe – ne peut expliquer d'où vient l'énergie qui permet l'atteinte de ces sommets. On raconte que Sir Laurence Olivier était fou d'angoisse après avoir donné l'une de ses meilleures performances londoniennes. Lorsqu'on lui demanda ce qui le troublait ainsi, malgré l'ovation délirante des spectateurs, il répondit (je paraphrase) : « Je sais que je viens de donner l'une de mes meilleures performances, mais je ne sais pas comment j'ai fait, d'où cela m'est venu ou si je serai un jour capable de recommencer. » Ego et génie s'excluent mutuellement. Le génie, c'est l'art de s'abandonner à sa Source, de reprendre contact avec elle de manière si spectaculaire que l'ego s'en trouve aussitôt substantiellement diminué. C'est à cela que fait allusion le Dr Hawkins lorsqu'il parle d'*accéder à des schémas d'énergie supérieure*.

Cette énergie supérieure, c'est l'énergie de la lumière, qui elle-même renvoie à l'énergie spirituelle. Les sept visages de l'intention sont les ingrédients de cette énergie spirituelle. Lorsque vous harmonisez vos pensées, vos émotions et vos activités avec l'énergie de ce royaume, après avoir désactivé les énergies inférieures de votre ego, la force divine présente en vous prend progressivement le contrôle de votre vie. Cette force étant plus rapide que vos pensées, le changement paraît quasi instantané. C'est pourquoi, après avoir accompli quelque chose d'extraordinaire, vous avez tant de mal à comprendre ce qui vient de vous arriver. Au niveau supérieur, l'énergie transcende la pensée et entre en harmonie vibratoire avec la Source énergétique de l'intention. En vous libérant des pensées dominées par votre ego (qui tente de vous convaincre que vous êtes l'auteur de ces extraordinaires exploits), vous puisez directement dans le pouvoir de l'intention, là où réside votre véritable génie.

Bien des gens n'exploreront jamais le monde intérieur de leur propre génie et croiront toute leur vie que celui-ci se mesure en termes d'intelligence ou de réalisations artistiques. Quand il n'est pas carrément enchaîné par leurs pensées, le génie qu'ils portent en eux passe inaperçu lorsqu'il leur arrive de s'aventurer en eux-mêmes, masqué par toutes sortes d'idées erronées. Si on vous a appris à ne pas avoir une trop haute idée de vous-même et que le génie ne touche qu'une poignée d'individus privilégiés, vous vous opposerez probablement à cette idée. Vous ne pourrez prendre conscience de votre génie si vous avez été conditionné à croire que vous devez accepter votre sort, regarder le monde par le petit bout de la lorgnette, faire comme tout le monde et ne pas viser trop haut pour éviter d'être déçu.

J'aimerais à présent que vous considériez une idée qui pourrait sembler radicale : *il y a autant de formes de génie qu'il y a d'êtres humains sur la terre*. Vous partagez le mérite de tout ce qui a été accompli au cours de l'histoire, quel que soit le domaine. Vous êtes en contact avec tous les êtres qui ont vécu ou qui vivront, et vous participez à la même énergie de l'intention qui a inspiré Archimède, Léonard de Vinci, la Vierge Marie et Jonas Salk. Vous pouvez, vous aussi, accéder à cette énergie. Au niveau le plus fondamental, tous les êtres sont composés de vibrations organisées en champs d'énergie inhérents à la structure même de l'univers. Vous êtes ces vibrations, vous êtes ce champ d'énergie.

Vous devez d'abord savoir et comprendre que ce niveau de créativité et d'autonomie que l'on dit *génial* est présent en vous. Vous devez ensuite déconstruire les doutes qui entourent votre rôle ici-bas. Engagez-vous à élever vos niveaux d'énergie afin qu'ils vibrent en harmonie avec le champ de l'intention, même si votre ego et celui des autres tentent de vous en dissuader.

Dans son livre *Infinite Mind: Science of Human Vibrations of Consciousness* (« Esprit infini : la science des vibrations humaines de la conscience »), le Dr Valerie Hunt nous rappelle que « les vibrations inférieures existent au niveau de la réalité matérielle, les vibrations supérieures au niveau de la réalité mystique, et le spectre vibratoire en son entier au niveau de la réalité dans son ensemble ». Pour réaliser votre intention d'apprécier et d'exprimer le génie que vous êtes, vous allez devoir embrasser tout le spectre vibratoire. Cela nous ramène à l'idée d'expansion, une idée décisive pour la découverte de votre véritable potentiel. C'est la tâche que vous vous êtes assignée en quittant le monde informe de l'intention spirituelle : co-créer un corps et une vie qui expriment votre génie intérieur, celui que vous avez peut-être enfermé à double tour dans un recoin inaccessible de vous-même.

Repousser les limites de votre réalité

La force universelle qui vous a créé est toujours en expansion, et votre objectif est d'être en harmonie avec cette Source et de reconquérir le pouvoir de l'intention. Alors qu'est-ce qui vous empêche d'atteindre la réalité mystique et d'embrasser dans son ensemble le spectre vibratoire auquel fait allusion le Dr Hunt ? J'aime bien cette réponse de William James, un chercheur généralement considéré comme le père de la psychologie moderne : « Avoir du génie, c'est rarement plus qu'avoir la faculté de voir les choses sous un angle inhabituel. » Pour repousser les limites de votre réalité afin qu'elle corresponde au champ créateur et toujours en expansion de l'intention, vous devez vous débarrasser de vos anciennes façons de penser. Ces façons de penser vous ont rendu vulnérable aux étiquettes qu'on cherche à vous imposer, et ces étiquettes vous définissent de bien des façons.

La plupart de ces étiquettes viennent de gens qui ont besoin de décrire ce que vous n'êtes pas, car il est plus facile pour eux de prédire ce que vous ne pouvez pas être, que de prédire ce que vous pouvez être : *Elle n'a aucun talent artistique. Comme il est un peu gauche, il ne deviendra jamais un grand athlète. Il n'a jamais été doué pour les mathématiques. Comme il est quelque peu timide, il ne pourra jamais travailler dans le public.* On vous l'a répété pendant si longtemps que vous en êtes venu à le croire. Vous avez pris l'habitude de considérer vos dons et votre potentiel sous cet angle. Comme le suggérait William James, le génie est celui qui est capable de changer sa façon de penser, de se débarrasser de ses vieilles habitudes et de s'ouvrir à la possibilité de la grandeur.

Voici un stéréotype fort répandu sur les écrivains et les conférenciers : étant donné que les écrivains sont des gens introvertis, il est normal qu'ils fassent de piètres conférenciers. Pour ma part, j'ai choisi de m'écarter de ce programme et de cette façon de penser caricaturale, car je savais que je pouvais exceller dans n'importe quel domaine si telle était mon intention. J'ai choisi de croire qu'au moment de mon arrivée dans ce monde de limites et de formes, rien ne m'était impossible. Je suis ici parce qu'un champ d'énergie toujours en expansion, qui ignore les limites et les étiquettes, a voulu que j'y sois. J'ai décidé que je serais à la fois un écrivain introverti *et* un conférencier extraverti. De même, j'ai choisi de me libérer de nombreuses étiquettes imposées par la société. Je peux être un génie dans n'importe quel domaine si, à en croire le père de la psychologie moderne, je peux apprendre à voir les choses sous un angle *inhabituel*. Je peux chanter des chansons d'amour, écrire de la poésie, peindre des tableaux ravissants, et en même temps, à l'aide du même corps, exceller dans n'importe quel sport, construire des meubles, réparer ma voiture, m'amuser avec mes enfants et même faire du surf.

Prêtez attention aux façons d'être qui permettent le développement des infinies possibilités dont vous êtes capable. Vous en viendrez peut-être, comme moi, à la conclusion que réparer des voitures et faire du surf ne sont pas des activités pour vous. Laissez-les à d'autres, et utilisez votre génie pour vous adonner à des activités qui vous plaisent et qui vous attirent. Repoussez les limites de votre réalité jusqu'à ce que vous puissiez poursuivre ce que vous aimez faire et ce dans quoi vous excellez. Branchez-vous sur les énergies supérieures de la confiance, de l'optimisme, de l'appréciation, de la révérence, de la joie et de l'amour. Pour cela, vous devez aimer ce que vous faites, vous aimer vous-même, et aimer ce génie qui vous permet de vous plonger dans n'importe quelle activité et de jouir de votre capacité à expérimenter toutes les facettes de l'existence.

Faire confiance à vos intuitions. Pour apprendre à apprécier votre génie, vous devez apprendre à faire confiance à ces intuitions créatives dignes d'être exprimées. Je parle de la chanson que vous avez composée dans votre esprit. De l'étrange histoire que vous avez vue en rêve et qui ferait un excellent film. De cette idée folle de croiser des graines de petits pois et de carottes pour obtenir des *poirottes*. Du nouveau modèle de voiture que vous avez toujours voulu créer. De la nouvelle mode que vous rêvez de lancer. Du jouet que tous les enfants s'arracheront. De la comédie musicale qui vous trotte dans la tête. Ces idées, comme des milliers d'autres, sont l'expression de votre génie créatif à l'œuvre. Ces idées vous viennent de Dieu, et non de votre ego qui tente au contraire de les ensevelir sous la peur et le doute. Vos intuitions sont le fruit d'une inspiration divine. Et votre créativité est le reflet de l'harmonie vibratoire qui s'est installée entre votre soi supérieur et le champ de l'intention toujours en train de créer.

Le fait de chasser les doutes entourant ces intuitions géniales vous permettra d'exprimer ces idées et d'entamer le processus qui mènera à leur réalisation. Quand vous écartez vos idées sous prétexte qu'elles ne sont pas assez bonnes ou qu'elles ne méritent pas qu'on s'y attarde, vous tournez le dos au lien qui vous unit au pouvoir de l'intention. Vous êtes toujours en contact avec l'intention, mais vous affaiblissez ce lien en acceptant de vivre au niveau ordinaire de la conscience de votre ego. Rappelez-vous que vous êtes une parcelle de Dieu et que la géniale étincelle qui a surgi de votre imagination, c'est Dieu qui vous rappelle à votre unicité. Vous avez des intuitions, car c'est précisément ainsi que vous demeurez en contact avec le génie créateur qui a voulu votre présence ici-bas. Comme je l'ai mentionné plus tôt, avoir confiance en vous, c'est avoir confiance en la sagesse qui vous a créé.

N'allez jamais croire qu'une pensée créative est autre chose qu'une expression légitime de votre génie intérieur. Toutefois, il est important que ces pensées soient en harmonie sur le plan vibratoire avec les sept visages de l'intention. Les pensées de haine, de colère, de peur, de désespoir et de destruction ne recèlent aucun potentiel créatif. De même, les pensées suscitées par des énergies inférieures ou votre ego doivent être remplacées et converties par le pouvoir de l'intention. Vos élans créatifs sont réels, vitaux et valables, et aspirent à être exprimés. Le fait que vous ayez conçu ces pensées en est la preuve. Vos pensées sont bien réelles ; c'est la pure énergie de la créativité qui vous dit d'être attentif et de polir le lien vous unissant au pouvoir de l'intention en embrassant des niveaux de conscience qui diffèrent de ceux que vous considérez comme normaux et ordinaires. À ces niveaux, tout le monde a du génie.

Apprécier le génie chez les autres. Toutes les personnes avec qui vous interagissez devraient sentir cette chaleur intérieure en apprenant que vous les appréciez, en particulier pour la façon dont elles expriment leur créativité. Pour renforcer la circulation du pouvoir de l'intention, il est primordial que vous souhaitiez pour les autres ce que vous souhaitez pour vous-même. De plus, en appréciant le génie chez les autres, vous attirerez de hauts niveaux d'énergie créative dans votre vie. En reconnaissant et en célébrant le génie créatif, vous ouvrez en vous un canal qui vous permettra de recevoir l'énergie créative émanant du champ de l'intention.

Mon fils de quinze ans, Sand, a une façon unique de surfer sur les vagues de l'océan. Je l'encourage toujours à faire ce qui lui vient naturellement et à l'exprimer avec fierté. À l'instar de mon frère David, il est parvenu à créer un moyen de communication unique qui a rapidement été adopté par les autres membres de la famille et ses amis intimes. Créer un langage pouvant être utilisé par les autres est vraiment l'œuvre d'un génie ! Je l'ai dit à Sand, et à mon frère, dont je parle le langage unique depuis plus d'un demi-siècle. Ma fille Skye possède une voix comme on en entend rarement et que j'adore. Je lui ai dit et fait remarquer qu'il s'agissait d'une expression de son génie.

Tous mes enfants, comme les vôtres d'ailleurs (y compris l'enfant qui est en vous), ont une façon bien à eux de s'exprimer. Qu'il s'agisse de leurs vêtements, de leurs tatouages, de leur signature, de leurs manies ou de leurs idiosyncrasies, vous pouvez toujours apprécier leur génie. Mais n'oubliez pas d'apprécier *votre* propre génie. Quand vous êtes comme tout le monde, tout ce que vous avez à offrir aux autres, c'est votre propre conformisme.

Choisissez de *voir le visage de Dieu* dans le regard de tous ceux que vous rencontrez. Cherchez quelque chose à apprécier chez les autres, et n'hésitez pas à leur faire part de votre appréciation et à communiquer votre enthousiasme à tous ceux qui sont prêts à vous écouter. Quand vous aurez appris à voir cette qualité chez les autres, vous prendrez rapidement conscience que ce potentiel est à la portée de tous les êtres humains. Prendre conscience de votre propre génie est un élément essentiel de cette dynamique. Comme nous le rappelle le Dr Hawkins dans *Power vs. Force* : « Il est difficile de reconnaître le génie des autres quand nous n'avons pas conscience de notre propre génie. »

Génialité et simplicité. Pour réaliser l'intention présentée dans ce chapitre, vous devez d'abord, autant que possible, simplifier votre vie. Le génie s'épanouit dans un environnement qui prête à la contemplation, où chaque minute n'est pas accaparée par vos obligations, où les gens ne sont pas constamment en train de vous offrir leurs conseils et d'insister pour que vous participiez à des activités banales et ordinaires. Le génie en vous ne recherche pas l'approbation des autres, mais la quiétude qui permettra à ses idées de porter leurs fruits. Avoir du génie, ce n'est pas tant avoir un QI élevé que d'avoir un niveau exceptionnel de bonne vieille jugeote dans un domaine donné. Le génie à l'œuvre, c'est cette personne qui bricole des gadgets électroniques pendant des heures et des heures, qui entre en transe quand elle travaille dans son jardin ou qui prend un plaisir fou à analyser le vol des chauves-souris un soir de pleine lune. Une vie moins compliquée, où moins d'intrusions sont tolérées, dans un décor simple, permettra à votre génie créatif de faire surface et de s'exprimer. La simplicité établit un lien entre vous et le pouvoir de l'intention, un lien qui assurera l'épanouissement de votre génie.

Faire de votre intention une réalité

Vous trouverez ci-dessous un programme en dix étapes pour réaliser votre intention d'apprécier et d'exprimer le génie à l'œuvre en vous.

Première étape : Déclarez que vous êtes un génie ! Il ne s'agit pas de l'annoncer à la terre entière, mais de manifester votre intention à votre Créateur. Rappelez-vous que vous êtes l'un des chefs-d'œuvre issus du champ universel de l'intention. Vous n'avez pas à prouver que vous êtes un génie, ni à comparer vos résultats avec ceux des autres. Vous avez quelque chose d'unique à offrir à ce monde, et vous êtes un phénomène unique dans toute l'histoire de la création.

Deuxième étape : Prenez la décision d'écouter plus attentivement vos intuitions, même si elles peuvent sembler de prime abord de peu d'importance ou insignifiantes. Ces pensées, qui vous ont peut-être paru ridicules ou sans valeur, font partie du lien intime qui vous unit au champ de l'intention. Les pensées qui reviennent constamment, surtout si elles concernent une activité ou une aventure nouvelle, ne vous trottent pas dans la tête par hasard. Ces pensées tenaces, c'est votre intention qui cherche à se faire entendre et à vous dire : *Puisque tu t'es engagé à exprimer ton exceptionnelle unicité, pourquoi continues-tu d'ignorer ton génie et à te contenter de moins ?*

Troisième étape : Posez des gestes constructifs pour mettre en pratique vos intuitions et vos inclinations personnelles. Tout ce qui contribue à l'expression de vos élans créatifs est un pas dans la bonne direction, un pas qui vous rapprochera du génie qui dort en vous. Vous pouvez, par exemple, écrire un livre et le publier sur Internet, même si vous avez toujours douté de vous-même jusqu'à présent. Vous pouvez enregistrer sur un CD les chansons ou les poèmes que vous avez écrits. Vous pouvez acheter un chevalet et du matériel d'artiste et passer l'après-midi à peindre ou encore consulter un expert dans un domaine qui vous intéresse.

Récemment, durant une séance de photos, un photographe me confia qu'il avait organisé, quelques années plus tôt, une rencontre avec un photographe de renommée mondiale et que cette rencontre l'avait convaincu de s'investir dans un travail qu'il aimait. À mes yeux, cet homme était un génie. La photographie l'avait toujours intrigué, mais cette première démarche exploratoire lui avait permis d'apprécier le génie qui dormait en lui et d'apprendre à faire confiance à cette *curiosité* qu'il utilise aujourd'hui pour communiquer son génie au monde entier.

Quatrième étape : Sachez que toutes les pensées que vous entretenez sur vos propres aptitudes, intérêts et inclinations sont valables. Pour renforcer la validité de vos pensées, *gardez-les pour vous*. Dites-vous qu'il s'agit de quelque chose entre Dieu et vous. Si vous les gardez dans le domaine spirituel, vous n'êtes pas obligé d'en faire part à votre ego ou de les exposer à l'ego de ceux qui vous entourent. Cela signifie que vous ne serez jamais obligé de les compromettre en devant les expliquer et les défendre publiquement.

Cinquième étape : N'oubliez pas que c'est en vous alignant sur l'énergie spirituelle que vous découvrirez le génie en vous. Dans *Power vs. Force*, David Hawkins conclut sur cette note : « D'après nos études, il semble que le fait d'aligner buts et valeurs sur des schémas d'énergie supérieure est étroitement associé à l'expression du génie. » Cette conclusion correspond parfaitement à la compréhension et à la mise en œuvre du pouvoir de l'intention. Utilisez votre énergie pour harmoniser vos vibrations avec celles de la Source. Apprenez à apprécier la vie et refusez toute pensée de haine, d'anxiété, de colère et de dépréciation. Faites-vous confiance (vous êtes, après tout, une parcelle de Dieu), et votre génie s'épanouira.

Sixième étape : Soyez d'une humilité radicale. Ne vous enorgueillissez pas de vos dons, de vos capacités intellectuelles, de vos aptitudes ou même de vos compétences. Soyez toujours prêt à être émerveillé et étonné. Moi-même, à l'instant où j'écris ces lignes, la plume à la main, je suis étonné de voir ces mots apparaître devant moi. D'où viennent-ils ? Comment se fait-il que ma main sache traduire ces pensées invisibles en mots, en phrases et en paragraphes ? D'où viennent ces pensées qui les ont précédés ? Suis-je en train d'écrire ou suis-je en train d'observer Wayne Dyer en train d'écrire ? Dieu est-il en train de s'exprimer à travers moi ? Étais-je censé devenir son messager avant même de venir au monde, le 10 mai 1940 ? Ces mots vont-ils me survivre ? Tout cela me dépasse. Le fait d'ignorer l'origine des œuvres que j'ai produites me rend humble. Tâchez d'être d'une humilité radicale, mais évitez par-dessus tout d'attribuer le mérite de vos actions à votre ego.

Septième étape : Levez vos résistances en prenant conscience de votre génie. Puisque les résistances que vous opposez au pouvoir de l'intention se manifestent toujours sous la forme de pensées, surveillez celles qui contribuent à vous empêcher de vous voir sous les traits d'un génie… celles qui vous font douter de vos capacités… ou celles qui renforcent l'idée que vous n'avez pas le talent ou les aptitudes nécessaires. Ces pensées sont dissonantes et vous empêchent de vivre en harmonie avec le champ créateur de l'intention. Votre Source sait que vous avez du génie. Toute pensée qui va à l'encontre de cette notion opposera une résistance qui entravera la réalisation de votre intention.

Huitième étape : Soyez attentif à ce qu'il y a de génial chez les autres. Prêtez attention à la grandeur qui se manifeste autour de vous et faites l'effort mental de la rechercher si jamais vous n'arrivez pas à la voir. Plus vous serez enclin à penser en termes de génialité, plus il deviendra naturel de vous plier à ces mêmes critères. Dites aux autres qu'ils ont du génie. Ce faisant, vous irradierez une énergie porteuse d'amour, de bonté, d'abondance et de créativité. Dans un univers régi par l'énergie et les lois de l'attraction, il est inévitable que vous receviez la même énergie en retour.

Neuvième étape : Simplifiez-vous la vie. Chassez les complications, les règles et les obligations de votre vie. En vous simplifiant la vie et en cessant de poursuivre des choses sans intérêt qui vous prennent tout votre temps, vous donnez la chance à votre génie d'émerger. L'une des techniques les plus efficaces pour se simplifier la vie consiste à consacrer tous les jours vingt minutes de son temps à la méditation et au silence. Plus vous serez conscient du lien qui vous unit à votre Source, plus vous en viendrez à apprécier votre soi supérieur, à partir duquel se manifestera votre génie.

Dixième étape : Soyez humble et reconnaissant. Ce génie que vous êtes n'a rien à voir avec votre ego. Soyez toujours reconnaissant envers la Source de l'intention qui vous fournit la force vitale pour exprimer le génie en vous. Ceux qui attribuent leur inspiration et leur succès à leur ego perdent rapidement cette capacité ou se laissent détruire par l'approbation et l'attention des autres. Demeurez humble et reconnaissant et votre génie s'épanouira tant que vous continuerez à prendre de l'expansion. La gratitude est un lieu sacré où une force plus grande que votre ego est à l'œuvre et toujours accessible.

*
* *

L'homme qui ne manque jamais de m'inspirer, Ralph Waldo Emerson, dont la photographie surplombe ma table de travail, a écrit : « Croire en vos propres idées, croire de tout votre cœur que ce qui est vrai pour vous est vrai pour tous les hommes, voilà ce que j'appelle avoir du génie. »

À présent que vous en êtes conscient, il ne vous reste plus qu'à appliquer ces principes dans votre vie. Un autre génie nous a expliqué comment y arriver. Thomas Edison disait : « Le génie, c'est un pour cent d'inspiration et quatre-vingt-dix-neuf pour cent de transpiration. »

TROISIÈME PARTIE

LA CONNEXION

« L'HOMME A ENTREPRIS DES TRANSFORMATIONS QUI NE SONT PAS DE CE MONDE ; IL AVANCE VERS L'INFORME, UN PLAN SITUÉ AU-DESSUS DU NÔTRE. SACHE QUE TU DOIS DEVENIR INFORME AVANT DE NE FAIRE QU'UN AVEC LA LUMIÈRE. »

Tiré des tablettes de Thoth

CHAPITRE QUINZE

PORTRAIT D'UNE PERSONNE CONNECTÉE AU CHAMP DE L'INTENTION

« LA PERSONNE QUI S'EST AUTO ACTUALISÉE DOIT DEVENIR CE QU'ELLE PEUT ÊTRE. »

Abraham Maslow

Les personnes qui vivent en union avec la Source de toute vie ne sont pas différentes des gens ordinaires. Elles ne portent ni auréole, ni vêtements spéciaux pour afficher leurs qualités quasi divines. Mais quand on voit leur bonne fortune et qu'on se met à discuter avec elles, on se rend tout de suite compte qu'elles se distinguent des gens qui vivent à des niveaux de conscience plus ordinaires. Prenez le temps de converser avec des gens en contact avec le pouvoir de l'intention et vous verrez à quel point ils sont uniques.

Ces personnes, que j'appelle les *connectés* pour marquer le lien harmonieux qui les unit au champ de l'intention, sont des individus ouverts au succès. Vous ne pourrez jamais leur faire adopter un point de vue pessimiste quant à leurs chances d'obtenir ce qu'elles désirent. Au lieu d'utiliser un langage qui dénote que leurs désirs pourraient ne pas se réaliser, elles parlent avec conviction, car elles savent que la Source universelle pourvoit à tout.

Elles ne disent jamais : *Connaissant ma chance, cela ne fonctionnera jamais.* Au contraire, il est probable que vous les entendiez dire : *J'ai l'intention d'y arriver et je sais que tout ira bien.* Même quand vous tentez de les dissuader en leur expliquant en détail pourquoi leur optimisme n'est pas de mise, elles semblent demeurer sourdes à toute confrontation avec la réalité. On dirait qu'elles vivent dans un autre monde, un monde où elles refusent d'entendre pourquoi leur projet ne pourra jamais se réaliser.

Si vous leur en parlez, elles vous répondront probablement : *Je refuse de penser à ce qui peut ne pas arriver, car étant donné que j'attire dans ma vie ce à quoi je pense, je pense seulement à ce qui arrivera.* Pour elles, ce qui s'est passé auparavant n'a aucune importance. Elles n'accrochent pas aux concepts d'*échec* et d'*impossibilité*. Bref, elles semblent immunisées contre le pessimisme. Elles sont ouvertes au succès et savent qu'elles peuvent faire confiance à la force invisible qui s'occupe de tout. En fait, elles sont si étroitement liées à la Source de toute chose qu'on dirait qu'une aura bloque naturellement l'accès à tout ce qui pourrait affaiblir le lien qui les unit à l'énergie créatrice du pouvoir de l'intention.

Les connectés ne pensent pas à ce qu'ils ne veulent pas, car, comme ils vous l'expliqueront : *La Source ne peut répondre qu'à ce qui existe déjà, et ce qui existe déjà, c'est une abondance illimitée. La Source ignore tout de la rareté et de l'échec, deux concepts qui lui sont complètement étrangers. Si je dis à la Source de toute chose : « Cela ne fonctionnera pas », je recevrai exactement ce que j'ai envoyé, et c'est pourquoi je pense uniquement à ce qui existe déjà.*

Pour les gens ordinaires qui craignent ce que l'avenir leur réserve, tout ça, c'est du charabia. Ils diront à leurs amis connectés de revenir sur terre et de voir le monde dans lequel ils vivent de façon plus réaliste. Mais rien ne peut détourner les connectés de ce qu'ils sentent au fond d'eux-mêmes. Ils vous expliqueront, si vous vous donnez la peine de les écouter, que nous vivons dans un univers régi par l'énergie et les lois de l'attraction, et que les gens vivent dans la peur et la rareté parce qu'ils espèrent réaliser leurs rêves en s'appuyant sur leur ego. *C'est simple*, vous diront-ils. *Reprenez contact avec votre Source, et soyez à l'image de votre Source, et vos intentions seront en parfaite harmonie avec la Source qui pourvoit à tout.*

Pour les connectés, tout semble si simple. Concentrez-vous sur ce que vous avez l'intention de créer. Soyez en harmonie avec le champ de l'intention, puis prêtez attention aux indices qui vous feront comprendre que la Source créatrice est entrée dans votre vie. Pour les connectés, rien n'arrive par accident. Ils perçoivent des événements à première vue insignifiants comme le produit d'une orchestration parfaitement maîtrisée. Comme ils croient à la synchronicité, ils ne sont jamais surpris lorsque la bonne personne surgit juste au bon moment, lorsque la personne à laquelle ils pensaient leur téléphone sans prévenir, lorsque le facteur leur apporte un livre inattendu contenant les informations dont ils avaient besoin ou lorsque l'argent nécessaire pour financer un projet apparaît comme par magie.

Les connectés n'essaieront pas de vous convaincre qu'ils ont raison en avançant des arguments. Ils savent qu'en investissant beaucoup d'énergie dans un débat qui risque de provoquer chez eux de la frustration, ils ne feront qu'attirer davantage de disputes et de frustration dans leur vie. Ils savent ce qu'ils savent, et ils ne se laissent pas prendre à opposer de la résistance aux gens qui vivent de façon différente. Ils acceptent l'idée que rien n'arrive par accident dans un univers ayant pour Source une force énergétique invisible qui crée continuellement et qui offre ses réserves infinies à tous ceux qui souhaitent y participer. Si vous leur posez la question, ils vous répondront sans détour : *Pour puiser dans le pouvoir de l'intention, il vous suffit d'être en parfaite harmonie avec la Source de toute chose et d'être, comme moi, aussi étroitement lié que possible à cette Source.*

Pour les connectés, tout ce qui se manifeste dans leur vie est là parce que le pouvoir de l'intention en a voulu ainsi. C'est pourquoi ils sont toujours reconnaissants, même s'il leur arrive de rencontrer ce qui peut sembler être un obstacle. Ils ont la capacité et le désir de voir une maladie passagère comme une bénédiction, car ils savent dans leur cœur que cette situation est pour eux une occasion de réaliser quelque chose, et c'est ainsi qu'ils envisagent tout ce qui se manifeste dans leur vie. En exprimant leur reconnaissance, ils honorent les possibilités qui se présentent, au lieu de formuler des demandes à leur Source, ce qui contribuerait à donner de l'importance à ce qui leur manque. Ils communient avec la Source en exprimant leur gratitude pour tout ce qui est présent dans leur vie, car ils *savent* que cela leur donne le pouvoir de manifester ce dont ils ont besoin.

Les connectés se décrivent comme des gens doués pour l'appréciation et l'étonnement. On les entend rarement se plaindre. Ils ne cherchent jamais la petite bête. S'il pleut, ils s'en réjouissent, car ils savent qu'ils n'iraient pas là où ils ont envie d'aller s'ils se déplaçaient uniquement lorsqu'il fait beau. C'est ainsi qu'ils réagissent aux caprices de la nature, en les appréciant et en demeurant en harmonie avec eux. La neige, le vent, le soleil et les bruits de la nature sont pour eux un rappel qu'ils font partie du monde naturel. L'air – quelles que soient sa température ou la vélocité du vent – est vénéré comme souffle de vie.

Les connectés apprécient le monde et tout ce qui s'y trouve. Ils ressentent pour tous les êtres le même attachement qui les lie à la nature, y compris pour ceux qui ont vécu avant eux et ceux qui viendront après eux. Ils ont conscience de l'unité du genre humain, et ne font aucune différence entre *eux* et les *autres*. Pour un connecté, il n'y a que le *nous*. Si vous pouviez jeter un coup d'œil dans leur monde intérieur, vous découvririez que la souffrance que l'on inflige aux autres les blesse terriblement. Ils ignorent ce qu'est un ennemi, car ils savent que nous émanons tous de la même Source divine. Ils apprécient les modes et les coutumes qui diffèrent des leurs, au lieu de les détester, de les critiquer ou de se sentir menacés par elles. Le lien qui les unit aux autres est de nature spirituelle, mais ils ne se coupent jamais spirituellement des autres, quel que soit l'endroit où ils vivent, leur apparence physique ou leurs coutumes. Dans leur cœur, les connectés ressentent une affinité pour tout ce qui est vivant, de même que pour la Source de toute vie.

C'est en raison de ce lien que les connectés ont tant de facilité à se valoir la coopération et l'assistance des autres lorsque vient le temps de réaliser leurs propres intentions. Dans l'esprit du connecté, personne sur cette planète n'est coupé des autres sur le plan spirituel. Par conséquent, en vivant dans le champ de l'intention, ils ont accès à tout ce qui existe dans l'univers, étant donné qu'ils sont déjà en contact avec ce système d'énergie vitale et tout ce qui en découle. Les connectés apprécient ce lien spirituel, et ne gaspillent jamais leur énergie à le déprécier ou à le critiquer. Ils ne se sentent jamais privés de l'aide que ce système générateur de vie peut leur offrir.

Il s'ensuit que les connectés ne sont pas surpris lorsqu'une synchronicité ou une coïncidence leur apporte les fruits de leurs intentions. Ils savent dans leur cœur que ces soi-disant miracles ont été introduits dans leur espace vital parce qu'ils étaient déjà en contact avec eux. Parlez-en à un connecté et il vous répondra : *Bien sûr, c'est la loi de l'attraction. Harmonisez vos vibrations avec celles de la Source de toute vie qui a voulu ici votre présence et celle des autres, et le pouvoir du champ de l'intention coopérera avec vous afin que vous obteniez ce que vous désirez.* Ils savent que l'univers fonctionne ainsi. Certains diront que les connectés ont tout simplement de la chance, mais les gens qui jouissent du pouvoir de l'intention savent de quoi il en retourne. Ils savent qu'ils peuvent négocier la réalisation de tout ce sur quoi ils portent leur attention, pour autant que cela soit en accord avec les sept visages de l'intention.

Les connectés ne se vantent jamais de leur bonne fortune, mais ils sont toujours reconnaissants et d'une humilité radicale. Ils ont compris le fonctionnement de l'univers, et c'est avec joie qu'ils demeurent en harmonie avec celui-ci, au lieu de le défier et de lui trouver des défauts. Demandez-leur leur avis et ils vous diront que nous faisons tous partie d'un système énergétique en mouvement. *Les énergies les plus rapides*, vous expliqueront-ils, *dissolvent et neutralisent les énergies inférieures les plus lentes*. Ces gens ont choisi de vivre en harmonie avec l'énergie spirituelle invisible. Ils ont pris l'habitude d'entretenir des pensées qui se déplacent aux niveaux des vibrations supérieures, ce qui leur permet de se protéger des énergies lentes et inférieures.

Les connectés ont un effet apaisant sur les gens qui vivent à des niveaux d'énergie inférieure. Ils dégagent une énergie calme et sereine qui les tranquillise et les rassure. Il ne leur viendrait pas à l'idée de se disputer ou de chercher des alliés. Au lieu de chercher à vous persuader de penser comme eux, ils vous convaincront en vous mettant en présence de l'énergie qui émane d'eux. Les gens se sentent aimés par les connectés, parce que ceux-ci vivent en communion avec la Source de toute vie : l'amour.

Les connectés vous diront sans hésiter qu'ils ont choisi de se sentir bien peu importe ce qui se passe autour d'eux ou ce que les autres pensent. Ils savent que se sentir mal est un choix qui n'est d'aucune utilité pour corriger les situations désagréables qui perdurent dans le monde. C'est pourquoi ils utilisent leurs émotions pour déterminer s'ils sont en harmonie avec le pouvoir de l'intention. S'ils ne sont pas dans leur assiette, ils y voient l'indice qu'il est temps de modifier leur niveau énergétique afin qu'il soit en accord avec l'énergie aimante et sereine de la Source. Ils se répètent alors : *Je veux me sentir bien*, et ils harmonisent leurs pensées avec ce qu'ils désirent.

Si le monde est en guerre, ils choisiront néanmoins de se sentir bien. Si l'économie pique du nez, ils choisiront néanmoins de se sentir bien. Si le taux de criminalité grimpe en flèche ou si un ouragan dévaste un coin de la planète, ils choisiront néanmoins de se sentir bien. Si vous leur demandez pourquoi ils ne sont pas affectés par les catastrophes qui frappent notre planète, ils esquisseront un sourire et vous rappelleront *que le monde de l'esprit d'où nous sommes tous issus œuvre dans la paix, l'amour, l'harmonie, la bonté et l'abondance, et que c'est ainsi j'ai choisi de vivre. Si je me sentais mal dans ma peau, je ne ferais qu'attirer encore plus de sentiments négatifs dans ma vie.*

Les connectés refusent que leur bien-être dépende des aléas du monde extérieur, que ce soit la météo, la guerre, le paysage politique, l'économie ou le choix des autres de vivre à des niveaux d'énergie inférieure. Ils travaillent de concert avec le pouvoir de l'intention en imitant ce qu'ils savent être la Source créatrice de tout.

Les connectés sont toujours en contact avec leur nature infinie. Ils ne craignent pas la mort et vous diront même, si vous leur posez la question, qu'ils ne sont jamais vraiment nés et qu'ils ne mourront jamais. Pour eux, mourir, c'est changer de vêtement ou passer d'une pièce à une autre. Bref, une simple transition. Ils vous parleront de l'énergie invisible qui a eu la première l'intention de créer tout ce qui existe et qu'ils considèrent comme leur véritable moi. Étant donné que les connectés sont alignés sur tout ce qui existe dans l'univers, ils ne se sentent jamais coupés des autres ou de ce qu'ils souhaitent attirer dans leur vie. Ce lien a beau être invisible et immatériel, ils ne doutent jamais de son existence, et c'est pourquoi ils font confiance à cette énergie spirituelle invisible qui circule en toute chose. Ils vivent en harmonie avec l'Esprit dont ils ne se sentent jamais coupés. Cette prise de conscience est la clé qui leur permet de voir le pouvoir de l'intention à l'œuvre dans leur vie quotidienne.

Vous ne pouvez tout simplement pas convaincre les connectés que leurs intentions ne se réaliseront pas, car rien ne peut ébranler la confiance qu'ils ont mise dans la Source énergétique. Ils vous inviteront à choisir les possibilités auxquelles vous souhaitez vous identifier, puis vous encourageront à vivre comme si elles s'étaient déjà concrétisées. Si vous en êtes incapable, si vous êtes rongé par le doute, la peur et l'inquiétude, ils vous souhaiteront bonne chance, mais continueront de faire ce qu'ils appellent *penser en commençant par la fin*. Ils peuvent voir ce qu'ils ont l'intention de rendre manifeste dans leur vie comme si cela s'était déjà matérialisé, et pour eux, ce souhait est si réel dans leurs pensées qu'il devient leur réalité. Ils vous diront sans ambages : *Mes pensées, lorsqu'elles sont en harmonie avec le champ de l'intention, sont les pensées de Dieu, et c'est ainsi que je choisis de penser.* Et vous verrez, si vous les observez attentivement, qu'ils ont un don inouï pour réaliser leurs intentions.

Les connectés sont des gens extrêmement généreux. Ce qu'ils veulent pour eux-mêmes, ils le veulent encore plus pour les autres. En fait, ils prennent un plaisir fou à donner. Certains se demanderont comment il leur est possible d'accumuler quoi que ce soit, et pourtant, ils vivent dans l'abondance et semblent ne jamais manquer de rien. *Pour accéder au pouvoir de l'intention*, vous diront-ils, *vous devez penser et agir comme la Source qui pourvoit à tout et dont toute chose est issue. Cette Source veille à ce que je ne manque de rien, et j'ai choisi moi aussi de veiller à ce que les autres ne manquent de rien. Plus je donne, que ce soit de mon temps ou les choses qui surgissent dans ma vie, plus je reçois en retour.*

Les connectés sont des gens extrêmement inspirés. Ils vivent davantage dans le monde de l'esprit que dans le monde de la forme. Par conséquent, ce sont des gens inspirés et inspirants, par opposition à informés et submergés d'informations. Les connectés sont convaincus d'avoir une destinée. Ils savent pourquoi ils sont ici et ils savent qu'ils ne sont pas qu'un corps composé d'os, de sang et d'organes, recouvert de peau et de poils. Les connectés se consacrent avant tout à leur but et préfèrent éviter d'être distraits par les exigences de leur ego. Ils ont une grande vénération pour le monde de l'Esprit, et c'est en communiant avec cette Source qu'ils trouvent leur inspiration.

Leur niveau d'énergie est exceptionnellement élevé. Cette énergie est ce qui les définit en tant que connectés. C'est l'énergie de la Source, une fréquence vibratoire extrêmement rapide qui apporte l'amour là où règne la haine et qui convertit cette haine en amour. Les connectés apportent la paix là où règnent le chaos et la discorde, et convertissent les énergies inférieures en énergies supérieures. Quand vous êtes en présence de ceux qui vivent dans le champ de l'intention, vous vous sentez revitalisé, purifié, en meilleure santé et inspiré. Vous remarquerez qu'ils ne sont pas enclins à critiquer les autres et qu'ils ne se laissent jamais déstabiliser par les pensées et les actions des autres. On les dit souvent froids et distants, car ils évitent les échanges de banalités et les commérages. Ils vous diront que la Source est celle qui donne la vie et que tous les habitants de cette planète ont cet Esprit en eux comme une force toute-puissante au service du bien. Ils y croient, ils en vivent, et ce faisant, ils inspirent ceux qui les entourent.

Ils iront même jusqu'à dire que les déséquilibres naturels comme les tremblements de terre, les éruptions volcaniques et les conditions météorologiques extrêmes sont la conséquence d'un déséquilibre dans la conscience collective de l'humanité. Ils vous rappelleront que votre corps est composé des mêmes éléments que ceux de la terre, que le fluide qui compose 98 pour cent de votre sang a déjà été de l'eau de mer, et que les minéraux qui composent vos os faisaient partie des ressources minérales du globe. Ces gens, qui ne font qu'un avec notre planète, sentent qu'il est de leur responsabilité de demeurer en harmonie avec le champ de l'intention afin de contribuer à stabiliser et harmoniser les forces de l'univers que nous déstabilisons en accordant une place démesurée à notre ego. Ils vous diront que toutes vos pensées et toutes vos émotions sont des vibrations, et que la fréquence de ces vibrations peut créer des perturbations ; non seulement en nous, mais dans tout ce qui est composé des mêmes matériaux que nous.

Les connectés vous encourageront à vivre en harmonie avec la Source, par souci pour notre planète et par souci d'imiter notre Source. Ce n'est pas une possibilité à laquelle ils pensent ou dont ils discutent d'un point de vue purement intellectuel ; c'est quelque chose qu'ils ressentent profondément en eux-mêmes et qu'ils vivent tous les jours avec passion.

Tandis que vous observez ces connectés, vous remarquerez qu'ils sont rarement malades. Ils traversent la vie comme si leur corps était toujours en parfaite santé. En fait, ils pensent et vivent comme si tout ce que nous appelons maladie n'existait pas, et que dans le cas contraire, ils en seraient, de toute façon, déjà guéris. Ils croient être responsables de cette situation, car ils savent qu'il y a plusieurs dénouements possibles à une situation donnée, même si cette situation semble impossible à surmonter. Ils vous diront que vous avez la possibilité de guérir ici et maintenant, et que la progression d'une maladie dépend de la façon dont nous l'envisageons. Selon eux, si un système extérieur peut retrouver le calme quand nous le mettons en présence de notre sérénité, il en va de même de nos turbulences intérieures. Parlez-leur de leur pouvoir de guérison et ils vous répondront : *Je suis déjà guéri, et j'ai choisi de penser et de vivre conformément à cette perspective.*

Souvent, vos maladies et vos douleurs physiques disparaissent quand vous êtes en présence d'un connecté dégageant une énergie exceptionnellement élevée. Pourquoi ? Parce que son énergie spirituelle neutralise et éradique les énergies inférieures de la maladie. Le simple fait d'être en sa présence vous procure un sentiment de bien-être, car il exulte et irradie une énergie de joie et d'appréciation qui vous guérira, vous aussi, si vous demeurez près de lui.

Les connectés sont conscients qu'ils doivent éviter les énergies inférieures. Ils s'éloigneront en silence des gens bruyants, belliqueux et bornés en les bénissant et en poursuivant leur route sans faire d'histoire. Ils ne passent pas leur temps à regarder des émissions de télé violentes ou à prendre connaissance des dernières atrocités ou des statistiques de la guerre. Ils peuvent sembler dociles et faire peu de cas des gens qui baignent dans les horreurs qu'on diffuse sur les ondes. Mais puisque les connectés ne ressentent pas le besoin de gagner, d'avoir raison ou de dominer les autres, leur pouvoir tient au fait qu'ils remontent le moral des gens qu'ils croisent. Ils communiquent leur point de vue en étant en harmonie avec l'énergie créatrice de la Source. Rien ne peut les offenser, car leur ego n'a aucune part dans leurs opinions.

Les connectés vivent leur vie en harmonie avec les vibrations du champ de l'intention. Pour eux, tout est énergie. Ils savent que l'hostilité, la haine et même la colère, lorsqu'elles sont dirigées contre des gens qui croient et s'impliquent dans des activités associées à des énergies inférieures et à des actes violents, ne font que contribuer à ce genre d'activités débilitantes dans le monde.

Les connectés vivent en s'appuyant sur une énergie plus élevée et plus rapide qui leur permet d'avoir facilement accès à leurs pouvoirs intuitifs. Ils savent au fond d'eux-mêmes ce qui s'en vient. Si vous leur en parlez, ils vous diront : *Je ne peux l'expliquer, mais je peux le sentir à l'intérieur de moi*. Par conséquent, ils sont rarement étonnés quand les événements qu'ils avaient anticipés et eu l'intention de créer… se produisent. Au lieu d'être surpris, ils s'attendent que tout se déroule bien.

En demeurant en contact avec l'énergie de la Source, ils sont capables d'activer leurs intuitions et d'entrevoir ce qui est possible et comment y arriver. Ce savoir intime leur permet d'être d'une patience infinie, et c'est pourquoi ils ne se plaignent jamais de la façon dont leurs intentions se manifestent ou du temps qu'elles mettent à se manifester.

Les connectés sont souvent le reflet des sept visages de l'intention dont je n'ai cessé de vous entretenir tout au long de ce livre. Vous verrez des gens d'une créativité extraordinaire qui ne ressentent ni le besoin de se conformer, ni de faire ce que les autres attendent d'eux. Ils tirent profit de leur individualité unique et vous diront qu'ils peuvent créer n'importe quoi s'ils y mettent toute leur attention et leur imagination.

Les connectés sont des gens extrêmement bons et affectueux. Ils savent qu'en étant en harmonie avec l'énergie de la Source, ils reproduisent la bonté dont ils sont issus. Néanmoins, être bon ne leur demande aucun effort. Ils sont toujours reconnaissants de ce qu'ils reçoivent de la vie et savent qu'aimer la vie et notre petite planète est la meilleure façon d'exprimer cette gratitude. En étant bons avec les gens, ces derniers voudront leur rendre la pareille et deviendront des alliés qui les aideront à réaliser leurs intentions. Ils se lient avec un nombre illimité de gens affectueux, bons et généreux qui s'entraident afin de réaliser leurs désirs.

Vous remarquerez également que les connectés savent apprécier la beauté de notre monde. Ils trouvent toujours quelque chose à apprécier. Pour eux, il n'y a rien comme se perdre dans la beauté d'un ciel étoilé ou contempler une grenouille sur un nénuphar. Ils voient la beauté dans les yeux des enfants, et perçoivent l'éclat naturel et la splendeur des gens âgés. Ils n'ont aucune envie de juger les autres ou de les décrire en termes négatifs, et ils savent que la Source créatrice ne crée que de la beauté et que cette beauté sera toujours là pour nous.

Les connectés n'en savent jamais assez ! Ils veulent tout savoir de la vie et s'intéressent à tous les secteurs de l'activité humaine. Quel que soit le type de créativité, ils trouvent toujours une raison de se réjouir et ne ratent jamais une occasion d'élargir leurs propres horizons. Cette ouverture d'esprit face à tout ce qui existe et tout ce qui est possible, de même que cette volonté de toujours se développer, expliquent en grande partie leur grande facilité à réaliser leurs désirs. En d'autres termes, ils ne disent jamais *non* à l'univers. Peu importe ce que la vie leur réserve, ils diront : *Merci ! Qu'ai-je à apprendre, et comment puis-je grandir avec ce que la vie m'a donné ?* Ils refusent de juger ce que la Source leur envoie, et ce désir d'étendre leurs connaissances est finalement ce qui leur permet de se brancher sur l'énergie de la Source et d'ouvrir leur vie à tout ce que la Source veut bien leur donner. Les connectés sont toujours ouverts à toutes les possibilités, et cette qualité fait qu'ils sont toujours réceptifs à l'abondance intarissable de l'intention.

Cet ensemble d'attitudes propres aux gens connectés est la raison pour laquelle ils semblent avoir tant de chance dans la vie. Quand vous êtes en leur compagnie, vous vous sentez revitalisé, utile, inspiré et entier. Ils vous donnent de l'énergie, mais aussi le sentiment que vous êtes en possession de tous vos moyens. Quand vous vous sentez bien dans votre peau, vous entrez dans l'abondance de la Source et invitez les autres, sans vous en rendre compte, à faire de même. Les connectés ne sont pas seulement liés à l'énergie de la Source, ils sont liés à tout ce qui existe dans l'univers. Ils sont alignés sur le cosmos et sur toutes les particules qui le composent. Et si le pouvoir de l'intention est possible et accessible, c'est grâce à ce lien.

Ces gens qui sont parvenus à l'autoréalisation pensent *en commençant par la fin*. Ils expérimentent dans leur esprit ce qu'ils désirent avant que cela ne se manifeste sous forme matérielle et utilisent leurs émotions pour déterminer s'ils sont synchronisés avec le pouvoir de l'intention. S'ils se sentent bien, ils savent qu'ils vivent en harmonie avec leur Source. S'ils se sentent mal, ils y voient l'indice qu'ils doivent remonter à des niveaux d'énergie supérieure. Et finalement, en accord avec leurs pensées et leurs émotions, ils agissent comme si leurs désirs étaient déjà réalité. Si vous leur demandez ce que vous devez faire pour réaliser vos rêves, ils vous conseilleront sans hésiter *de changer le regard que vous posez sur les choses, et les choses que vous regardez changeront.*

Je vous encourage à reproduire leur monde intérieur et à vous réjouir dans le champ infini du pouvoir de l'intention.

Ça fonctionne, je vous le garantis !

❀

REMERCIEMENTS

Je voudrais remercier Joanna Pyle, mon éditrice personnelle depuis deux décennies. Quand je pense que tu es parvenue à faire un livre pertinent de mes idées et de mon écriture issue de mon discours intérieur décousu ! Je n'y serais jamais parvenu sans toi. Quelle chance de t'avoir dans ma vie !

Merci à mon assistante, Maya Labos, qui est là pour moi depuis déjà vingt-cinq ans et qui ne m'a jamais répondu : « Ce n'est pas à moi de faire ça. » Certains auteurs et conférenciers peuvent avoir recours à vingt-cinq assistants au cours d'une même année : en vingt-cinq ans, tu as été ma *seule* assistante. Merci, merci, merci !

Merci à mon éditeur et bon ami, Reid Tracy, des éditions Hay House, qui a cru en ce projet dès le début, et qui a accepté de faire ce qui devait être fait pour mener ce projet à bon port. Merci, mon ami. Je t'aime et te respecte, toi et ton courage.

Et finalement, merci à Ellen Beth Goldhar, dont l'inspiration m'a guidé tout au long de ce livre. Merci pour tes suggestions inspirées et ton analyse critique de mes idées sur l'intention en tant que synonyme de la Source dont nous émanons et à laquelle nous aspirons de retourner.

❋

Au sujet de l'auteur

Wayne W. Dyer, Ph. D., est un auteur et un conférencier de renommée internationale dans le domaine du développement personnel. Il a signé plus d'une vingtaine d'ouvrages, conçu plusieurs livres audio, CD et vidéos, et participé à des milliers d'émissions de télévision et de radio. Quatre de ses livres, incluant *Accomplissez votre destinée*, *La Sagesse des anciens*, *Il existe une solution spirituelle à tous vos problèmes* et le best-seller *Les Dix Secrets du succès et de la paix intérieure*, ont été présentés sur les ondes de la télévision publique américaine ; et ce livre, *Le Pouvoir de l'intention*, fait aussi l'objet d'une émission spéciale aux États-Unis. Le Dr Dyer est titulaire d'un doctorat en Sciences de l'éducation de l'Université Wayne State et professeur agrégé à l'Université St. John de New York. Son site Internet :

www.DrWayneDyer.com.

TABLE DES MATIÈRES

TROISIÈME PARTIE :
LA CONNEXION

COLLECTION
AVENTURE SECRÈTE

La spiritualité, l'ésotérisme et la parapsychologie offrent des perspectives fascinantes au monde moderne. Les sciences d'aujourd'hui rejoignent les traditions d'hier : l'invisible et les pouvoirs de l'esprit sont une réalité.

« Aventure Secrète » vous invite à porter un regard neuf sur vous et sur l'univers en répondant aux plus grandes questions de tous les temps.

ÉNIGMES

ÉPANOUISSEMENT PERSONNEL

PARANORMAL/DIVINATION/PROPHÉTIES

Édouard Brasey • *Enquête sur l'existence des fées et des esprits de la nature*
Marie Delclos • *Le guide de la voyance*
Jean-Charles de Fontbrune • *Nostradamus, biographie et prophéties jusqu'en 2025*
Dorothée Koechlin de Bizemont • *Les prophéties d'Edgar Cayce*
Maud Kristen • *Fille des étoiles*
Régine Saint-Arnauld • *Le guide de l'astrologie amoureuse*
Rupert Sheldrake • *Les pouvoirs inexpliqués des animaux*
Sylvie Simon • *Le guide des tarots*

POUVOIRS DE L'ESPRIT/VISUALISATION

Dr. Wayne W. Dyer • *Le pouvoir de l'intention*
Marilyn Ferguson • *La révolution du cerveau*
Shakti Gawain • *Techniques de visualisation créatrice*
Shakti Gawain • *Vivez dans la lumière*
Jon Kabat-Zinn • *Où tu vas, tu es*
Bernard Martino • *Les chants de l'invisible*
Éric Pier Sperandio • *Le guide de la magie blanche*
Marianne Williamson • *Un retour à la prière*

LOBSANG T. RAMPA

Le troisième œil
Les secrets de l'aura
La caverne des Anciens
L'ermite

JAMES REDFIELD

La prophétie des Andes
Les leçons de vie de la prophétie des Andes
La dixième prophétie
L'expérience de la dixième prophétie
La vision des Andes
Le secret de Shambhala
Et les hommes deviendront des dieux

ROMANS ET RÉCITS INITIATIQUES

Deepak Chopra • *Dieux de lumière*
Elisabeth Haich • *Initiation*

Laurence Ink • *Il suffit d'y croire…*
Gopi Krishna • *Kundalinî – autobiographie d'un éveil*
Shirley MacLaine • *Danser dans la lumière*
Shirley MacLaine • *Le voyage intérieur*
Shirley MacLaine • *Mon chemin de Compostelle*
Dan Millman • *Le guerrier pacifique*
Marlo Morgan • *Message des hommes vrais*
Marlo Morgan • *Message en provenance de l'éternité*
Michael Murphy • *Golf dans le royaume*
Scott Peck • *Les gens du mensonge*
Scott Peck • *Au ciel comme sur terre*
Robin S. Sharma • *Le moine qui vendit sa Ferrari*
Baird T. Spalding • *La vie des Maîtres*

SANTÉ/ÉNERGIES/MÉDECINES PARALLÈLES

Deepak Chopra • *Santé parfaite*
Janine Fontaine • *Médecin des trois corps*
Janine Fontaine • *Médecin des trois corps. Vingt ans après*
Caryle Hishberg & Marc Ian Barasch • *Guérisons remarquables*
Dolores Krieger • *Le guide du magnétisme*
Pierre Lunel • *Les guérisons miraculeuses*
Caroline Myss • *Anatomie de l'esprit*
Dr Bernie S. Siegel • *L'amour, la médecine et les miracles*

SPIRITUALITÉS

Bernard Baudouin • *Le guide des voyages spirituels*
Jacques Brosse • *Le Bouddha*
Deepak Chopra • *Comment connaître Dieu*
Deepak Chopra • *La voie du magicien*
Sa Sainteté le Dalaï-Lama • *L'harmonie intérieure*
Sam Keen • *Retrouvez le sens du sacré*
Thomas Moore • *Le soin de l'âme*
Scott Peck • *Le chemin le moins fréquenté*
Scott Peck • *La quête des pierres*
Scott Peck • *Au-delà du chemin le moins fréquenté*
Ringou Tulkou Rimpotché • *Et si vous m'expliquiez le bouddhisme ?*
Baird T. Spalding • *Treize leçons sur la vie des Maîtres*
Marianne Williamson • *Un retour à l'Amour*
Neale D. Walsch • *Conversations avec Dieu - 1 et 2*
Neale D. Walsch • *Présence de Dieu*

VIE APRÈS LA MORT/RÉINCARNATION/INVISIBLE

8117

Composition
NORD COMPO

Achevé d'imprimer en France (Malesherbes)
par MAURY-IMPRIMEUR
le 30 octobre 2012.

EAN 9782290353028
1ᵉʳ dépôt légal dans la collection août 2006.
n° d'impression: 176626

ÉDITIONS J'AI LU
87, quai Panhard-et-Levassor, 75013 Paris

Diffusion France et étranger : Flammarion